l'essentiel

4ᵉ SECONDAIRE

Céline Tempe

Jean-François Bédard

Cynthia Genovesi

CAR
ACT
ÈRE

Imprimé au Canada

2 3 4 5 6 M 21 20 19 18 17

ISBN : 978-2-89642-905-9

Dépôt légal – Bibliothèque et Archives nationales du Québec, 2014

© Éditions Caractère inc.

Les Éditions Caractère remercient le gouvernement du Québec – Programme de crédit d'impôt pour l'édition de livres – Gestion SODEC

Ce projet est financé en partie par le gouvernement du Canada

Consultez le site des Éditions Caractère

editionscaractere.com

Sommaire

FRANÇAIS

| Céline Trempe |

>>>>>>>>>>>>>>> table des matières

index de l'aide-mémoire »»»»»»»»»»»»»

Tu trouveras dans cet aide-mémoire un résumé des notions que tu étudies dans ta classe de français de 4e secondaire.

index de l'aide-mémoire »»»»»»»»»»»»»

Ce livre tient compte des rectifications orthographiques.

Les classes de mots

Tous les mots du dictionnaire, classés selon l'ordre alphabétique, appartiennent à une catégorie appelée « classe de mots ».

Caractéristiques		Exemples
Variable		
Déterminant	• Il précède généralement le nom, sauf quand un autre mot se place entre lui et le nom. • Il reçoit le genre et le nombre du nom.	**Le** troupeau / **les** troupeaux / **le** grand troupeau
Nom	• Il désigne une réalité concrète ou abstraite. • Il donne son genre (f. ou m.) et son nombre (s. ou pl.) au déterminant et à l'adjectif qui l'accompagnent.	Une belle **maison**
Adjectif	• Il précise ou caractérise le nom. • Il reçoit le genre et le nombre du pronom ou du nom.	Ces **gentils** messieurs
Pronom	• Il remplace un ou plusieurs mots. • Il se place généralement devant le verbe.	Florence va à l'école. **Elle** réussit bien.
Verbe	• Il exprime une action concrète, abstraite ou un état. • Il varie selon la personne, le genre et le nombre de son sujet.	Elles **sont parties** vers l'heure du souper. Mon ami **était** heureux.
Invariable		
Adverbe	• Il exprime le temps, le lieu, la manière, etc. • Il peut préciser ou modifier un adjectif, un verbe ou un autre adverbe.	Ils ont discuté **longuement** de l'événement.
Préposition	• Elle introduit un complément de lieu, de temps, de but, de cause, etc.	Il s'est dirigé **vers** Québec. (de lieu)
Conjonction	• Elle relie des mots, des groupes de mots ou des phrases. • Elle exprime la cause, l'addition, l'opposition, etc.	J'aime lire des romans **et** des bandes dessinées. (l'addition)

La grammaire de la phrase et du texte

- Le groupe nominal (GN) a pour **noyau** un nom. Le noyau, le mot le plus important du groupe, est le donneur d'accord.

- Ce nom peut être seul ou suivi de différentes expansions, p. ex., un autre groupe du nom (GN), un groupe de l'adjectif (GAdj), un groupe prépositionnel (GPrép) ou une subordonnée relative (Sub. rel.). Ces expansions ont la fonction de **complément du nom**.

Groupe	Expansions	Fonctions	Exemples
GN	**GN**	complément du nom	GN Mon amie **Hélène** m'a prêté des livres.
	GAdj	complément du nom	GAdj Ce chirurgien **renommé** donne une conférence demain.
	GPrép	complément du nom	GPrép Le départ **de la course** est prévu pour 9 heures.
	Sub. rel.	complément du nom	Sub. rel. Le document **que tu as emprunté** est fort pertinent.

Le groupe adjectival ou de l'adjectif (GAdj)

- Le GAdj a pour **noyau** un adjectif.

- Cet adjectif peut être seul ou suivi de différentes expansions, p. ex., un groupe de l'adverbe (GAdv), un groupe prépositionnel (GPrép) ou une subordonnée complétive (Sub. compl.). Ces expansions ont la fonction de **complément de l'adjectif** ou de **modificateur de l'adjectif**.

Groupe	Expansions	Fonctions	Exemples
GAdj	GAdv	modificateur de l'adjectif	GAdv Cette course est **très** longue.
	GPrép	complément de l'adjectif	GPrép C'est une énigme compliquée **à résoudre**.
	Sub. compl.	complément de l'adjectif	Sub. compl. Les enfants paraissent heureux **que leur enseignante soit avec eux**.

Le groupe verbal ou du verbe (GV)

- Le groupe verbal (GV) a pour **noyau** un verbe.

- Ce verbe peut être seul ou suivi de différentes expansions, p. ex., un groupe du nom (GN), un groupe prépositionnel (GPrép), un groupe de l'adjectif (GAdj) ou un groupe de l'adverbe (GAdv). Ces expansions ont la fonction de **complément du verbe** — direct (CD) ou indirect (CI) —, de **modificateur du verbe** ou d'**attribut du sujet**.

Groupe	Expansions	Fonctions	Exemples
GV	GN	complément direct du verbe	GN Annie a mis **ses chaussures vertes**.
		attribut du sujet (placé à la droite du verbe attributif, p. ex. *être*, *sembler*, *rester*, etc.)	GN Maxime est **un enfant heureux**.
	GPrép	complément indirect du verbe (se construit avec une préposition, p. ex. *à*, *dans*, *par*, *pour*, *en*, etc.)	GPrép Mes parents se soucient **de mes résultats scolaires**.
	GAdj	attribut du sujet (placé à la droite du verbe attributif, p. ex. *être*, *sembler*, *rester*, etc.)	Les patineuses de vitesse demeuraient GAdj **victorieuses lors de cette course**.
	GAdv	modificateur du verbe	GAdv Cet élève travaille **beaucoup** pour réussir.

Le groupe verbal participe (GVpart)

- Le groupe verbal participe (GVpart) a pour **noyau** un verbe au participe présent (p. ex., dans*ant*, parl*ant*, march*ant*).

- Ce verbe peut être suivi de différentes expansions, p. ex., un groupe du nom (GN), un groupe de l'adjectif (GAdj), un groupe prépositionnel (GPrép), un groupe verbal infinitif (GVinf) ou une subordonnée complétive (Sub. compl.). Ces expansions ont la fonction de **complément du nom**.

Groupe	Expansions	Fonctions	Exemples
GVpart	GN	complément du nom	GN La fillette, regardant **les étoiles**, tentait de les identifier.
	GAdj	complément du nom	GAdj Ma grand-mère, étant **vigoureuse**, adore sortir, même en hiver.
	GPrép	complément du nom	GPrép Frissonnant **de froid**, Geneviève se réfugia dans la maison.
	GVinf	complément du nom	GVinf Ma sœur, voulant **tondre** le gazon, a déplacé les chaises du jardin.
	Sub. compl.	complément du nom	Sub. compl. Confirmant **que la visite n'aurait pas lieu**, notre professeur semblait déçu.

Le groupe verbal infinitif (GVinf)

- Le groupe verbal infinitif (GVinf) a pour **noyau** un verbe à l'infinitif.

- Le GVinf peut être suivi de différentes expansions, p. ex., un groupe du nom (GN), un groupe de l'adjectif (GAdj), un groupe prépositionnel (GPrép) ou une subordonnée complétive (Sub. compl.). Ces expansions ont la fonction de **complément du verbe** — direct (CD) ou indirect (CI) — ou d'**attribut**.

Groupe	Expansions	Fonctions	Exemples
GVinf	GN	complément direct du verbe (CD)	GN Ma sœur veut emprunter **la voiture** de ma mère.
	GAdj	attribut	GAdj Paraître **jeune** est tout un exploit.
	GPrép	complément indirect du verbe (CI)	GPrép Il peut déjeuner **avec moi**.
	Sub. compl.	complément direct du verbe (CD)	Sub. compl. Tu aurais pu admettre **que tu avais tort**.

aide-mémoire «««««««««««««««

Le groupe prépositionnel (GPrép)

- Le groupe prépositionnel (GPrép) a pour **noyau** une préposition.

- Cette préposition est nécessairement suivie de différentes expansions, p. ex., un groupe du nom (GN), un groupe de l'adverbe (GAdv), un autre groupe prépositionnel (GPrép) ou un GVinf, etc. Ces expansions ont la fonction de **complément de la préposition**, de **complément de phrase** (CP) ou de **complément du verbe** — direct (CD) ou indirect (CI).

Groupe	Expansions	Fonctions	Exemples
GPrép	GN	complément de la préposition	GN Aurélie est allée à **Amsterdam**.
	GAdv	complément de la préposition	GAdv Je me souviendrai de toi pour **toujours**.
	GPrép	complément de la préposition	GPrép Prépare-toi avant **de monter** sur scène.
		complément de phrase	GPrép Il prépare un potage **dans une casserole**.
	GVinf	complément direct du verbe (CD)	GVinf Je pense **prendre rendez-vous** chez le médecin.
		complément indirect du verbe (CI)	GVinf Emmanuelle va l'assister **dans son intervention**.

Le groupe adverbial ou de l'adverbe (GAdv)

- Le groupe adverbial (GAdv) a pour **noyau** l'adverbe.

- Cet adverbe peut être seul ou suivi d'une expansion, p. ex. un autre groupe de l'adverbe (GAdv) dont la fonction est **modificateur de l'adverbe**.

Groupe	Expansion	Fonction	Exemple
GAdv	GAdv	modificateur de l'adverbe	GAdv Ce voyage à la voile était prévu depuis **longtemps**.

La phrase de base

La phrase de base présente ces **caractéristiques** : elle commence par une lettre majuscule et se termine par un point.

La phrase de base est notamment **formée** de deux **groupes obligatoires** : un groupe nominal sujet (GNs) et un groupe verbal (GV).

La phrase de base peut aussi comporter un **groupe facultatif** (non obligatoire), soit le complément de phrase (CP).

Exemple

GN   GV   CP

On   prête à certaines plantes des vertus médicinales   depuis fort longtemps.

Les types de phrases

Il existe quatre types de phrases : déclarative, impérative, interrogative et exclamative.

La phrase déclarative : La phrase déclarative est conforme au modèle de la phrase de base. Les groupes obligatoires suivent donc l'ordre suivant : GNs + GV + (CP).

Exemple

GN   GV   CP

Maxime   s'est blessé à la cheville   en courant dans la rue.

La phrase impérative : La phrase impérative sert à donner un ordre, un commandement. C'est une phrase transformée, puisqu'il n'y a pas de sujet exprimé et que le verbe est au mode impératif.

Exemple

v impératif

Prépare   le repas avant que je revienne.

La phrase interrogative : La phrase interrogative sert à poser une question. C'est une phrase transformée qui contient généralement une marque interrogative. La phrase interrogative totale, à laquelle on répond par oui ou par non, se distingue de la phrase interrogative partielle, qui nécessite une réponse plus élaborée.

La formation de la phrase interrogative totale : Déplacement du pronom sujet et ajout d'un point d'interrogation. Il faut ajouter un trait d'union entre le verbe et le sujet déplacé.

Exemple

Vous préparerez tout le matériel afin que nous partions tôt demain.

déplacement sujet-verbe   ajout d'un ?

Préparerez-vous tout le matériel afin que nous partions tôt demain **?**

La phrase exclamative : La phrase exclamative sert à exprimer une émotion, un sentiment, etc. Elle se construit sur le modèle de la phrase déclarative, mais comporte une marque exclamative et un point d'exclamation.

Exemple

                   ajout d'une marque exclamative   et d'un !

J'ai été malade.   **Comme** j'ai été malade **!**

aide-mémoire «««««««««««««««««

Les formes de la phrase

Une phrase a toujours quatre formes : positive ou négative ; active ou passive ; neutre ou emphatique ; personnelle ou impersonnelle. La phrase de base est **positive**, **active**, **neutre** et **personnelle**.

La phrase positive ou négative : Une phrase positive ne contient pas d'adverbes de négation, contrairement à la phrase négative, identifiable aux marques de négation (des adverbes ou des locutions adverbiales) qu'elle contient : *ne... pas, ne... plus, ne... jamais, ne... guère, ne... aucun*, etc.

Exemple

Je mange une pomme. (Absence d'adverbe de négation → phrase positive)

Locution adverbiale de négation

Je **ne** mange **pas** de pomme. (Présence d'adverbes de négation → phrase négative)

La phrase active ou passive : Une phrase est active lorsque le sujet fait l'action indiquée par le verbe et elle est passive lorsque le sujet subit l'action indiquée par le verbe. Pour obtenir une phrase passive, on doit effectuer les opérations suivantes :

Exemple : L'entrepreneur malhonnête verse des pots-de-vin.

- Déplacer les groupes *L'entrepreneur malhonnête* et *des pots-de-vin* ;
- Ajouter la préposition *par* ;
- Remplacer le verbe de la phrase active par l'auxiliaire *être* au même temps et ajouter le participe passé du verbe de la phrase.

Exemple

GN

L'entrepreneur malhonnête **verse** des pots-de-vin. (Le sujet fait l'action → phrase active)

GN

Des pots-de-vin sont versés par l'entrepreneur malhonnête. (Le sujet subit l'action → phrase passive)

La phrase neutre ou emphatique : La phrase neutre ou emphatique diffère quant à l'intensité exprimée par l'auteur. Pour obtenir une phrase emphatique, on met en valeur un des éléments de la phrase neutre en effectuant les opérations suivantes :

Exemple :

François est notre patron.

- Encadrement du sujet par *c'est... qui / c'est... que* ;
- Détachement d'un élément de la phrase à l'aide d'une virgule et ajout d'un pronom.

Exemple

François est notre patron. (Aucune mise en valeur → phrase neutre)

C'est François **qui** est notre patron. (Encadrement du sujet par *c'est... qui* ou *c'est... que* → phrase emphatique)

La phrase personnelle ou impersonnelle : La phrase personnelle ou impersonnelle varie en fonction du pronom sujet utilisé. Pour obtenir une phrase impersonnelle, on déplace le sujet de la phrase et on ajoute le pronom impersonnel *il*, qui ne représente aucune réalité.

Exemple

GN
Une chose inexplicable s'est produite.

pr personnel
Il s'est produit une chose inexplicable. (Remplacement du GNs par le pronom *il* → phrase impersonnelle)

GN
Beaucoup de neige est tombée hier soir.

pr impersonnel
Il est tombé beaucoup de neige hier soir.

La voix passive

La voix passive est l'une des trois voix verbales en français ; les deux autres étant la voix active et la voix pronominale. À la voix passive, l'être que désigne le sujet est en situation de passivité par rapport à l'action évoquée par le verbe, il subit l'action.

Seuls les verbes transitifs directs (qui peuvent avoir un CD) peuvent être à la voix passive (le CD d'un verbe actif devient sujet à la voix passive.). Les verbes au passif se conjuguent avec l'auxiliaire *être* (le temps de l'auxiliaire correspond à celui du verbe passif). Le verbe passif est souvent accompagné d'un complément d'agent (préposition *par*).

Exemple

J'ai pêché une carpe. (phrase active) – Une carpe a été pêchée par moi. (phrase passive)

La voix active

Un verbe d'action exprime ce que fait le sujet ou bien ce qu'il subit, il en est l'agent (c'est le fait de donner ou recevoir). Ex. : Jean court sur le chemin (l'action concerne Jean qui court).

Les verbes transitifs (admettent un CD ou un CI) supportent la voix active. Les verbes d'action sont divisés en trois catégories, suivant les formes qu'ils peuvent prendre en fonction de la situation.

- La voix active : le sujet (l'agent) fait l'action indiquée par le verbe : Amélie nage. Le chauffeur conduit le camion.

Selon le verbe employé, on peut utiliser l'auxiliaire *être* ou l'auxiliaire *avoir* à un temps composé :

Exemple : Je suis allée chez lui. (*être*) – Les passants ont poussé la voiture. (*avoir*)

aide-mémoire «««««««««««««««««

La phrase subordonnée, qui ne peut exister sans une autre phrase, peut être notamment relative, complétive ou circonstancielle.

Catégories	Fonctions	Subordonnants	Exemples
Subordonnée relative	complément du nom	**pronoms relatifs :** *qui, que, quoi, dont, où, lequel, laquelle, duquel, lesquels, lesquelles,* etc.	Ce garçon, **qu'**elle m'a présenté, semble vraiment gentil.
Subordonnée complétive	complément direct ou indirect du verbe	**mots invariables :** *que, si, quand, comment, quel, quels, pourquoi,* etc.	Je comprendrais **si** tu m'expliquais tes peurs.
Subordonnée circonstancielle	complément de la phrase (exprimant le temps, le but, la cause, etc.)	**temps :** *quand, lorsque, après que, pendant que,* etc.	Son bras s'est cassé **lorsqu'**elle est tombée en ski.
		but : *afin que, de crainte que, de peur que, pour que,* etc.	J'ai apporté une couverture **afin que** tu n'aies pas froid.
		cause : *parce que, comme, puisque,* etc.	**Comme** nous étions partis rapidement, la télévision était restée allumée.
		conséquence : *si bien que, de sorte que, de telle sorte que, au point que, à tel point que, de telle façon que,* etc.	William comprenait les enjeux **à tel point qu'**il continua malgré la fatigue.
		comparaison : *comme, ainsi que, de même que, autant que,* etc.	William patine **comme** un champion.

La phrase incise

L'incise est une phrase que l'on insère dans une autre phrase ou à la fin d'une autre phrase. L'incise sert à avertir le lecteur que l'on rapporte les paroles ou les pensées de quelqu'un. On insère une incise en utilisant la virgule double : on met une virgule avant et une virgule après l'incise, pour montrer qu'il s'agit d'un élément ajouté à la phrase. L'incise est introduite par un verbe introducteur de paroles tel que : *affirmer, dire, appeler, ajouter, déclarer, répéter,* etc.

Exemple

Je croyais, **affirmait-elle**, que le cours commençait à neuf heures.

Si l'incise est placée à la fin d'une phrase, c'est-à-dire après les paroles rapportées, on laisse tomber la seconde virgule, car elle sera remplacée par le point final. La première virgule peut être aussi omise si les paroles rapportées se terminent par un point d'interrogation ou d'exclamation, ou bien des points de suspension.

Exemple

Je croyais que le cours commençait à neuf heures, **affirmait-elle**.

Je croyais que le cours commençait à neuf heures ! **s'exclamait-elle**.

La voix pronominale

Lorsque le sujet fait ou subit l'action indiquée par le verbe, il s'agit de la voix pronominale. Elle est alors représentée par les pronoms *me, te, se, nous, vous* (appelés pronoms réfléchis ou pronoms réciproques).

Exemple : Je me parlais intérieurement. Nous nous sommes perdus.

Le participe passé

Le participe passé est une forme verbale qui participe aussi bien de la nature du verbe que de celle d'un adjectif.

Participe passé employé avec l'auxiliaire *être* (PPE)

Règle d'accord : Le participe passé employé avec l'auxiliaire *être* s'accorde toujours avec le sujet du verbe.

Exemple :

Le jardin sera bêché au mois de mai.

Les pommes sont cueillies.

Cas particulier :

Le participe reste au singulier si les pronoms personnels *nous* ou *vous* sont mis pour *je* ou *tu*.

Exemple :

Monsieur, êtes-vous déjà allé à Berlin ? Nous sommes venu vous rencontrer. (L'auteur parle de lui-même en utilisant le *nous* de modestie.)

Participe passé employé avec l'auxiliaire *avoir* (PPA)

Règle d'accord : Le participe passé des verbes conjugués avec l'auxiliaire *avoir* ne s'accorde jamais avec le sujet. Il demeure invariable si aucun complément d'objet direct (CD) ne le précède, mais il s'accorde avec le complément d'objet direct si ce dernier précède le participe passé.

Exemple :

Avez-vous acheté les poires que je vous ai demandées ?
(Demandé quoi ? *que* mis pour les *poires*, complément d'objet direct précède le verbe, on fait l'accord.)

Voici les tissus dont je vous ai parlé.
(parlé de quoi ? des *tissus* ; complément d'objet indirect, alors on ne fait pas l'accord.)

aide-mémoire ««««««««««««««

Le participe passé précédé de *en, le, l'*

Le participe passé précédé de *en, le, l'* qui représente une phrase ou qui a comme réponse à la question *quoi ? de cela* reste toujours invariable.

> **Exemple :**
>
> J'ai cueilli des fraises et je lui en ai donné.
>
> Je lui ai donné quoi ? *De cela, de ces fraises,* donc *donné* reste donc invariable.
>
> Les manifestants sont arrivés : nous le lui avons annoncé.
>
> Nous lui avons annoncé quoi ?
>
> *Le,* mis pour la phrase *que les manifestants étaient arrivés,* donc *annoncé* reste invariable.
>
> Le participe passé des verbes conjugués avec l'auxiliaire *avoir* s'accorde en genre et en nombre avec le CD qui le précède.

Le CD précède le participe passé si :	
c'est un pronom relatif	Nous avons prévu des vacances que mon patron a autorisées. (Le pronom relatif CD *que* précède le participe *autorisées.*)
c'est un pronom personnel	J'ai prévu des vacances et mon patron les a autorisées. (Le pronom personnel *les* précède le participe *autorisées.*)
la question ou l'exclamation portent sur le CD	Quelles vacances le patron a-t-il autorisées ? Je ne sais pas quelles vacances le patron a autorisées.

Participe passé employé avec un verbe transitif

Un verbe transitif est un verbe qui admet un **complément** d'objet. (Elle fume une cigarette. Il roule à bicyclette.)

Un verbe intransitif est un verbe qui n'admet pas de **complément d'objet**. (Elle partira demain.)

Participe passé employé avec un verbe intransitif

Le verbe intransitif n'admet jamais de complément d'objet. Il ne s'emploie qu'avec des **compléments circonstanciels** ou compléments de phrase (CP). Le participe passé d'un verbe intransitif (*courir, coûter, mesurer, peser, valoir,* etc.) reste toujours invariable quand on peut poser la question avec *combien.* Cependant, ils sont variables au sens figuré.

> **Exemple :** Les douze années que mon chien a vécu m'ont procuré une belle qualité de vie.

Le participe passé à la forme pronominale

Les verbes pronominaux sont ceux qui sont accompagnés d'un sujet et d'un pronom complément de la même personne grammaticale (*me, te, se, nous, vous, se*).

Ces participes passés se conjuguent avec l'auxiliaire *être*.

> Ils se sont aimés.

> Les deux amis se sont serré la ceinture.

> « Je me suis détachée de lui », dit Françoise.

> Héloïse et Mélanie se sont absentées.

Il existe deux catégories de verbes pronominaux :

Les verbes occasionnellement pronominaux

Ces verbes peuvent être conjugués parfois à la forme régulière, parfois à la forme pronominale. Les participes passés des verbes occasionnellement pronominaux s'accordent avec le complément d'objet direct si celui-ci est placé devant le verbe.

Il est donc nécessaire de substituer l'auxiliaire *être* par l'auxiliaire *avoir* et d'utiliser la règle se rapportant aux participes passés employés avec l'auxiliaire *avoir*.

Exemple : Ils se sont aimés malgré la distance.

Aimer est un verbe occasionnellement pronominal, donc *Ils ont aimé* qui ? *se,* ayant pour antécédent le pronom *ils* placé avant le verbe. Le participe passé s'accorde au masculin pluriel.

Exemple : La candidate s'est présentée aux membres du jury.

Présenter est un verbe occasionnellement pronominal, donc *La candidate a présenté* qui ? *s',* ayant pour antécédent le nom *candidate*. Le participe passé s'accorde donc au féminin singulier.

Exemple : Les lettres qu'ils se sont écrites les rapprochaient l'un de l'autre.

Écrire est un verbe occasionnellement pronominal, donc *Ils ont écrit* quoi ? *qu',* ayant pour antécédent *lettres*. Le participe passé s'accorde donc au féminin pluriel.

Exemple : Les deux grandes amies se sont écrit plusieurs lettres durant toutes ces années.

Elles ont écrit quoi ? *Plusieurs lettres,* placé après le participe passé, qui demeure donc invariable.

Les verbes essentiellement pronominaux

Ce sont des verbes qui n'existent qu'à la forme pronominale ; les pronoms *me, te, se, nous, vous* et *se* sont indissociables des verbes et en font partie intégrante (*se méfier, s'absenter, se taire, se suicider,* et une vingtaine d'autres verbes).

Les participes passés des verbes essentiellement pronominaux s'accordent avec le sujet du verbe. Il faut utiliser la règle des participes passés employés avec l'auxiliaire *être*. Les verbes pronominaux de sens passif n'ayant pas de complément d'objet CD ou CI se conjuguent avec le sujet.

Exemple : Elles se sont méfiées de ce vendeur.

(*Qui s'est méfié ?* *Elles*, sujet du verbe, féminin pluriel.)

Exemple : Nous nous sommes désistés au dernier moment.

(*Qui s'est désisté ?* *Nous*, sujet du verbe, masculin pluriel.)

Pour accorder le participe passé à la forme pronominale, il faut :

- identifier la forme du participe passé (forme régulière / forme pronominale) ;
- se demander si le participe passé est occasionnellement ou essentiellement pronominal ;
- choisir la règle qui se rapporte à chacun de ces types de participe passé à la forme pronominale ;
- appliquer la règle du participe passé.

La concordance des temps

Dans un récit, l'harmonisation des temps verbaux doit se faire en fonction du sens ; le choix des temps de verbe dépend de la construction grammaticale de la phrase. On parle alors de la concordance des temps qui doit respecter certaines règles grammaticales selon la relation de temps entre la phrase de base et la subordonnée.

Par exemple, une subordonnée qui dépend du verbe *vouloir* doit être suivie du subjonctif : « Il est tard et je veux que tu finisses. » et non : « Il est tard et je veux que tu finis. »

Pour ne pas trop malmener la concordance des temps, il faut, devant une proposition subordonnée, se poser une première question. Le verbe de la subordonnée est-il à l'indicatif ou au subjonctif ?

De cette première réponse dépendront les possibilités liées aux temps :

Le verbe de la subordonnée est à l'indicatif ; tous les temps sont possibles si la principale est au présent ou au futur. Tout se passe alors comme si la subordonnée était une indépendante.

Exemples : *Je crois qu'il arrive maintenant. Je crois qu'il est arrivé hier. Je crois qu'il arrivait quand je suis entré*, etc.

Le verbe de la principale est à un temps du passé, alors la subordonnée se met :

→ à l'imparfait ou au passé simple, si le fait est **simultané** :

Exemple : *Elle a dit qu'elle était là quand nous sommes arrivés. Elle nous quitta dès que nous la vîmes.*

→ au conditionnel présent ou au conditionnel passé, si le fait est **postérieur** :

Exemple : *Elle a dit qu'elle serait là demain.*

→ au plus-que-parfait ou au passé antérieur, si le fait est **antérieur** :

Exemple : *Elle a dit qu'elle avait terminé avant que nous arrivions. Elle envoya la lettre dès qu'elle eut eu confirmation de l'événement.*

Si la principale est au présent ou au futur, le verbe de la subordonnée est :

→ au présent du subjonctif si le fait est **simultané** ou **postérieur** :

Exemple : *Elle suggère qu'il décore lui-même sa maison. Elle souhaite que tu viennes demain. Elle demandera que tu viennes tout de suite. Tu voudras peut-être y aller demain.*

→ au passé du subjonctif, si le fait est **antérieur** :

Exemple : *Je ne suis pas sûre que tu aies désiré le rencontrer.*

Si la principale est à un temps du passé, la subordonnée se met :

→ à l'imparfait du subjonctif, si le fait est **simultané** ou **postérieur**

Exemple : *Il a souhaité qu'il écrivît sur-le-champ. Il voulait que nous revenions le lendemain ;*

→ au plus-que-parfait du subjonctif si le fait est **antérieur** :

Exemple : *Il voulait que tu eusses écrit avant son départ.*

On doit choisir le temps qui reflétera le mieux la pensée, le temps qui servira au mieux la nuance.

La ponctuation

La ponctuation est l'ensemble des signes graphiques qui contribuent à la structuration du texte, qui marquent les rapports syntaxiques entre les phrases, les membres de phrase et apportent des précisions sémantiques[1].

La ponctuation		
Signes	Utilisation	Exemples
Le point	Indique la fin d'une phras. Indique qu'un mot est abrégé.	L'intimidation de jeunes par des jeunes est une façon de s'imposer au moyen de la terreur et de la violence. M. Léger est notre professeur de français.
La virgule	Marque une courte pause dans la lecture. Lorsqu'employée dans une énumération, elle sépare des mots, des groupes de mots de même nature ou des propositions juxtaposées.	Je portais un veston à carreaux, une casquette grise, des bottines de cuir rouge, des gants jaunes, un parapluie et une cravate.

[1] *Multidictionnaire de la langue française,* de Marie-Éva de Villers.

La ponctuation

Signes	Utilisation	Exemples
Le point d'interrogation	Se place à la fin d'une phrase interrogative. Les pronoms interrogatifs servent à former les phrases interrogatives : *Pourquoi ? Combien ? Qui ? Quel ? Où ? Comment ? Quand ?*	Pourquoi vas-tu à l'école ? Combien êtes-vous dans ta classe ? Qui est le plus grand de la classe ? Quel est le nom de ton enseignant ? Où est située ton école ? Comment se nomme ton meilleur ami ? Quand finiras-tu cet examen ?
Le point d'exclamation	Se place à la fin d'une phrase exclamative. Exprime la surprise, l'exaspération, l'admiration ou un ordre.	Attention à la marche ! Que ta robe est belle ! Soyez au rendez-vous !
Le deux-points	Annonce une citation. Sépare deux phrases dont la seconde est une conséquence de la première. Annonce une énumération.	Alexandre Dumas a dit : « Ceux qui lisent savent beaucoup ; ceux qui regardent savent quelquefois davantage. » J'aurais voulu que vous soyez là : vous auriez tout fait pour m'aider. Je vous propose un choix parmi trois destinations : Paris, Rome ou Londres.
Les points de suspension	Indiquent que la phrase est interrompue et que l'idée exprimée est incomplète. Peuvent intervenir dans une énumération écourtée et ont, dans ce contexte, la valeur de *etc.* Peuvent être employés après l'initiale d'un nom ou d'un mot (généralement grossier) que l'on ne souhaite pas citer.	Le lac était calme, trop calme peut-être... Vous pourrez entendre les œuvres de Chopin, Liszt, Mozart... Madame B... ne voulait rien savoir de témoigner. Il s'écria : « Arthur, tu me fais s... quand tu dis ça ! »
Le point-virgule	Marque une pause plus importante que la virgule. S'emploie pour séparer des propositions ou des expressions indépendantes, mais qui ont entre elles une relation logique. Utilisé lorsque la deuxième proposition débute par un adverbe. Met en parallèle deux propositions. Sépare une énumération introduite par un deux-points.	Certains, fâchés, ont proposé de clore la discussion et de remettre la réunion à un autre jour ; nous avons plutôt décidé de proposer d'en débattre sur-le-champ. Je suis arrivé en retard à mon rendez-vous ; malheureusement, je n'ai pas pu vous voir. Antoine adorait les échecs ; sa sœur Éliane préférait le sport. Pour l'excursion, prévoyez apporter : un coupe-vent ; un chapeau ; une paire de bottes ; des gants.

La ponctuation		
Signes	Utilisation	Exemples
Les guillemets	S'emploient pour encadrer : une citation, les paroles de quelqu'un, une conversation, une expression ou un terme qu'on veut mettre en valeur.	Ma tante insista : « Depuis quand es-tu revenu ? Depuis quelques jours seulement, lui répondis-je. J'espère que tu vas rester avec nous », dit-elle.
Les parenthèses et les crochets	Les parenthèses servent à isoler un mot ou un groupe de mots à l'intérieur d'une phrase. Si la parenthèse forme une phrase complète, on met une majuscule et la ponctuation se place à l'intérieur de la parenthèse. Les crochets indiquent que l'on a remplacé (ou ajouté) un mot dans une citation pour qu'elle reste compréhensible hors de son contexte. Des points de suspension entre crochets [...] signalent que l'on a raccourci une citation.	Le ministre (un homme expérimenté et habitué aux foules) a fait un discours inspirant. Il considérait qu'« il s'agissait [...] de la pire interprétation proposée à ce jour ».

Les règles de la ponctuation

Le point marque une pause forte et indique que le segment qu'il clôt est à considérer comme une phrase. De plus, le point indique qu'un mot est abrégé.

Exemple : La pomme que je mange est délicieuse.

La virgule précède...

... les conjonctions de coordination *mais, car, donc* et *or* lorsqu'elles sont suivies d'au moins trois mots ou d'une proposition contenant un verbe conjugué.

Exemple : Je voulais aller vous voir, mais vous n'étiez pas chez vous.

On met une virgule avant les conjonctions de coordination *et, ou* et *ni* si elles sont utilisées plus de deux fois dans une énumération (au moins trois fois).

Exemple : Dans cette recette, on peut mettre des pommes, ou des poires, ou des pêches, ou des prunes.

On met une virgule avant la conjonction de coordination *et* si elle sépare deux propositions et que, dans la première proposition, le *et* est déjà utilisé.

Exemple : J'ai pris mes cliques et mes claques, et j'ai sauté dans l'autobus.

aide-mémoire «««««««««««««««««

On met une virgule avant la conjonction de coordination *et* si elle coordonne deux propositions ayant des sujets différents.

> **Exemple :** L'édition du dictionnaire est ancienne, et beaucoup de mots ne s'y retrouvent pas.

On met une virgule avant les prépositions *sauf* et *excepté* ainsi qu'avant l'adverbe *puis* et la locution *etc.* lorsqu'ils sont suivis d'une proposition d'au moins trois mots ou d'une proposition contenant un verbe conjugué.

> **Exemple :** Vous avez réussi tous vos examens, sauf celui de biologie.

On met une virgule avant les mots introducteurs *c'est-à-dire, voire, c'est, ce qui* ou *ce que, c'est pourquoi, que ce soit, soit,* etc.

> **Exemple :** J'adore les auteurs romantiques, c'est-à-dire Chateaubriand, Lamartine, Hugo, Vigny, Musset, Nerval, Sand.

> **Exemple :** Votre appartement est petit, voire exigu.

La virgule suit...

... les mots de même nature d'une énumération qui ne sont pas unis par une conjonction de coordination (*et, ou, ni*) et les propositions consécutives de même nature unies par une conjonction de coordination (*et, ou, ni*).

> **Exemple :** Il aurait voulu sangloter, pleurer, crier et hurler sa douleur au monde.

> **Exemple :** Vous voulez que j'étudie, que je participe, que je sois assidu et que je réussisse.

... les marqueurs de relation *tout d'abord, cependant, toutefois,* etc., placés en tête de phrase.

> **Exemple :** Toutefois, il ne faut pas croire tout ce qu'il vous dit.

On met une virgule après un mot, un groupe de mots ou une proposition qui est placé en tête de phrase et qui désigne un lieu, un moment, une cause, une conséquence, une manière ou une condition.

> **Exemple :** Demain, j'irai au cinéma. (Mot, complément circonstanciel de temps, placé au début de la phrase)

> **Exemple :** Puisque vous êtes si malin, vous ferez le boulot tout seul. (Proposition subordonnée de cause placée au début de la phrase)

La virgule encadre...

... l'apposition (lorsqu'un nom vient en compléter un autre). On met une virgule avant et après un mot ou un groupe de mots qui précise le nom ou le pronom qui le précède.

Exemple : Simon, lui, ne voulait pas venir à la chasse. (L'apposition *lui* est séparée du nom *Simon*, auquel elle se rapporte.)

On met une virgule avant et après un mot ou un groupe de mots qui interpelle la personne à qui l'on s'adresse directement (apostrophe).

Exemple : Je voudrais, Félix, que tu fasses ce travail correctement.

Le point d'interrogation signale une question. Il est suivi d'une majuscule, mais non lorsqu'il s'insère dans la phrase. S'il signifie la fin d'une phrase, il est alors obligatoirement suivi d'une majuscule. C'est le cas, en particulier, lorsque chaque question exige une réponse propre.

Exemple : Désirez-vous que nous en discutions ? Maintenant ?

Exemple : Prendrez-vous le train de 16 h 30 ? Prévoyez-vous ensuite descendre à l'hôtel ?

Le point d'exclamation ponctue, pour les rendre exclamatifs, des mots, des groupes de mots ou des phrases. Lorsque le point d'exclamation marque une interjection, il n'est pas suivi d'une majuscule.

Exemple : Hélas ! vous m'avez déçu.

Le deux-points est utilisé pour introduire six sortes d'éléments : une explication, un résumé, une cause, une conséquence, une énumération, une citation d'auteur ou un discours direct. Il sert à introduire une proposition qui vient préciser ou synthétiser la première proposition.

Exemple : Manger et boire : c'est bien vivre. (La proposition *c'est bien vivre* vient résumer la première.)

Le deux-points remplace des mots tels que ***car, parce que, puisque, étant donné que, comme***, etc.

Exemple : Jean n'ira pas faire de ski : il s'est foulé une cheville.

Le deux-points remplace les mots de liaison suivants : ***donc, par conséquent, en effet, si bien que, de ce fait, conséquemment,*** etc.

Exemple : Hélène est partie en voyage : elle ne pourra pas participer à la fête. (La proposition *elle ne pourra pas participer à la fête* doit être introduite par un deux-points, car elle est la conséquence de la première proposition. On peut remplacer le deux-points par la locution de liaison ***par conséquent****.)

aide-mémoire «««««««««««««

On met un deux-points pour introduire une énumération dont chaque élément fait partie d'un terme qui se trouve dans la proposition précédant l'énumération.

> **Exemple :** Les carnivores du Québec comprennent entre autres : le coyote, le loup, le renard, l'ours, le raton laveur, etc.

On met le deux-points avant une citation d'auteur ou un passage d'une œuvre littéraire rapporté intégralement. Le deux-points doit être suivi de guillemets et d'une majuscule.

> **Exemple :** Alphonse Daudet écrivait : « Au pays des fleurs, plus on est petit, plus on embaume. »

Les points de suspension ont la valeur de *etc.* et il y en a toujours trois. Il n'y a pas d'espace avant les points de suspension, mais il y en a une après.

Le point-virgule est toujours précédé et suivi d'une espace, mais n'est jamais suivi d'une majuscule. Il sépare des propositions ou expressions indépendantes qui ont entre elles une relation logique. Il est utilisé lorsque la deuxième proposition débute par un adverbe. Il est utilisé pour mettre en parallèle deux propositions et pour séparer les termes d'une énumération introduite par un deux-points.

> **Exemple :** Les élèves devront apporter des vieux vêtements, des pinceaux et de la peinture pour décorer le local ; un sandwich, un fruit et une boisson pour le repas.

> **Exemple :** J'aurais voulu être présent ; malheureusement, j'ai eu un empêchement.

Les guillemets s'emploient pour encadrer un discours direct, une citation ou un proverbe, pour mettre en valeur un mot, un groupe de mots ou pour signaler une locution étrangère.

> **Exemple :** Le policier m'a dit : « Sortez de votre voiture. » Et je lui ai obéi.

> **Exemple :** Sur l'affiche, on lisait : « Panederia », et c'était une boulangerie.

Les parenthèses

Si le texte entre parenthèses constitue une phrase complète, il faut un point avant la parenthèse ouvrante et un autre avant la parenthèse fermante. Si le texte entre parenthèses est une partie de la phrase qui accueille les parenthèses, il n'y a pas de ponctuation avant la parenthèse ouvrante, et une ponctuation éventuellement après la parenthèse fermante.

> **Exemple :** Je n'avais rien compris. (Il faut dire que je n'écoutais pas.)

> **Exemple :** Il était riche (d'espoirs), beau, jeune et insouciant.

Les crochets

Les crochets servent à insérer un élément dans un texte déjà entre parenthèses pour éviter une cascade de parenthèses et ainsi faciliter la lecture du texte. On utilise alors les crochets comme sous-parenthèses. On met une espace avant le crochet ouvrant, mais pas d'espace après. On ne met pas d'espace avant le crochet fermant, mais on en met une après et en fin de phrase. On ne met pas de point final après les points de suspension placés entre crochets.

> **Exemple :** « Une maison est une construction de petite dimension servant à abriter des personnes, des meubles et des choses [...] Le terme *bungalow*, maison unifamiliale à un étage, désignait à l'origine une habitation traditionnelle construite en bois. »

Les adjectifs de couleur

Si la couleur est désignée par un seul adjectif, celui-ci varie en genre et en nombre avec le nom qu'il complète.

> **Exemple :** Des fleurs roses, des robes jaunes.

Si une seule couleur est désignée par plusieurs mots, ceux-ci restent invariables et s'écrivent sans trait d'union.

> **Exemple :** Des cheveux châtain clair.

Si la couleur est désignée par un nom, le mot reste invariable.

> **Exemple :** Des étoffes chocolat (couleur chocolat) / Des robes orange (couleur orange).

Exceptions : rose, mauve, fauve, pourpre, écarlate, violette, cramoisi (Ces noms fréquemment employés sont devenus des adjectifs.)

L'écriture des nombres

Les déterminants numéraux cardinaux sont invariables (sauf *vingt, un* et *cent*).

Un devient *une* au féminin (trente et une pages), il prend la marque du pluriel dans les mots composés (les uns).

Vingt et *cent :* ils prennent un *s* au pluriel lorsqu'ils sont multipliés et non suivis d'un autre nombre. Sinon, ils sont invariables.

> **Exemple :** Quatre-vingt-deux hommes / Trois cents personnes

Selon la nouvelle orthographe, les numéraux composés sont systématiquement reliés par des traits d'union[2].

Ancienne orthographe	Nouvelle orthographe
vingt et un	vingt-et-un
deux cent un millions cent	deux-cent-un-millions-cent
trente et unième	trente-et-unième

Les nombres composés inférieurs à 100 s'écrivent avec un trait d'union, sauf ceux qui comprennent le mot *et*.

Exemple : Soixante-quatorze ans, la page trente et un

Le mot *mille* est invariable, sauf quand il désigne une mesure de longueur. Dans le cas d'une date, il peut s'écrire *mille* ou *mil*.

Exemple : L'an mil neuf cent soixante-quatorze, à la veille de l'an deux mille

Les pronoms relatifs

Le pronom relatif représente un nom et introduit une subordonnée.

Exemple : La personne dont je te parle est Hélène.

La personne qui part me fait penser à ma sœur.

Le nom ou le pronom représenté par le pronom relatif est l'antécédent.

Pronoms relatifs définis :

Formes simples : *qui, que, quoi, dont, où.*

FORMES COMPOSÉES			
Singulier		**Pluriel**	
Masc.	Fém.	Masc.	Fém.
Lequel	Laquelle	Lesquels	Lesquelles
Duquel	De laquelle	Desquels	Desquelles
Auquel	À laquelle	Auxquels	Auxquelles

---

[2] Pour les besoins du présent document, nous avons conservé l'ancienne orthographe. On considère que dans l'enseignement, aucune des deux graphies – l'ancienne ou la nouvelle – ne peut être tenue pour fautive.

La forme du pronom relatif varie selon sa fonction dans la phrase.

Exemple : L'auberge de campagne où vous passiez vos vacances a été vendue.

Les marqueurs de relation

On appelle marqueurs de relation tous les mots ou expressions auxquels on peut avoir recours pour indiquer les rapports logiques entre les éléments d'un exposé : parties de phrases, phrases, paragraphes et chapitres. Ils annoncent un nouveau passage ; ils résument, marquent une transition, concluent, etc. Les marqueurs de relation sont souvent placés au début ou à la fin d'un paragraphe. Ils servent à marquer explicitement des relations sémantiques (d'addition, de temps, de but, etc.) entre des éléments d'une phrase ou entre des phrases. Quand le marqueur de relation établit des rapports entre les paragraphes, on le dit organisateur textuel. Ces rapports sont définis soit par le contenu des phrases, soit par le contexte, soit par l'intention de l'auteur.

Les principaux rapports sémantiques :

Addition : *aussi, de plus, et, en outre, d'ailleurs*, etc.
Je vais à l'école, je suis aussi des cours privés.

Temps : *puis, ensuite*, etc.
Il a neigé, puis il s'est mis à pleuvoir.

Cause à effet : *donc, par conséquent, c'est pourquoi*, etc.
Ils ne devaient pas entrer dans cette pièce, c'est pourquoi ils ont été expulsés.

Opposition : *pourtant, mais, cependant*, etc.
Je croyais pourtant vous avoir dit de ne pas venir.

Explication : *car, c'est pourquoi, c'est-à-dire, parce que*, etc.
Je vous quitte parce que vous m'avez trahie.

Comparaison : *autant…autant, tel...tel*, etc.
Autant elle a voulu venir, autant elle veut maintenant partir.

Choix : *ou...ou, soit...soit, tantôt...tantôt*, etc.
Soit vous prenez celui-ci, soit vous prenez celui-là.

Le pluriel des mots composés

Si le nom est composé comme suit :

1. Adjectif + nom
   Nom + adjectif   → Les deux mots prennent un *s*
   Adjectif + adjectif

Exemple : *Des belles-sœurs, des coffres-forts, des sauces aigres-douces*

aide-mémoire «««««««««««««

2. Nom + nom

   Si le second nom est coordonné au premier → Les deux mots prennent un *s*

   Exemple : *Des choux-fleurs*

   Si le second nom est complément → Le premier nom seulement prend un *s*

   Exemple : *Des pommes de terre, des cafés-crème, des timbres-poste*

3. Verbe + nom → Seul le nom prend un *s*

   Exemple : *Des couvre-lits*

4. Adverbe + nom → Seul le nom prend un *s*
   Préposition + nom

   Exemple : *Des avant-goûts*

   Lorsque le premier mot d'un nom composé est *garde* :

   S'il désigne une personne → il prend un *s*

   Exemple : *Des gardes-malades*

   S'il désigne un objet → il reste invariable

   Exemple : *Des garde-robes*

Nouvelle orthographe

Dans les noms composés (avec trait d'union) du type pèse-lettre (verbe + nom) ou sans-abri (préposition + nom), le second élément prend la marque du pluriel seulement et toujours lorsque le mot est au pluriel. Restent invariables les mots comme prie-Dieu (à cause de la majuscule) ou trompe-la-mort (à cause de l'article). On écrit des garde-pêches, qu'il s'agisse d'hommes ou de choses.

Ancienne orthographe	Nouvelle orthographe
un compte-gouttes / des compte-gouttes	un compte-goutte / des compte-gouttes
un après-midi / des après-midi	un après-midi / des après-midis
un abat-jour / des abat-jour	un abat-jour / des abat-jours
un garde-boue / des garde-boue	un garde-boue / des garde-boues

Le champ lexical

On appelle champ lexical l'ensemble des mots qui se rapportent à une même réalité. Les mots qui forment un champ lexical peuvent avoir comme points communs d'être synonymes ou d'appartenir à la même famille, au même domaine ou à la même notion.

Exemples pour *peur*

Synonyme : épouvante, terreur, inquiétude, effroi, horreur, frousse, alarme, trouille

Adjectifs : peureux, pusillanime, poltron, couard, craintif, timoré, effrayé, froussard, pétrifié, épouvanté, trouillard, terrifiant

Même famille : apeuré, apeurant, épeurant, peureusement, peureux

Expressions : être mort de peur, être blanc ou vert de peur, être en proie à la peur, être transis de peur, trembler de peur, avoir une peur bleue, avoir la frousse, avoir le trac, avoir la tremblote, être paralysé de peur, avoir des sueurs froides, claquer des dents

aide-mémoire «««««««««««

Les synonymes, les antonymes, les homonymes, homophones et homographes

Les synonymes

Le mot *synonyme* vient du mot grec *sun* qui signifie avec, ensemble, et de *onoma*, qui signifie nom ou mot. Le sens général d'une phrase doit rester le même quand on remplace un ou plusieurs mots par un synonyme. Il est convenu d'appeler synonyme un mot dont le sens a plus de rapports que de différences. Le synonyme doit appartenir à la même famille grammaticale que le mot qu'il remplace. Un nom doit donc avoir pour synonyme un autre nom. C'est la même chose pour les adjectifs et les verbes.

Exemple :

Bébé : mioche, lardon, nourrisson, môme, bambin

Chercher : fureter, prospecter, tâtonner, fouiller, fourrager, etc.

Les antonymes

Les antonymes sont des mots de sens contraire.

Nous disposons de plusieurs moyens pour exprimer l'idée de contraire. Les préfixes permettent, par dérivation, d'exprimer l'idée de sens contraire.

Exemple :	Dérivation :
Vrai – Faux	Démocrate – Antidémocrate
Chaud – Froid	Dérapant – Antidérapant

Les homonymes, homophones et homographes

Tout en ayant des sens différents, les homonymes peuvent s'écrire de la même manière et se prononcer différemment, se prononcer de la même manière et s'écrire différemment, se prononcer et s'écrire de la même manière. Deux mots sont homographes lorsqu'ils s'écrivent de la même manière. S'ils ont la même prononciation, ce sont des homophones. Deux formes linguistiques qui ont la même forme graphique et des sens différents sont des homographes ; les homographes sont des homonymes. Des homophones qui sont également des homographes sont souvent appelés homonymes vrais.

Exemples d'homophonie : Mes, mets, mais, m'est / Sans, cent, sens, sang

Exemples d'homographie : Nous avions autant d'avions que nous le souhaitions. /
Vos fils ont des fils blancs sur leurs chandails.

Demi – nu – possible

Demi et nu

L'accord de ces adjectifs dépend de la place qu'ils occupent. Placés devant le nom, *demi* et *nu* s'unissent à ce nom par un trait d'union et restent invariables.

Exemple : Une demi-finale ; elles se promènent nu-tête

Placé après le nom, *demi* s'accorde en genre seulement avec ce nom ; il est relié au nom par et.

Exemple : Deux heures et demie

Placé après le nom, *nu* s'accorde en genre et en nombre avec ce nom et il ne comporte pas de trait d'union.

Exemple : Elle se promène les pieds nus.

Demi, employé comme nom, peut varier en genre et en nombre.

Exemple : Deux demies font un entier.

L'expression *à demi* (locution adverbiale) est toujours invariable.

Exemple : Les pommes sont à demi mangées par les enfants.

Les adjectifs *semi* et *mi* sont employés avec un trait d'union et sont toujours invariables.

Exemple : Des portes mi-closes ; une pierre semi-précieuse

Possible

L'adjectif *possible* est variable s'il se rapporte à un nom.
  Exemple : Il a pensé à toutes les solutions possibles.

L'adjectif possible est invariable s'il est précédé d'un superlatif (*le plus, le moins,* etc.).
  Exemple : Il a pensé à trouver le plus de solutions possible.

L'accord du mot *même*

Le mot *même* peut être :

Un adjectif
Si le mot *même* est placé entre un déterminant et un nom ou entre un déterminant et un adjectif suivi d'un nom. Si *même* exprime une ressemblance, c'est un adjectif et il prend le genre et le nombre du nom qu'il accompagne.

Exemple :

Les mêmes causes produisent souvent les mêmes effets.

Ces enfants n'ont pas les mêmes bottes.

Un adverbe
Si *même* exprime une gradation et qu'il a le sens de *aussi* ou *jusqu'à*, *même* est un adverbe et il demeure invariable.

Exemple : Ses regards même étaient insolents.

aide-mémoire «««««««««««««

Un pronom indéfini

Si *même* remplace un nom ;

si *même* est composé de deux mots (construit avec le mot *le, la, les, aux, des*) ;

si *même* n'est pas suivi d'un nom ;

alors, *même* est un pronom indéfini et il s'accorde avec son antécédent.

> **Exemple :** Tu as de belles chaussures ; j'ai acheté les mêmes que toi.

Quoique et quoi que

Quoique est une conjonction qui signifie *bien que*.

> **Exemple :** Quoique la baleine vive dans la mer, ce n'est pas un poisson.

Quoi que est une locution conjonctive signifiant *quelle que soit la chose*.

> **Exemple :** Quoi que vous fassiez, vous devriez y apporter tout votre soin.

Quand et Quant à

Quand est une conjonction de subordination qui indique le temps ou un adverbe interrogatif.

> **Exemple :** J'irai te rencontrer quand tu seras disponible. Quand accepteras-tu de venir nous voir ?

Quant à est souvent employé avec *moi*.

> **Exemple :** Quant à moi, je ne suis pas d'accord.

Quel que et Quelque

Quel… que s'écrit en deux mots quand il est suivi du verbe *être* ou d'un verbe d'état (conjugué ou au subjonctif). Dans ce cas, *quel* s'accorde en genre et en nombre avec le sujet du verbe.

> **Exemple :** Quelles que soient vos décisions, tenez-vous-les pour dites.
>
> Il participe à tous les concours, quels qu'ils soient.

Le mot *quelque* peut être :

Un déterminant indéfini

Si *quelque* accompagne un nom ;

Si *quelque* ne peut pas être effacé ;

Si *quelque* a le sens de *plusieurs, un petit nombre de, un certain nombre,* alors, il est un déterminant indéfini et il prend le genre et le nombre du nom qu'il accompagne.

Exemple :

Lire quelques pages d'un bon livre.

En quelques circonstances que ce soit, dites la vérité.

Un adverbe

Si *quelque* accompagne un adjectif, un participe passé, un déterminant numéral ou un adverbe ;

Si *quelque* peut être remplacé par *si* ou *environ,* il est un adverbe et est invariable.

Exemple : Quelque habiles que soient les trompeurs, ils finissent toujours par être trompés.

Aucun, chaque et chacun

Aucun est un déterminant indéfini et signifie *pas un seul.*

Compte tenu de la valeur négative de l'adjectif *aucun,* on ne peut employer les adverbes négatifs *pas* ou *point* dans la même proposition sous peine d'obtenir une double négation.

Exemple : Je n'ai donné aucun point (et non *je n'ai pas donné aucun point*).

On emploie *aucun* avec *jamais, plus* ou *ne.*

Exemple : Je n'ai jamais lu aucun livre de ce genre.

Le verbe reste au singulier après plusieurs sujets introduits par *aucun.*

Exemple : Aucune excuse, aucun prétexte ne sera admis.

L'adjectif *aucun* ne s'emploie au pluriel que devant un nom qui n'a pas de singulier ou qui a un sens particulier au pluriel.

Exemple : Aucuns frais. Aucunes funérailles. Aucunes fiançailles.

aide-mémoire «««««««««««««««

La conjonction de coordination à employer avec *aucun* est *ni* et non pas *et*.

Exemple : Aucun dessert ni aucune tarte (et non pas… *et aucune tarte*).

Aucun est pronom indéfini et signifie *personne*.

Ce pronom s'emploie avec *ne* pour exprimer la négation ; le verbe s'accorde avec son sujet singulier même si *aucun* est suivi d'un complément au pluriel.

Exemple : Aucun (des participants) ne voudra échouer.

Chaque

Chaque est un déterminant indéfini et se dit de tout élément particulier d'un ensemble. L'adjectif *chaque* ne s'emploie que devant un nom singulier. Devant un nom pluriel, on emploie plutôt *tous les*.

Exemple : Elle viendra toutes les deux semaines (et non *chaque deux semaines*).

L'accord du verbe ou du participe avec un sujet accompagné de l'adjectif *chaque* se fait au singulier.

Exemple : Chaque âge a ses plaisirs.

On dira : Chaque fois (et non *à chaque fois*) qu'elle a congé, il pleut.

Chacun

Chacun est un pronom indéfini singulier et signifie *toute personne*. En ce sens, le pronom *chacun* s'emploie toujours au masculin singulier.

Exemple : Comme chacun le devine.

S'il a le sens de *toute personne* prise dans un tout, il peut être au féminin.

Exemple : Chacune des personnes présentes était différente.

Attention : Les robes coûtent 100 $ *chacune*.

Attention à la forme fautive : *tous et chacun* – impropriété pour *tout un chacun*.

L'accord du mot *tout*

Tout peut être :

Un déterminant

Si le mot *tout* est placé devant un nom (accompagné ou non d'un autre déterminant ou d'un adjectif) et si son effacement est impossible, *tout* est un déterminant et il s'accorde en genre et en nombre avec le nom qu'il accompagne.

Remarque : *Tout* exprime une quantité dont on ne précise pas le nombre ou qui ne permet pas de déterminer quel est l'être ou la chose dont il est question.

Exemple : Pour toute boisson, elle choisit l'eau. / Tous les chemins mènent à Rome.

Un adverbe

Si *tout* est placé à gauche d'un adjectif, d'un participe passé ou d'un adverbe et si *tout* peut être effacé ; si *tout* peut être remplacé par *entièrement, tout à fait, complètement* ou *très*, *tout* est un adverbe et il est invariable.

Exception : *Tout* est variable quand il est suivi d'un adjectif féminin commençant par une consonne (Elles sont *toutes* mignonnes) ou un *h* aspiré (Elles sont *toutes* honteuses).

Exemple : Ces enfants sont tout contents de leurs exploits.
Les choses se passent tout autrement que prévu.

Un nom

Si *tout* est précédé d'un déterminant et s'il désigne un ensemble, une totalité ; si *tout* ne peut pas être effacé, *tout* est un nom masculin et il peut prendre la marque du pluriel.

Exemple : Les différentes classes d'une école forment des touts distincts.

Un pronom indéfini

Si le mot *tout* remplace un nom ou s'il exprime une identité ou une quantité imprécise, si *tout* n'est pas précédé d'un déterminant et si *tout* ne peut être effacé, il est un pronom indéfini et prend donc le genre et le nombre de son antécédent, s'il y en a un.

Exemple :
Tout n'est pas perdu, Monsieur.
Les fleurs ont parfois des parfums étranges ; toutes ont cependant leur charme.
J'ai lu tout « Baudelaire ».

La polysémie

Certains mots ne possèdent qu'un seul sens, tandis que d'autres en possèdent plusieurs. La polysémie est la propriété d'un mot qui possède plusieurs sens. Pour expliquer le sens d'un mot dans un texte, il faut prendre en compte le contexte dans lequel il apparaît pour déterminer le sens qui s'impose.

> **Exemple :**
> le verbe *monter* peut prendre le sens de :
>
> - augmenter (l'eau monte) ;
>
> - grimper (monter l'escalier) ;
>
> - préparer (monter un projet).

Un mot possède un sens propre et un sens figuré. Le sens propre est le sens premier, le sens le plus concret du mot. Le sens figuré est une signification dérivée, plus imagée ou parfois plus abstraite.

> **Exemple :**
>
> Un loup dévore un agneau (sens propre).
>
> Ma sœur dévore son roman (sens figuré).
>
> Je ne me souviens plus de ce que je dois dire. J'ai un trou ! (sens figuré)
>
> J'ai fait un trou dans ma jupe (sens propre).

Les emprunts et les anglicismes – les archaïsmes et les néologismes

Emprunts et anglicismes

Un anglicisme est un emprunt à la langue anglaise. L'anglicisme est un mot, une expression, un sens, une construction propre à la langue anglaise qui est emprunté par une autre langue, dont le français.

Exemple : Nous allons partager cette information – *Partager* est employé de manière fautive sous l'influence de l'anglais *to share*. Il faut plutôt dire : Nous allons communiquer/transmettre/fournir/ cette information.

Archaïsmes

Ce sont des mots désignant des réalités d'un temps révolu ou des mots disparus de l'usage contemporain. Certains de ces vieux mots, qui ne sont pratiquement plus usités dans l'ensemble de la francophonie, sont toujours bien vivants chez nous et dans certaines régions de la France.

Exemple : Les oiseaux chantent asteure (maintenant) / Je l'ai abrié (couvert).

Néologismes

Les néologismes sont des mots nouveaux entrés dans le lexique d'une langue.

Exemple : Dépanneur, ergothérapeute, acériculture, etc.

Les figures de style

Comparaison

La comparaison établit un rapprochement entre deux réalités, grâce à un élément grammatical appelé terme comparatif (*comme, tel, tel que, ainsi que, aussi que,* etc.), à partir d'un élément qui est commun aux deux réalités.

Exemple : Vos yeux étaient comme deux lacs profonds où je voulais me noyer.

Métaphore

La métaphore est une comparaison entre deux réalités, fondée sur une analogie que l'on instaure entre les deux référents.

Exemple : Il avait trop de dents, son sourire était carnassier.

aide-mémoire «««««««««««««««

Allégorie

L'allégorie consiste à prendre une idée abstraite et à en faire un personnage qui pose des gestes concrets. L'image ou le texte allégorique présente toujours un sens immédiat cohérent, tandis que son sens second se construit par des symboles ou des emblèmes, étranger au premier. Paix, liberté, justice, égalité, fraternité, révolution sont des idées et des valeurs à portée universelle qui se sont prêtées à toutes sortes de représentations allégoriques en littérature ou en arts.

Paraphrase

La paraphrase, c'est le fait de dire avec d'autres mots, d'autres termes ce qui est dit dans un texte, un paragraphe. Paraphraser, c'est donc reformuler, reprendre dans ses mots les idées d'un auteur, sans en trahir le sens, et sans le plagier.

Personnification

La personnification consiste à donner des sentiments ou des comportements humains à une chose inanimée, à une abstraction, à un animal ou à un objet. Cette figure de style permet au lecteur de se rapprocher des objets inanimés ou des abstractions.

Exemple :

Le soleil faisait de son mieux pour nous réchauffer.

Le saule se pencha sur elle, comme pour écouter sa plainte.

Métonymie

La métonymie est une figure de rhétorique par laquelle on désigne la cause pour l'effet, le contenant pour le contenu, la partie pour le tout, etc. Cette figure est très fréquente dans le langage courant, car elle est « économique » : elle permet une expression courte et frappante.

Exemple :

Mon frère est une « bonne fourchette » (un gros mangeur).

Buvons un verre ensemble (c'est le contenu du verre qu'on boit).

J'ai terminé mon assiette ! (le contenu de mon assiette, il va sans dire !)

Périphrase

La périphrase se définit par un groupe de mots exprimant une idée ou une notion, là où un seul mot suffirait.

Exemple :

Le roi des animaux (le lion)

L'astre du jour (le soleil)

1. Dans cette dictée trouée, choisis le bon déterminant.

Ce soir, _____la_____ pluie tombe. Il y a de _____l'_____ orage. _____Les_____ îles que j'ai visitées

_____cet_____ été sont très belles. _____Le_____ berger ira dans _____la_____ montagne avec

_____son_____ troupeau de moutons. _____Le_____ volcan est en éruption sur _____l'_____ île

de _____la_____ Réunion.

2. Souligne tous les déterminants.

Il enfila <u>son</u> ciré jaune. Ce matin-là, <u>le</u> père Noël décida de prendre <u>des</u> vacances. <u>Nos</u> amis habitent

<u>la</u> campagne. <u>Cet</u> été, j'ai visité <u>l'</u>Australie. J'ai oublié <u>mon</u> livre et <u>mes</u> cahiers à <u>l'</u>école. <u>Ce</u> voyageur

a égaré <u>ses</u> bagages. Il jeta dans <u>son</u> sac <u>un</u> saucisson et <u>un</u> vieux camembert. J'ai ramassé

<u>plusieurs</u> copies. Quelle formidable démonstration ! Douze joueurs sur <u>le</u> terrain, c'est trop.

exercice 1 «««««««««««««

Les classes de mots – les déterminants et les noms

3. Trouve les déterminants demandés.

Les déterminants définis : _____

_____

Les déterminants indéfinis : _____

_____

Des déterminants possessifs (5) : _____

_____

Des déterminants démonstratifs (4) : _____

_____

Des déterminants numéraux (3) : _____

_____

Des déterminants indéfinis (3) : _____

_____

Des déterminants exclamatifs ou interrogatifs (3) : _____

_____

4. Emploie le déterminant possessif ou démonstratif qui convient.

a) Le professeur d'écologie a donné le résultat obtenu par chacun de _____ élèves devant la classe.

b) _____ bon annonceur radio, il faut que nous l'engagions avant que _____ compétiteurs ne le mettent sous contrat.

c) Un enfant ressemble souvent à _____ père et à _____ mère.

d) Dans les collèges, on enseigne _____ matières de base.

e) Les adultes, eux-mêmes, s'intéressent à _____ jeux informatiques.

f) Un enfant doit être accompagné de _____ parents pour être admis à _____ représentation de *Roméo et Juliette*.

g) _____ matin, je n'avais toujours pas reçu _____ dix meilleurs clients quand je vous ai remis _____ dossiers importants les concernant.

h) _____ derniers jours, _____ femme et moi sommes allés au restaurant plusieurs fois.

i) _____ semaine, l'artiste invitée est la talentueuse Julie Grenier. Elle a donné _____ spectacle hier soir et _____ jeune public a été enchanté de _____ performance exceptionnelle.

test

1. Observe bien la première phrase et fais les changements appropriés dans les phrases suivantes.

On parle de Francis : *Sa* maison est près de l'hôpital.
Ses parents ou *ses* sœurs l'accompagnent à l'école.
Il retrouve ses copains au judo.
Il a déjà *choisi son* métier.

On parle de toi : *Ta* maison est près de l'hôpital.
_____ parents ou _____ sœurs _____ accompagnent à l'école.
_____ copains au judo.
_____ déjà _____ métier.

On parle de moi : *Ma* maison est près de l'hôpital.
_____ parents ou _____ sœurs _____ accompagnent à l'école.
_____ copains au judo.
_____ déjà _____ métier.

On parle de mon frère et moi : *Notre* maison est près de l'hôpital.
_____ parents ou _____ sœurs _____ accompagnent à l'école.
_____ copains au judo.
_____ déjà _____ métier.

On parle de vous : *Votre* maison est près de l'hôpital.
_____ parents ou _____ sœurs _____ accompagnent à l'école.
_____ copains au judo.
_____ déjà _____ métier.

On parle de tes copains : *Leur* maison est près de l'hôpital.
_____ parents ou _____ sœurs _____ accompagnent à l'école.
_____ copains au judo.
_____ déjà _____ métier.

2. Complète ces phrases en utilisant

a) un nom commun.

De la fenêtre de ma chambre, on voit _____

C'est _____ qui a peint ce magnifique tableau.

Appelle _____ pour qu'elle rentre tout de suite.

J'aime me promener dans _____ le matin.

Cet été, nous irons à _____ .

b) un nom propre.

De la fenêtre de ma chambre, on voit _____

C'est _____ qui a peint ce magnifique tableau.

Appelle _____ pour qu'elle rentre tout de suite.

J'aime me promener dans _____ le matin.

Cet été, nous irons à _____ .

1. Souligne, parmi les phrases suivantes, celle qui ne contient pas d'adjectif.

   a) Ta voix est douce comme une harpe.

   b) Il suffit de te voir pour être victime de violentes crises d'angoisse.

   c) Cette soupe est trop amère.

   d) Par contre, elle est juste assez chaude.

   e) La neige déroule son manteau sur la campagne.

2. Souligne les adjectifs dans les phrases suivantes.

   Mais dans le coin, entre les deux maisons, était assise, quand vint la froide matinée, la petite fille, les joues toutes rouges, le sourire sur la bouche..., morte de froid, le dernier soir de l'année. Le jour de l'An se leva sur le petit cadavre assis là avec les allumettes, dont un paquet avait été presque tout brûlé. « Elle a voulu se chauffer ! » dit quelqu'un. Tout le monde ignora les belles choses qu'elle avait vues et au milieu de quelle splendeur elle était entrée avec sa vieille grand-mère dans la nouvelle année.

   Conte d'Andersen, *La petite fille aux allumettes*

3. Accorde correctement les adjectifs dans les phrases suivantes.

   a) Au bord de la mer, j'aime le soleil, la plage et l'eau (*salé*). _____

   b) Ou son frère ou lui sera déclaré (*vainqueur*) à l'arrivée. _____

   c) Son sang-froid, sa maîtrise de soi si (*exceptionnel*) étonne. _____

   d) Lui et sa sœur sont très (*attachant*). _____

   e) Ces personnes (*méchant*) ont juré de le perdre. _____

   f) Je remarquais que cette jeune fille était, comme sa mère, très (*sûr*) d'elle. _____

   g) Le lièvre, la perdrix et le canard (*sauvage*) sont d'excellents gibiers. _____

   h) Un chuchotement, une parole, un cri (*convaincant*) sortit de sa bouche. _____

   i) La pêche et la pomme sont (*délicieux*). _____

   j) La branche et le tronc (*arraché*) par le vent s'étaient séparés. _____

   k) Les langues (*français*) et (*anglais*) ont certaines affinités. _____ _____

   l) Les langues (*allemand*) et (*latin*) ont aussi des ressemblances. _____ _____

   m) Les idées (*préconçu*) ne sont pas toujours (*juste*). _____ _____

   n) Ne vous sentez-vous pas trop (*indisposé*) ? _____

   o) Monsieur Jean a décidé de déménager dans un (*nouveau*) appartement l'été (*prochain*). _____

   p) Il n'aime plus le (*vieux*) immeuble où il habite depuis vingt ans. _____

   q) Il décide de s'acheter un (*beau*) ensemble de meubles pour le salon et la cuisine. _____

test

1. Choisis le bon adjectif parmi les choix proposés et accorde-le correctement.

> premier – aigu – entier – long – favori – beau – complet – franc – frais – ambigu
> snob – sec – secret – concret – inquiet – indiscret – blanc – nouveau – chic

a) Normalement, on n'oublie pas la _____ personne qu'on a embrassée.

b) Tania parlait d'une petite voix très haute, très _____ .

c) Cela fait dix ans que je garde toutes les étiquettes de mes bouteilles de bière ; j'en ai une collection _____ .

d) Nous avons enfin réussi à convaincre Marc de venir avec nous, après une _____ discussion.

e) J'adore Céline Dion ; c'est ma chanteuse _____ .

f) Le cerisier a beaucoup grandi dans ton jardin ; maintenant, c'est un _____ arbre.

g) Il ne manque plus qu'un accident de voiture pour que cette journée soit une catastrophe _____ .

h) Est-ce que je te plais ? Sois honnête, je veux une réponse _____ .

i) Il ne fait pas chaud aujourd'hui – il souffle un vent _____ .

j) Tes paroles peuvent être comprises de deux façons ; elles sont _____ .

k) C'est une personne très _____ qui ne veut pas nous parler parce qu'elle nous trouve vulgaires.

l) Tu peux mettre ta chemise, elle est déjà _____ avec tout le vent qui souffle.

m) Toutes les taches sont parties à la lessive, elle est parfaitement _____ .

n) Les espions envoient à l'étranger des renseignements _____ sur l'armée et l'industrie.

o) En parlant de votre projet, vous devez proposer quelques idées _____ pour que ce soit clair.

p) Mon père est toujours _____ quand je sors le soir, il a peur pour moi.

q) Notre voisine regarde toujours par la fenêtre ; je la trouve curieuse et même _____ .

r) Salut, je te présente Tom, c'est mon _____ ami.

s) Pour le mariage de mon cousin, j'ai dû mettre une veste _____ avec un nœud papillon.

1. Complète les phrases avec les pronoms suivants :

> que – certains – les nôtres – les miens – plusieurs
> le leur – cela – les miennes – chic

Les stylos de mon voisin fonctionnent bien, _____ sont toujours en panne. _____

m'énerve un peu. _____ aimeraient bien avoir ma chance. Comme ils sont sortis en retard,

tous les emplacements de soccer sont pris, même _____ . J'aime le livre _____ tu

m'as offert. Comme Jérôme a beaucoup de billes, j'ai apporté _____. À la pêche, j'ai pris bien

des poissons, _____ étaient gros. Comment sont tes notes cette année, _____ sont

magnifiques.

2. Réécris chaque phrase en remplaçant le pronom en italique par un groupe nominal.

a) Je préfère *ceux* qui ronronnent tout le temps.

   _____

b) Peux-tu me prêter *celle-là* ?

   _____

c) La marguerite est *celle* que je préfère.

   _____

d) Quel est *celui* qui est tombé de sa chaise ?

   _____

e) La Bretagne est *celui* des menhirs.

   _____

exercice 3 «««««««««««««

Les classes de mots – les pronoms et les verbes

3. Complète le tableau.

Verbes	Infinitif	Temps	Mode
Je finissais	Finir	Imparfait	Indicatif
Elle avait permis	Permettre	_____	Indicatif
Il a joint	_____	_____	Indicatif
Ils contiendraient	Contenir	Conditionnel présent	_____
Je convaincrai	_____	_____	Indicatif
Que j'obtienne	Obtenir	_____	_____
Nous satisfaisions	_____	Imparfait	_____
Nous céderons	Céder	Futur simple	Indicatif
Que tu aies ajouté	Ajouter	Passé	Subjonctif
Je déçus	Décevoir	Passé simple	Indicatif
Nous avons réagi	Réagir	Passé composé	Indicatif

test

1. Accorde les mots soulignés dans la chanson « La foule ».

   Je <u>revoir</u> la ville en fête et en délire   _____

   <u>Suffoquer</u> sous le soleil et sous la joie   _____

   Et j'<u>entendre</u> dans la musique les cris, les rires   _____

   Qui <u>éclater</u> et <u>rebondir</u> autour de moi   _____ _____

   Et <u>perdre</u> parmi ces gens qui me <u>bousculer</u> _____ _____

   Étourdie, désemparée, je <u>rester</u> là   _____

   Quand soudain, je me <u>retourner</u>, il se <u>reculer</u>, _____ _____

   Et la foule <u>venir</u> me jeter entre ses bras...   _____

   <u>Emporter</u> par la foule qui nous <u>traîner</u> _____ _____

   Nous <u>entraîner</u>   _____

   <u>Écraser</u> l'un contre l'autre   _____

   Nous ne <u>former</u> qu'un seul corps   _____

   Et le flot sans effort

   Nous <u>pousser</u>, <u>enchaîner</u> l'un et l'autre _____ _____

   Et nous <u>laisser</u> tous deux   _____

   Épanouis, enivrés et heureux.

   <u>Entraîner</u> par la foule qui s'<u>élancer</u> _____ _____

   Et qui <u>danser</u>   _____

   Une folle farandole

   Nos deux mains <u>rester souder</u>   _____

   Et parfois <u>soulever</u>   _____

   Nos deux corps <u>enlacer</u> s'<u>envoler</u> _____ _____

   Et <u>retomber</u> tous deux   _____

   Épanouis, enivrés et heureux...

suite au verso...

Et la joie éclaboussée par son sourire

Me <u>transpercer</u> et <u>rejaillir</u> au fond de moi   _____   _____

Mais soudain je <u>pousser</u> un cri parmi les rires   _____

Quand la foule <u>venir</u> l'arracher d'entre mes bras...   _____

<u>Emporter</u> par la foule qui nous <u>traîner</u>   _____   _____

Nous <u>entraîner</u>   _____

Nous <u>éloigner</u> l'un de l'autre   _____

Je <u>lutter</u> et je me <u>débattre</u>   _____   _____

Mais le son de sa voix

S'<u>étouffer</u> dans les rires des autres   _____

Et je <u>crier</u> de douleur, de fureur et de rage   _____

Et je <u>pleurer</u>...   _____

<u>Entraîner</u> par la foule qui s'<u>élancer</u>   _____   _____

Et qui <u>danser</u>   _____

Une folle farandole

Je <u>être</u> <u>emporter</u> au loin   _____

Et je <u>crisper</u> mes poings, <u>maudire</u> la foule qui me <u>voler</u>   _____   _____   _____

L'homme qu'elle m'<u>avoir donner</u>   _____

Et que je n'<u>avoir</u> jamais <u>retrouver</u>...   _____   _____

1. Forme des adverbes à partir de ces adjectifs.

a) Suffisant : _____   f) Curieux : _____

b) Net : _____   g) Joli : _____

c) Courant : _____   h) Violent : _____

d) Plaintif : _____   i) Puissant : _____

e) Récent : _____

2. Certains adverbes sont mal orthographiés. Surligne-les et corrige-les.

a) précocement, sauvagement, partiellement, étourdiement

_____

b) lucrativement, populairement, richement, impoliement

_____

c) patriotiquement, infiniement, pécuniairement, péniblement

_____

d) quasiment, frenchement, joliment, vraiment

_____

e) tragiquement, souverainement, nullement, gentillement

_____

f) violamment, orgueilleusement, vaillamment, surabondamment

_____

g) intelligemment, patiamment, indépendamment, éminemment

_____

h) élégamment, complaisamment, galamment, plaisemment

_____

i) aisément, censement, énormément, carrément

_____

j) précisément, forcément, incongrûement, couramment

_____

exercice 4 «««««««««««««««

3. Réécris la phrase en remplaçant les groupes en **caractères gras** par l'adverbe correspondant.

a) Ils ont gagné ce match **avec facilité**.

_____

b) Il a disparu **de façon mystérieuse**.

_____

c) Les élèves se mettent en rang **en silence**.

_____

d) Lisez **avec attention** l'énoncé de ce problème.

_____

e) La grand-mère a consolé son petit-fils **avec douceur**.

_____

test

1. Trouve des adverbes :

   a) de manière : _____

   b) de quantité : _____

   c) de lieu : _____

   d) de temps : _____

   e) d'affirmation : _____

   f) de négation : _____

   g) de doute : _____

   h) d'interrogation : _____

2. Adverbes en *-ment, -emment* ou *-amment*. Encercle l'adverbe écrit correctement.

   a) Nos enfants ont passé leurs examens (**brillament, brillemment, brillamment**) et nous sommes ravis.

   b) Il faut toujours conduire (**prudament, prudemment, prudamment**), même lorsqu'on connaît le trajet.

   c) Les enfants sont assis (**sagemment, sageamment, sagement**), ils attendent la récompense promise.

   d) L'alerte a été donnée à dix-huit heures (**précisemment, précisament, précisément**), et nous sommes intervenus (**immédiatement, immédiatemment, immédiatamment**).

   e) Les policiers avaient été appelés (**précédament, précédamment, précédemment**) dans ce quartier pour une violente dispute familiale.

   f) Cette femme est toujours (**élégamment, éléguament, élégament**) vêtue de noir, elle m'impressionne.

   g) Ils se manifestèrent (**bruyement, bruyamment, bruyament**) pour que chacun entende leur colère.

   h) Apprenant la nouvelle, il a réagi (**violamment, violemment, violament**), puis s'est enfui.

   i) Je désire (**ardemment, ardamment, ardament**) retrouver sa trace depuis vingt ans que je le cherche.

   j) Vous avez exposé trop (**brièvement, brièvemment, brièvament**) votre projet, j'aimerais que vous approfondissiez la question.

exercice 5 «««««««««««««

Les classes de mots – les prépositions et les conjonctions

1. Complète les phrases avec la préposition qui convient :

à – de – d' – par – en – avec – sans

a) Nous allons au collège _____ autobus ou _____ métro.

b) Les étudiants qui habitent à Saint-Laurent vont au collège _____ pied.

c) Autrefois, les gens se déplaçaient _____ cheval.

d) Le voyage de Montréal à Toronto peut se faire _____ train.

e) Si nous allons à Ottawa _____ voiture, cela nous prend deux heures.

f) Les gens qui font une croisière voyagent _____ bateau.

g) Il parle _____ voix basse.

h) Récitez le poème _____ haute voix.

i) Les voitures roulent _____ toute vitesse sur l'autoroute.

j) Envoyez cette lettre _____ avion.

k) Les communications modernes se font _____ téléphone.

l) On peut aussi envoyer des messages _____ télécopie ou _____ courriel.

m) Les enfants se déguisent _____ clown, _____ fantôme ou _____ Harry Potter.

n) On peut mourir _____ soif si on manque d'eau.

o) Elle le regarde _____ une façon étrange.

p) Je revois mes vieux amis _____ plaisir.

q) Je réussis cet exercice _____ difficulté ; il est très dur.

r) Ce devoir est facile, je le réussis _____ difficulté.

s) Nous avons obtenu tous les renseignements _____ problème.

t) L'étudiante douée a trouvé les réponses _____ effort.

2. Complète les phrases suivantes en choisissant la bonne conjonction : *mais, ou, et, donc, or, ni, car*

    a) N'oublie pas ton bonnet _____ ton écharpe pour sortir.

    b) Je ne t'ai pas fait un oeuf _____ deux.

    c) La météo a annoncé du froid, _____ , je prends mon chandail.

    d) Quel jour viens-tu manger, lundi _____ mardi ?

    e) Les enfants ont tout mangé ; il ne reste _____ gâteau, _____ chocolat.

    f) Tu as le choix, pour ton dessin, tu peux utiliser la peinture _____ les fusains.

    g) Il te reste peu de temps _____ tu devrais arriver à l'heure à l'école.

3. Écris les conjonctions appropriées dans ce court texte.

    Je passerais avec plaisir mes vacances à la montagne _____ à l'étranger. Je reconnais volontiers

    que, en matière de vacances, mes choix sont limités, puisque je ne trouve de réel agrément, ni

    à la campagne, _____ à la mer. _____, cette année, je dois choisir précisément entre

    la campagne _____ la mer. J'irai _____ à la campagne, _____ à contre-cœur,

    _____ je dois avouer que je manque d'argent.

4. Écris la bonne préposition.

    a) Il voyage souvent _____ train.

    b) Ma vieille mère habite encore _____ nous.

    c) Je suis arrivé ici _____ huit jours seulement.

    d) Il est dangereux de conduire _____ chien et loup.

    e) Si tu as eu 20 sur 20, c'est que tu as fait une dictée _____ une faute.

    f) Nous accueillons toujours les amis _____ plaisir.

    g) Les jeunes enfants aiment se cacher _____ les draps.

    h) Dans une compétition, on se bat toujours _____ quelqu'un.

test

1. Complète en utilisant les mots suivants :

> davantage – dès lors – néanmoins – volontiers

a) Ce soir-là, ils se sont disputés ; _____ , leur amitié ne fut plus qu'un souvenir.

b) Il n'est jamais rassasié : il lui faut toujours _____ à manger ; quelle boulimie !

c) Je reprendrais _____ un peu de fromage.

d) Vous avez fait un excellent travail ; _____ , nous ne pouvons vous embaucher en raison du salaire trop élevé que vous demandez.

2. Indique si le mot en **caractères gras** est une préposition de :

> *lieu – temps – manière – moyen – but – cause*

a) Elle va souvent skier **en** hiver.   _____

b) **Avec** tant de travail, tu réussiras.   _____

c) Les Romains mirent le siège **devant** Alésia.   _____

d) Je voyage surtout **pour** m'instruire.   _____

e) Acheter **à** crédit coûte cher.   _____

f) On travaille seulement **avec** un marteau et un burin.   _____

Voici une bonne façon de reconnaître un groupe nominal (GN).
- Je repère d'abord un nom (base ou noyau du groupe nominal).
- Je m'assure que ce nom est accompagné d'un déterminant.
- Je vérifie enfin si le noyau du groupe nominal est accompagné de compléments (ou expansions).

1. Dans les phrases suivantes, trouve les **GN**. (Attention, il peut y en avoir plus d'un dans une phrase !)

   a) Martin y est allé seul.

   b) Mon gros matou ronronne de plaisir.

   c) Lise prend sa voiture régulièrement.

   d) Alexandre défend son point de vue.

   e) Nous parlerons un autre jour.

   f) J'ai été malade.

2. Imagine, pour les noms suivants, des compléments du nom en utilisant les prépositions suivantes :

   en – de – par – pour – à – sur

Nom	Complément du nom
a) Un bateau	
b) Une porte	
c) Un os	
d) Une place	
e) Un divorce	
f) Un mariage	
g) Un violon	
h) Des croûtes	

＃ exercice 6 «««««««««««««

La grammaire de la phrase et du texte – le groupe du nom

3. Analyse les groupes nominaux suivants (s'il y en a plus d'un dans la phrase, le nom du groupe à analyser est souligné).

Groupe nominal	Nom (noyau)	Déterminant	Adjectif qualificatif (GAdj)	Proposition subordonnée relative	GPrép
Où as-tu posé le disque compact que je t'ai prêté ?					
Où as-tu posé notre nouveau disque compact ?					
Où as-tu mis le logiciel sur les plantes ?					
Où as-tu mis son nouveau logiciel sur les voyages ?					
Les enfants n'écoutent pas toujours les <u>conseils</u> que leur donnent leurs parents !					
À quelle heure part cet avion pour Rome ?					
À quelle heure part leur autobus express ?					
À quelle heure part le train rapide que nous devons prendre ?					
L'argent que vous m'avez envoyé n'est pas encore arrivé.					
Béatrice se souvient très bien de l'<u>endroit</u> où elle a mis la confiture.					
Cherche mon nouveau marteau.					
Trouve ce marteau dont j'ai besoin.					

4. En te servant de l'exemple suivant, construis des phrases qui contiennent un groupe nominal, un groupe prépositionnel, un groupe adjectival et une subordonnée relative.

GN		
Déterminant	Noyau	Complément du nom (CN)
Ma	maison	royaume de mon enfance (GN)
Une	maison	de campagne (GPrép)
La	maison	rose (GAdj)
La	maison	qui m'attend (Sub. rel.)

GN		
Déterminant	Noyau	Complément du nom (CN)

test

1. Indique par un X si le mot souligné est un nom ou un verbe.

	Nom	Verbe
a) C'est toujours sous la <u>porte</u> qu'elle prenait la clé.		
b) À tous ses élèves, elle <u>pose</u> beaucoup de questions.		
c) Elle <u>porte</u> souvent des pantalons.		
d) Tout ce qu'elle lui <u>fait</u> subir l'affectera à long terme.		
e) Il a quitté le pays sans laisser son <u>adresse</u>.		
f) Elle effectue, depuis plusieurs années, le même <u>travail</u>.		
g) Elle <u>travaille</u> à son compte.		
h) Ces <u>faits</u> sont nouveaux pour elle.		
i) Les <u>notes</u> de frais doivent être facturées.		
j) Je <u>note</u> que vous aviez raison.		

2. Complète les phrases suivantes avec des compléments du nom dont la classe est précisée entre parenthèses.

a) Nous tenons beaucoup à notre service à _____ (nom commun).

b) N'est-ce pas la voiture des _____ (nom propre) ?

c) Ils ont toujours eu cette envie de _____ (verbe à l'infinitif).

d) C'est une vue du _____ (préposition) du même édifice.

e) La joie des _____ (pronom indéfini) faisait plaisir à voir.

f) Les bateaux d'_____ (adverbe) étaient-ils plus solides ?

1. Dans la colonne du centre, associe les éléments de la colonne de droite aux phrases de la colonne de gauche.

a) Les frais ont aussi augmenté. → Verbe au mode indicatif (futur simple)

b) La relation est… → Verbe au mode indicatif (présent)

c) Elles vivront. → Verbe + Adverbe

d) Le marché de la bourse a connu de grandes fluctuations. → Verbe avec l'auxiliaire *avoir* au mode indicatif (passé composé)

e) On s'arrache les cheveux. → Semi-auxiliaire + Verbe à l'infinitif

f) Les nouveaux diplômés devront accepter… → Pronom personnel + Verbe au présent

2. Dans chacune des phrases ci-dessous, une expansion du verbe est soulignée. Précise de quelle expansion il s'agit en encerclant la bonne réponse. Détermine ensuite la fonction de ce groupe.

a) Il pédale <u>doucement</u> sur la route.

1. GN   2. GPrép   3. GAdj   4.GAdv   Fonction : _____

b) Ces étudiants participent <u>avec beaucoup de zèle</u>.

1. GN   2. GPrép   3. GAdj   4.GAdv   Fonction : _____

c) Il vit <u>dans le sous-sol de la maison de ses parents</u>.

1. GN   2. GPrép   3. GAdj   4.GAdv   Fonction : _____

d) Sa mère est <u>une femme exceptionnelle</u>.

1. GN   2. GPrép   3. GAdj   4.GAdv   Fonction : _____

e) Une grande tristesse émanait <u>toujours de lui</u>.

1. GN   2. GPrép   3. GAdj   4.GAdv   Fonction : _____

f) Le poste est <u>honorifique</u> pour une femme comme elle.

1. GN   2. GPrép   3. GAdj   4.GAdv   Fonction : _____

g) Il a amené son ami au restaurant, car il semblait <u>malheureux</u>.

1. GN   2. GPrép   3. GAdj   4.GAdv   Fonction : _____

exercice 7 «««««««««««

La grammaire de la phrase et du texte – le groupe du verbe

3. Accorde les verbes.

a) À l'entrée du parc _____ (s'aligner / présent) des dizaines de visiteurs.

b) Sophie est une élève très sérieuse. Personne, ni ses parents ni ses professeurs,

ne _____ (s'inquiéter / présent) de son avenir.

c) Cette année, ma sœur Chantal, Patrick et moi _____ (passer / futur) nos vacances dans un lieu de rêve.

d) Un jour, sur ses longs pieds, _____ (aller / imparfait) je ne sais où, le Héron au long bec emmanché d'un long cou. (*La Fontaine*)

e) Mon frère, ma sœur et mon cousin _____ (venir / futur) fêter l'anniversaire de Robert.

f) Demain, Pascal et moi _____ (rendre / futur) visite à grand-père pendant que Nathalie et toi _____ (être / futur) au cours de danse.

g) Les avions à réaction _____ (rouler / présent) doucement sur la piste, puis _____ (accélérer / présent) et _____ (s'envoler / présent) vers d'autres horizons.

h) Deux tourterelles, perchées sur une branche d'arbre du jardin, _____ (s'aimer / imparfait) d'amour tendre.

4. Accorde les verbes au présent.

a) Les élèves _____ (travailler) dans la salle d'informatique.

b) Le facteur _____ (passer) tous les jours.

c) Dans la cour, nous _____ (entendre) les oiseaux chanter.

d) Je ne _____ (savoir) pas où je dois aller.

e) Mon voisin et sa femme, partis en vacances, _____ (venir) de nous écrire.

f) Je me demande ce que _____ (devenir) ces amis que nous fréquentions à Marseille.

g) Pourquoi _____ (faire) -ils autant de bruit ?

h) À travers champs _____ (s'écouler) lentement la rivière.

i) Dans le jardin _____ (voler) les feuilles poussées par le vent.

j) _____ (manger) -tu entre les repas ?

test

1. Complète les phrases ci-dessous en ajoutant l'expansion demandée entre parenthèses.

   a) Parlant de cette femme _____ (subordonnée relative), j'ai été surprise de sa nomination.

   b) J'ai pris un cachet _____ (groupe prépositionnel) les maux de tête.

   c) Dany Laferrière, _____ (groupe du nom), est un auteur prolifique.

   d) Une onde _____ (groupe de l'adjectif) me submergea.

   e) Guy était froid _____ (groupe prépositionnel) depuis quelque temps.

   f) J'ai acheté tous les livres _____ (subordonnée relative).

   g) Cet acteur était _____ (groupe de l'adjectif) d'avoir réussi son audition.

2. En les plaçant au bon endroit dans le tableau, précise la classe et la fonction de tous les groupes de mots soulignés dans les phrases suivantes et indique leur fonction entre parenthèses.

	GPrép	GN	GV
Dans le ciel piqué d'étoiles, la lune révélait la coque ventrue de la *Marie-Guillaume.*			
Dans le ciel clair de la nuit de juillet, les étoiles l'observaient.			
Les ronflements sonores de son père roulaient dans la maison.			
Tous les matins, le cordonnier cirait ses chaussures.			
Lors de la réunion de parents, de nombreux enseignants n'ont même pas mangé leur collation.			
Durant son absence prolongée, la stagiaire en français l' a remplacée.			

	GPrép	GN	GV
Ma petite soeur suivait, tous les lundis soirs, un cours de piano très intéressant.			
Sa seule population permanente était la famille du gardien du phare.			
Les silhouettes de deux touristes hérissaient le sommet chauve de la butte de la Croix.			
Au lendemain de la déclaration d'amour, il demanda la jeune fille en mariage.			

3. Complète ces phrases, soit avec l'infinitif du verbe entre parenthèses, soit avec son participe passé.

   a) J'aime _____ (manger) les poires bien mûres.

   b) J'ai _____ (manger) des poires à dix heures.

   c) Vous pensez _____ (jouer) avec cette console toute la journée ?

4. Conjugue les verbes entre parenthèses au passé composé et n'oublie pas d'accorder correctement les participes passés employés avec l'auxiliaire *être*.

   a) Étienne s'_____ (endormir) ce matin !

   b) Des détectives _____ (venir) poser des questions à mon ami.

   c) La lampe s'_____ (allumer) toute seule.

   d) Ces voitures se _____ (vendre) en France.

5. Même exercice avec les participes passés employés avec l'auxiliaire *avoir*.

   a) Albert et Béatrice _____ (rencontrer) leurs amis à la gare.

   b) Les difficultés qu'ils _____ (connaître) étaient passagères.

   c) Les bouteilles d'alcool qu'il _____ (boire) devront lui être facturées.

   d) Éliane, à peine réveillée, _____ (entendre) son bus passer dans la rue.

1. Raye les compléments de phrase (ou compléments circonstanciels) qui peuvent être déplacés ou effacés et réécris seulement la phrase de base.

	Phrases de base
a) Les passagers doivent se rendre à la porte n° 7 pour l'enregistrement des bagages.	
b) Les passagers qui n'ont pas réservé prennent leur billet *au* guichet.	
c) Après les vérifications, les passagers sont dirigés vers l'avion.	
d) Avant le départ, l'hôtesse installe les voyageurs et rassure, avec patience, ceux qui sont inquiets.	
e) Quand tout le monde est en place, elle vérifie les ceintures.	
f) En plein ciel, elle fera une distribution de bonbons.	
g) Lorsque l'Airbus sera prêt à atterrir, les passagers devront attacher leur ceinture.	
h) Pendant que l'alouette récolte des insectes, la grive arrive des régions nordiques.	
i) La bécasse fait escale où elle sait qu'elle peut trouver des vermisseaux.	
j) La cigale se trouva fort dépourvue quand la bise fut venue.	
k) Dès que les feuilles se mettent à tomber, le lièvre sort du bois.	
l) Partout où on cultive le blé, la perdrix s'installe.	

test

1. Pour chacune des phrases, sépare les groupes (sujet-verbe-complément de phrase-complément circonstanciel) par une barre oblique.

    a) Vous avez couru le marathon.

    b) Depuis ce matin, tous les enfants sont retournés à la maternelle.

    c) Albert et Béatrice mangent des bonbons.

    d) Demain, elle et toi ferez un joyeux pique-nique.

    e) Aujourd'hui, j'ai rencontré des amis.

    f) Tante Éléonore habitait là depuis toujours.

    g) Aurore et Fabienne passaient une grande partie des vacances à la pêche à la grenouille.

2. Analyse la phrase suivante et encercle la bonne réponse.

> Des bateaux aux voiles géantes   charriaient   des barriques   jusqu'au port.

    a) Quel est le noyau du groupe sujet ?
       bateaux   voiles   géantes

    b) De quel type est le verbe ?
       transitif indirect   transitif direct   intransitif

    c) Quelle est la fonction du groupe *jusqu'au port* ?
       CC de lieu   CC de moyen   CC de temps

    d) Quelle est la fonction du groupe *des barriques* ?
       CC de moyen   CD   CI

    e) Quel est le genre et le nombre de *barriques* ?
       Nom com. masc. singulier   Nom com. féminin singulier   Nom com. féminin pluriel

    f) Dans le groupe nominal *des barriques*, quelle est la nature de *des* ?
       Déterminant défini   Déterminant indéfini   Préposition

    g) Dans *jusqu'au port*, quelle est la nature de *jusqu'* ?
       Préposition   Locution prépositive   Conjonction

    h) Dans *jusqu'au port*, quelle est la nature de *au* ?
       Déterminant indéfini contracté   Déterminant défini contracté   Préposition

    i) Indique la voix, le mode et le temps du verbe *charriaient*.
       Voix act. et ind. de l'imp.   Voix pas. et ind. de l'imp.   Voix act. et sub. de l'imp.

    j) Quelle est la fonction du noyau du complément *voiles géantes* ?
       Complément du nom bateaux   *apposition*

Une phrase simple peut ne contenir qu'un verbe (V). Le plus souvent, on ajoute au verbe un ou plusieurs des groupes suivants : un sujet (S), un complément d'objet direct (CD), un complément d'objet indirect (CI), un complément circonstanciel (CC) ou complément de phrase (CP) , un complément du nom (CN) et un attribut (A). Par exemple :

 V
Lis.

       S   +   V
Mon grand frère / lit.

       S   + V + CD
Mon grand frère / lit / un conte.

       S   + V +   CD   +   CI
Mon grand frère / lit / un conte / à ma petite sœur.

       S   + V +   CD   +   CI   +   CC
Mon grand frère / lit / un conte / à ma petite sœur / avec beaucoup d'expression.

       S   +   CN   + V +   A
Les contes / de ce livre / sont / très amusants.

3. Compose six phrases simples selon les modèles demandés :

a) V

_____

b) S + V

_____

c) S + V + CD

_____

d) S + V + CD + CI

_____

e) S + V + CD + CI + CC

_____

f) S + CN + V + A

_____

exercice 9 «««««««««««««««

La grammaire de la phrase et du texte – les phrases déclarative, impérative, interrogative et exclamative

1. Transforme les phrases déclaratives suivantes à la forme déclarative affirmative ou négative, au besoin.

	Phrase déclarative affirmative	Phrase déclarative négative
a) Mon frère a perdu son bonnet de bain.		
b) Sers-moi une limonade.		
c) Ce n'est pas dans cet escalier que ma grand-mère est tombée.		
d) Ce livre d'histoire est très intéressant.		
e) Les fleurs ne poussent plus dans mon jardin.		
f) Il y a très longtemps, mon grand-père travaillait dans la mine.		
g) Dans le pré gambadent les animaux du fermier.		
h) Demain nous irons au cinéma.		
i) Hier soir, madame n'a pas pleuré.		
j) Il a oublié son paquet de graines.		

2. Souligne les phrases impératives.

a) Taisez-vous.

b) La leçon d'histoire sur le calendrier était amusante.

c) Qu'en penses-tu ?

d) Je suis malade.

e) Comme c'est agréable d'être dans son jardin !

f) Écoute.

g) Pars immédiatement.

h) Ne cours pas.

3. Transforme les phrases affirmatives en phrases interrogatives.

    a) Nous allons à la piscine. _____

    b) Il va chez le médecin. _____

    c) Ta mère conduit la voiture. _____

    d) Vous allez à l'école. _____

    e) Mes parents sont chez mon oncle. _____

    f) J'apporte des fleurs. _____

    g) Elle est malade. _____

    h) Elle a la grippe. _____

4. Transforme les phrases suivantes en phrases impératives.

    a) Il faut que tu viennes chez moi. _____

    b) Il faut que tu lises ce livre. _____

    c) Il faut que tu me dises ce qui s'est passé. _____

    d) Il faut que tu y ailles. _____

    e) Il faut que tu prennes ton cartable. _____

    f) Il faut que vous preniez vos livres. _____

    g) Il faut que tu fasses ton lit. _____

    h) Il faut que vous disiez bonjour. _____

test

1. Par un X, indique le type et la forme de la phrase.

	Déclarative affirmative	Déclarative négative	Exclamative affirmative	Impérative affirmative	Impérative négative	Interrogative affirmative	Interrogative négative
J'assisterai à la fête.							
Préparez-vous pour l'école.							
Cet enfant est gentil.							
Les fêtes ne m'intéressent absolument pas.							
Je ne souhaite pas sa venue.							
Ne vous disputez donc pas.							
Viens immédiatement.							
Faut-il croire en ses paroles ?							
Le soleil était rose, la mer, tranquille et la brise, endormie.							
N'allez-vous pas à Bruxelles demain ?							
Ne souhaitez-vous pas recevoir de ses nouvelles ?							
Pas une ride ne marque son visage.							
Chantez, dansez, amusez-vous.							
Pourquoi ne viendrais-tu pas demain ?							
Viendrez-vous dimanche ?							

1. Conjugue les verbes entre parenthèses au temps demandé.

   a) Le coureur _____ l'étape du tour de France (gagner / passé composé).

   b) Les enfants _____ à la source près du camping (s'amuser / imparfait).

   c) J' _____ voir les gratte-ciel de New York (aimer / imparfait).

   d) La France _____ la Coupe d'Europe et la Coupe du Monde de soccer (remporter / passé composé).

   e) Demain, papa _____ le journal et le _____ dans le métro (acheter, lire / futur).

2. Corrige les verbes mal conjugués dans les phrases suivantes.

   a) J'estimes que tu a raison de ne pas être content. _____

   b) Il veux refaire le trajet avant que Julie et André n'arrives. _____

   c) On hésitent souvent à ce carrefour qui es peu visible ; plusieurs se trompes d'ailleurs de direction. _____

   d) Tous les joueurs de tennis célèbres participes à ces tournois prestigieux. _____

   e) À cause des remarques des actionnaires, Paul et toi hésitent à poursuivre les recherches sur les causes du déficit. _____

   f) Voici des plantes aquatiques qui plonges leurs racines dans le sable. _____

   g) Je préfères qu'on utilisent des enveloppes pour ces documents. _____

   h) Est-ce que cela vaux la peine que les guides offres des excuses pour une si petite erreur de parcours ? _____

   i) Je crois que toi et moi sont d'accord pour que les moniteurs de natation obtienne de meilleures conditions de travail. _____

   j) Tu doit te procurer une clé si tu veut avoir accès à ce bureau. _____

   k) Nos voisins se disputent souvent à propos des factures qu'ils reçoivent par erreur. _____

   l) Nos amis musiciens gardes de bons souvenirs de leurs rencontres avec les groupes de la région. _____

   m) Et maintenant commence, après les présentations d'usage, le récital des débutants qui durent dix minutes. _____

   n) Les nouvelles du sport ! Voilà tout ce qui les intéressent dans le journal du matin. _____

   o) Voici ce que réclame avec insistance les joueurs de l'équipe adverse. Est-ce que ça t'ennuies vraiment ? _____

   p) Pourquoi écouter les petites annonces ? Ça te prends un temps précieux. _____

   q) Même si on annonce des averses pour demain, l'organisateur de la fête champêtre que nous offre les marchands continuent quand même ses préparatifs. _____

   r) En effet, c'est bien moi qui, après trois tours de scrutin, occupera, pour la prochaine année, le poste de président que revendiquait mes adversaires. _____

exercice 10 «««««««««««««««

Temps et accord des verbes

3. Conjugue les verbes suivants à la première personne du singulier et du pluriel au présent de l'indicatif et au futur simple, puis à la deuxième personne du singulier et première du pluriel à l'impératif présent.

		Présent de l'indicatif	Futur simple	Impératif présent
Nettoyer	Je/Tu			
	Nous			
Essuyer	Je/Tu			
	Nous			
Balayer	Je/Tu			
	Nous			
Effrayer	Je/Tu			
	Nous			
Appuyer	Je/Tu			
	Nous			
Côtoyer	Je/Tu			
	Nous			
Renvoyer	Je/Tu			
	Nous			
Grasseyer	Je/Tu			
	Nous			
Déblayer	Je/Tu			
	Nous			
Rayer	Je/Tu			
	Nous			
Ployer	Je/Tu			
	Nous			
Envoyer	Je/Tu			
	Nous			

test

1. Conjugue les verbes entre parenthèses au présent et à l'imparfait de l'indicatif.

	Présent de l'indicatif	Imparfait de l'indicatif
a) Les nuages (s'amonceler) puis (se déchiqueter) rapidement.		
b) La vendeuse (empaqueter), (ficeler) et (étiqueter) le colis.		
c) Le sculpteur (renouveler) sa technique, (modeler) et (ciseler) son œuvre.		
d) L'athlète (déceler) quelques failles dans ses exercices.		
e) Il (réchauffer) ses muscles, (courir) et (haleter).		
f) L'enfant (grommeler) entre ses dents, mais (épeler) malgré tout les mots difficiles.		

2. « Il y a pourtant quelque chose là-dessous, répliqua le paysan malin, et il se tut un instant ; mais je ne saurai rien de toi, maudit sournois. Au fait, je vais être délivré de toi, et ma scierie n'en ira que mieux. Tu as gagné M. le curé ou tout autre, qui t'a procuré une belle place. Va faire ton paquet, et je te mènerai chez M. de Rênal, où tu seras précepteur des enfants. » (Stendhal)

    a) Trouve un verbe pronominal : _____

    b) Trouve un verbe à un temps composé : _____

    c) Trouve un verbe à l'impératif : _____

    d) Trouve un verbe impersonnel : _____

    e) Trouve un verbe au futur simple : _____

3. Souligne le verbe accordé correctement dans les phrases suivantes.

    a) Les ouvriers ont (**terminer, terminé**) les rénovations.

    b) Les résultats seront (**annoncer, annoncés**) au bulletin de nouvelles.

    c) Ce jeune humoriste se pratique à (**imiter, imité**) les grandes vedettes hollywoodiennes.

    d) L'écureuil hésite à se (**laisser, laissé**) (**approcher, approché**) par les enfants.

    e) Pour (**encourager, encouragé**) les jeunes adultes à (**retourner, retourné**) aux études, le gouvernement leur offre de (**rembourser, remboursé**) les dépenses encourues.

    f) Les enfants ont (**manger, mangé**) leur pomme et ont (**demandé, demander**) ensuite à (**allé, aller**) (**joué, jouer**).

    g) J'ai (**acheté, acheter**) une robe pour mon bal, mais j'ai (**hésité, hésiter**) à choisir la bleue, parce que la rouge me plaisait tout autant.

    h) Si vous (**vouler, voulez**) m'(**aider, aidez**), (**dépêcher, dépêchez**)-vous !

    i) Ne (**penser, pensez**) pas cela, je vous en prie.

    j) Ils ont (**limiter, limité**) le droit de passage, mais tout le monde s'en fout !

La voix active : le sujet fait l'action exprimée par le verbe.
La voix passive : le sujet subit l'action exprimée par le verbe.

1. Transforme les phrases suivantes à la voix passive.

a) Les enfants ramassent les fruits.

Les fruits _____

b) Émile a lancé la balle.

La balle _____

c) Solène décrochera le téléphone.

Le téléphone _____

d) Le chat avait mangé l'oiseau.

L'oiseau _____

e) Le policier donna une amende au jeune écervelé.

Une amende _____

f) Ma mère posait le papier-peint dans la cuisine.

Le papier-peint _____

g) Le chien mordit le plombier.

Le plombier _____

h) Jérémie a regardé les dessins animés.

Les dessins animés _____

i) Le banquier accepte la demande de crédit.

La demande de crédit _____

j) Alexandre mangeait un sandwich tous les vendredis.

Un sandwich _____

exercice 11 «««««««««««««

Voix passive – active – pronominale

2. Compose une phrase commençant par *on* pour éviter le passif. Attention au temps du verbe.
   Exemple : Il sera oublié. On l'oubliera.

a) Elles ont été applaudies. _____

b) Un courriel m'a été envoyé. _____

c) Le vin a déjà été servi. _____

d) La question sera discutée demain. _____

e) Les résultats sont attendus avec impatience. _____

f) La décision a été prise. _____

g) Elle a été beaucoup critiquée. _____

3. Transforme les phrases passives en phrases actives.

Forme passive	Forme active
a) La recette du gâteau a été choisie par ma petite sœur.	
b) Un nouveau genre de cours de grammaire a été créé par l'université.	
c) Les mathématiques sont enseignées par le professeur Leroy.	
d) Le dirigeant syndical a été félicité pour sa grande contribution.	
e) Le match de football est gagné par l'équipe universitaire.	
f) Des fleurs sont lancées par des petites filles sur les touristes émerveillés.	
g) L'ancien palais a été abandonné par le roi.	

4. Écris le texte suivant à la voix active.

Les animaux sont aimés par les nouveaux maîtres de Filou. D'ailleurs, un chien a déjà été recueilli par eux. Il n'a jamais été vu par Filou. Un jour, le sous-sol, puis la cour et les champs sont découverts par lui. Très vite, son domaine est agrandi. Il est soigné par ses maîtres quand il revient en piteux état. Il est aimé tel qu'il est.

_____

_____

_____

_____

_____

_____

_____

5. Transforme les phrases actives en phrases à la voix pronominale.

Voix active	Voix pronominale
a) On gagne toujours les clients avec le service après-vente.	Les clients _____ toujours avec le service après-vente.
b) On fait les livraisons à partir de notre siège social à Montréal.	Les livraisons _____ à partir de notre siège social à Montréal.
c) On adresse cet ouvrage à tous les comptables.	Cet ouvrage _____ à tous les comptables.
d) On a vendu cette année-là plus de Mercedes à Moscou que dans tout le reste de l'Europe.	Il _____ ,cette année-là, plus de Mercedes à Moscou que dans tout le reste de l'Europe.
e) On a fait ces changements par étapes.	Ces changements _____ par étapes.
f) On étalera cette recherche sur une période de trois ans.	Cette recherche _____ sur une période de trois ans.

test 11 «««««««««««««

Voix passive – active – pronominale

test

1. Indique par un X la voix des phrases suivantes.

	Voix active	Voix passive	Voix pronominale
a) Cette manifestation est rehaussée par la présence des élus locaux.			
b) Jean s'est écroulé de fatigue.			
c) Je suis surprise par ta réaction !			
d) Ce compte-rendu est sans intérêt.			
e) Les bandes dessinées sont lues par des enfants.			
f) Maman s'est réveillée de mauvaise humeur.			
g) Maman a préparé le déjeuner.			
h) Avez-vous lu ce livre ?			
i) Ces enfants sont étonnés par tous ces jouets.			
j) Le méchant s'est nui à lui-même !			
k) Ce chanteur est devenu célèbre.			
l) Le professeur interroge les élèves afin de vérifier leurs connaissances.			
m) Les miliciens sont encadrés par des sous-officiers.			
n) Claudine est morte de fatigue.			
o) Mélanie n'est plus l'amie de Francis.			
p) Le pain d'épice est dévoré par Antoine.			
q) La vaisselle est toujours lavée par Cindy.			
r) Elle s'est mordue les lèvres pour ne pas crier.			
s) Ces maisons sont cachées par de grands arbres.			

1. Accorde correctement les participes passés.

a) Les exposés oraux (entendre) _____ étaient intéressants.

b) Les lettres bien (former) _____ sont facilement lisibles.

c) Les bûches étaient (empiler) _____.

d) Elle s'est (briser) _____ un ongle.

e) Le coupable a (reconnaître) _____ ses fautes.

f) À chaque printemps, les mêmes hirondelles sont (revenu) _____.

g) Les chats (partir) _____, les souris dansent.

h) Les pluies torrentielles ont (cesser) _____ leurs ravages.

i) La vieille dame était (accourir) _____ sur les lieux.

j) Aussitôt la lampe (éteindre) _____, je m'endors.

k) Les revues (recevoir) _____ à la maison ont fait des heureux.

l) Tu aurais (obtenir) _____ de meilleures notes si tu avais (étudier) _____.

m) Elles se sont (téléphoner) _____ hier soir.

n) Julie, François et toi étiez (ensevelir) _____ sous le courrier reçu.

o) Les enfants se sont (amuser) _____ dans la rue.

p) Les maisons qu'il a (construire) _____ sont magnifiques.

q) (Remettre) _____ de ses blessures, Caroline retourna travailler.

r) (Lever) _____, la lune brille dans le firmament.

s) Les députés s'étaient tous (lever) _____ après le vote.

t) Veux-tu prendre le document qui se trouve dans le tiroir (fermer) _____?

u) (Briser) _____ de fatigue, les serveurs prirent une pause.

v) Manon était (renverser) _____ par ta décision.

w) De tous les livres (lire) _____, un seul m'a vraiment (intéresser) _____.

x) Elles se seraient (battre) _____ pour un garçon.

y) Claire et Mado, sont-elles (aller) _____ magasiner?

z) (Blâmer) _____ pour les bris, Daniel s'est vengé.

exercice 12 «««««««««««««

Les participes passés

2. Accorde correctement les participes passés des verbes pronominaux.

   a) Elles se sont **trouv...** un nouveau jeu. _____

   b) Ils se sont **mari...** la semaine dernière. _____

   c) Luc et Jean se sont **absent...** de leur cours. _____

   d) Vous vous êtes **téléphon...** hier soir. _____

   e) Ils se sont **rappel...** la semaine dernière. _____

   f) Elles se sont **rappel...** ces bons souvenirs. _____

   g) « Nous nous étions **rencontr...** cet hiver-là », dirent les filles. _____

   h) Les oiseaux se sont **envol...** vers les pays chauds. _____

   i) Pierre, vous vous êtes **souven...** de votre première conquête. _____

   j) Toute la classe s'est **évanou...** à cause de la chaleur accablante. _____

   k) Marie, tu t'es **demand...** pourquoi ce participe s'accordait. _____

   l) Elles se sont **méfi...** de ce chien. _____

   m) Denise s'est **absten...** de parler. _____

   n) Lise et Diane se sont **excus...** pour cette impolitesse. _____

   o) Vous êtes-vous **amus...** en faisant cet exercice ? _____

3. Accorde les participes passés.

   a) Pour la plupart d'entre eux, les années se sont **succéder** _____ sans trop de surprises.

   b) Ils se sont **bâtir** _____ un chalet très joli, mais la maison qu'ils se sont **construire** _____ l'est moins.

   c) J'ai **apprécier** _____ les soirées que nous nous sommes **organiser** _____.

   d) L'objection était plus grande que nous ne l'avions **imaginer** _____.

   e) Une lettre de Lucille ? Il y a bien près d'un an que je n'en ai **recevoir** _____.

   f) La pianiste que j'ai **entendre** _____ jouer était très sensible.

   g) J'attendrai que tu aies **répondre** _____ à mes questions avant de te poursuivre.

   h) Les examens que j'ai **devoir** _____ passer étaient très douloureux.

   i) **Voir** _____ sa santé, Maude ne pourra donner son concert.

   j) Une fois les heures de visite **dépasser** _____, vous ne pourrez plus entrer à l'hôpital.

   k) Quand elles seront **terminer** _____, ces robes auront fière allure.

   l) Les crochets que Josée a **donner** _____ à cette artisane l'ont grandement **aider** _____.

   m) Ces exercices m'ont **poser** _____ tellement de problèmes que je ne veux plus aller en physiothérapie.

test

1. Accorde les participes passés.

a) Les conseils que vous auriez **devoir** _____ suivre pour éviter cet accident étaient pourtant simples !

b) La pluie que j'ai **entendre** _____ tomber m'a réveillée.

c) La blague que j'ai **entendre** _____ raconter était drôle.

d) Les bébés, elle les a **laisser** _____ pleurer.

e) Les amis que j'ai **pouvoir** _____ accueillir, je les ai bien reçus.

f) On les a **laisser** _____ tomber si souvent qu'ils ont perdu confiance en eux.

g) Ce n'est pas moi qui les ai **faire** _____ tomber !

h) Les toiles que Jeanine a **vouloir** _____ présenter à l'exposition ont été abîmées.

i) Les dix kilomètres qu'elle a **courir** _____ ne l'ont presque pas essoufflée.

j) Les risques que nous avons **encourir** _____ étaient élevés.

k) Les dix années que cette fillette a **vivre** _____ ont constitué une lutte contre la souffrance.

l) La douleur que les parents ont **vivre** _____ les a presque rendus fous.

m) Les huit kilos qu'a **peser** _____ ce paquet ont entraîné des frais supplémentaires.

n) Les huit heures qu'elles ont **passer** _____ ensemble ont suffi à les réconcilier.

o) Elle a **courir** _____ bien des dangers mais s'en est sortie indemne.

p) La réunion fut plus longue qu'on l'avait **penser** _____.

q) Cette histoire est drôle, je te l'avais **dire** _____.

r) Marie-Odile était sourde et Jérôme l'avait **deviner** _____ tout de suite.

s) Cette table, je l'ai longuement **regarder** _____ avant de l'acheter.

t) La journée fut plus longue qu'on l'aurait **vouloir** _____.

u) L'as-tu assez **regarder** _____, cette voiture, avant de l'acheter ?

v) Hélène l'a **changer** _____ de couches, puis Paul-Armand s'est occupé de lui.

w) J'ai envoyé des lettres et j'en ai **recevoir** _____.

exercice 13 «««««««««««««

La concordance des temps

1. Identifie à quel temps de l'indicatif est conjugué le verbe en gras.

Exemple : Il marchait (imparfait) rapidement quand il a croisé (passé composé) son ami.

a) Soudainement, quelqu'un **cria** (_____) dans la salle, ce qui **surprit** (_____) tout le monde.

b) Il **faut** (_____) bien s'alimenter, mais ce n'**est** (_____) pas suffisant. Il **faut** (_____) également faire de l'exercice.

c) Nous nous **sommes chicanés** (_____) devant tout le monde, puis nous **sommes partis** (_____) à la maison.

d) Elle **a fermé** (_____) la porte en croyant que personne ne **s'apercevrait** (_____) de son geste.

e) Elle **venait** (_____) d'avoir dix-huit ans quand elle **est entrée** (_____) à l'université.

f) Nous **irons** (_____) au restaurant même s'il **pleut** (_____), car c'**est** (_____) la fête des Mères.

g) On **dit** (_____) que vous **auriez** (_____) l'intention de nous quitter.

h) Il ne **faudrait** plus (_____) avoir sur soi des allumettes ou un briquet, plus personne ne se **risquerait** (_____) à demander du feu.

i) Hier soir, au moment où j'**allais** (_____) sortir, le téléphone **sonne** (_____).

j) Alors, je **réponds** (_____) et qu'**est**-ce (_____) que j'**entends** (_____) au bout du fil ? C'**était** (_____) toi, mon cœur.

2. Conjugue correctement le verbe de la phrase subordonnée selon les séquences demandées.

a) Je n'ai pas encore fait l'exercice que tu m' (*demander* – événement achevé) _____ .

b) Qui pourrait croire que nous (*escalader* – événement achevé) _____ toutes ces montagnes ?

c) Je te présenterai quelqu'un qui (*connaître* – événement présenté dans sa durée) _____ bien ton père.

d) Les démêlés que nous (*avoir* – événement achevé) _____ avec nos voisins ne vous concernent pas.

e) Il te dira peut-être que j' (*finir*) _____ avant demain, mais n'en crois rien.

f) Elle racontait une histoire très ancienne qui (*avoir* – événement achevé) _____ lieu bien avant ta naissance.

g) Il aurait pu dire merci après tout ce que tu (*faire* – événement achevé) _____ pour lui.

h) Aucune des laitues que nous (*semer* – événement achevé) _____ n'a survécu à l'invasion des limaces.

i) J'éviterai de planter des choux, puisque je n'en (*récolter* – événement achevé)

_____ que deux.

j) Il détestait les énigmes parce qu'il n'en (*deviner* – événement achevé)
_____ jamais une seule.

3. Souligne le verbe bien accordé des propositions subordonnées.

a) Si tu termines rapidement ton travail, nous **pourrions / aurions pu / pourrons** faire une promenade.

b) Si tu terminais rapidement ton travail, nous **pourrons / aurions pu / pourrions** faire une promenade.

c) Si tu avais terminé ton travail plus tôt, nous **pourrons / pourrions / aurions pu** faire une promenade.

d) Je serais partie en voyage si j' **avais réussi / ais réussi / aurais réussi** mon examen.

e) Nous ne prendrons pas le chemin des crêtes si tu **auras / as / avais** le vertige.

f) Je suis sûr que tes cousins aimeraient venir à la fête si nous les **inviterions / invitons / invitions**.

g) Les enfants pourront regarder la télévision dès qu'ils **appris / ont appris / auront appris** leurs leçons.

h) Léa chantait à tue-tête, mais elle s'est tue quand maman **sera entrée / est entrée / soit entrée** dans sa chambre.

i) J'espérais que tu **dormirais / dormiras / dormais** jusqu'à huit heures, il est six heures et tu es déjà réveillé !

j) Tu as beau me répéter que deux et deux font cinq, je ne pense pas que tu **aies / avais / as** raison.

k) Je suis sortie aujourd'hui, bien qu'il **ait plu / avait plu / a plu** sans arrêt.

l) Pierre est content que son copain **est venu / soit venu / serait venu** le voir, il avait un secret à lui confier.

m) Il est tard, je veux que les enfants **aillent / iront / vont** prendre leur douche tout de suite.

n) Pour son anniversaire, Luc préférera que vous lui **offriez / offrirez / offrez** un CD plutôt qu'un livre.

4. Dans les phrases suivantes, exprime la simultanéité (a), l'antériorité (b) et la postériorité (c) en soulignant la bonne réponse.

a) Ma cousine Hélène disait souvent qu'elle **avait aimé / aimait / aimerait** beaucoup jouer de la harpe.

b) Ma cousine Hélène disait souvent qu'elle **avait aimé / aimerait / aimait** jouer de la harpe.

c) Ma cousine Hélène disait souvent qu'elle **aimait / avait aimé / aimerait** jouer de la harpe.

test

1. Accorde correctement le verbe entre parenthèses.

    a) Dès que j'aurai fini mon travail, vous (**aller**) _____ manger

    b) Il (**savoir**) _____ qu'un jour il réussirait.

    c) Quand nous mangeons, nous (**mâcher**) _____ lentement.

    d) S'il avait bien voulu nous téléphoner, nous lui (**parler**) _____ avec plaisir.

    e) Il a gelé cette nuit, il (**falloir**) _____ se méfier en sortant tout à l'heure.

    f) Il souhaitait qu'elle (**parvenir**) _____ à trouver le bonheur.

    g) Je craignais qu'il ne (**faire**) _____ pas assez chaud pour sortir.

    h) Il faudra que je me (**décider**) _____ à aller faire les courses.

    i) Lorsqu'il est arrivé ici, il (**porter**) _____ un blouson blanc.

    j) Il était convenu que vous (**prendre**) _____ le train de sept heures.

    k) Quand il le regarda dormir, il (**avoir**) _____ l'impression de voir un enfant.

2. Dans cette courte dictée trouée, conjugue correctement, au besoin, les verbes à l'infinitif.

Autrefois, nous **passer** _____ les vacances d'hiver chez mes grands-parents. Pour **préparer**

_____ Noël, avec nos cousins, nous **décorer** _____ toute la maison. Devant le sapin,

tout le monde **danser** _____ et mon grand-père **rire** _____ de nous **voir** _____

heureux. Mes cousines **espérer** _____ ne pas avoir les mêmes jouets que l'année précédente.

Un jour de Noël, je **regarder** _____ avec tendresse le visage ridé de ma grand-mère. Lorsqu'elle

me **voir** _____ , elle m'**emmener** _____ près du sapin. Elle **sourire** _____ en

voir _____ mon regard ébahi devant tant de cadeaux. À ce moment-là, mon père **apporter**

_____ la bûche. Nous **faire** _____ silence, mais dans nos yeux se **refléter** _____

le bonheur.

1. Pour chacune de ces phrases, choisis la bonne ponctuation :   ? ! ... : . ; ,

   a) Tu penses vraiment qu'il va venir ___

   b) Marc ___ Étienne et sa femme avaient pris une grande décision ___ ils allaient faire du ski cet hiver ___ Cela leur ferait le plus grand bien ___

   c) Les étudiants ___ qui étaient tous là aujourd'hui ___ ont décidé de faire la grève pour protester contre le manque de moyens ___

   d) Voici ce que tu dois acheter ___ du yogourt ___ du fromage ___ un pain ___

   e) Quel temps magnifique ___

   f) Elle était là ___ assise devant moi ___ Elle me parlait doucement ___ Jamais je n'aurais pu imaginer que ___

2. Ajoute la ponctuation manquante entre les parenthèses.

   Comment vivaient nos ancêtres (   ) De quoi se nourrissaient-ils (   ) Quels outils se fabriquaient-ils pour chasser (   ) pêcher (   ) préparer les aliments et se vêtir (   ) Que de questions nous nous posons en pensant à cette époque (   ) Les dinosaures avaient disparu (   ) mais ces hommes et ces femmes devaient lutter contre mille dangers (   ) Comme cette époque devait être dure pour ces premiers êtres humains (   )

3. Ponctue correctement l'extrait suivant *d'Oliver Twist,* de C. Dickens :

   Quoique je sois peu disposé à soutenir que ce soit pour un homme une faveur extraordinaire de la fortune que de naître dans un dépôt de mendicité je dois pourtant dire que dans la circonstance actuelle c'était ce qui pouvait arriver de plus heureux à Olivier Twist le fait est qu'on eut beaucoup de peine à décider Olivier à remplir ses fonctions respiratoires exercice fatigant mais que l'habitude a rendu nécessaire au bien-être de notre existence pendant quelque temps il resta étendu sur un petit matelas de laine grossière faisant des efforts pour respirer balança pour ainsi dire entre la vie et la mort et penchant davantage vers cette dernière Si pendant ce court espace de temps Olivier eût été entouré d'aïeules empressées de tantes inquiètes de nourrices expérimentées et de médecins d'une profonde sagesse il eût infailliblement péri en un instant mais comme il n'y avait là personne sauf une pauvre vieille femme qui n'y voyait guère par suite d'une double ration de bière et un chirurgien payé à l'année pour cette besogne Olivier et la nature luttèrent seul à seul Le résultat fut qu'après quelques efforts Olivier respira éternua et donna avis aux habitants du dépôt de la nouvelle charge qui allait peser sur la paroisse en poussant un cri aussi perçant qu'on pouvait l'attendre d'un enfant mâle qui n'était en possession que depuis trois minutes et demie de ce don utile qu'on appelle la voix.

test

1. Indique à quoi servent la ou les virgules dans les phrases suivantes en choisissant la bonne réponse.

   a) *Hélène, tu me raconteras demain.*

   ❑ Encadrent un complément circonstanciel.
   ❑ Isole un complément circonstanciel au début d'une phrase.
   ❑ Isole un mot mis en apostrophe.
   ❑ Encadrent un groupe nominal mis en apposition.
   ❑ Séparent les éléments d'une énumération.

   b) *Cet après-midi, avec leurs enfants, des parents sont venus me voir.*

   ❑ Encadrent un complément circonstanciel.
   ❑ Isole un complément circonstanciel au début d'une phrase.
   ❑ Isole un mot mis en apostrophe.
   ❑ Encadrent un groupe nominal mis en apposition.
   ❑ Séparent les éléments d'une énumération.

   c) *Tu dois être attentif, travaillant, stratégique et organisé pour réussir en classe.*

   ❑ Encadrent un complément circonstanciel.
   ❑ Isole un complément circonstanciel au début d'une phrase.
   ❑ Isole un mot mis en apostrophe.
   ❑ Encadrent un groupe nominal mis en apposition.
   ❑ Séparent les éléments d'une énumération.

   d) *Anna-Maria, notre professeur de Pilates, nous a donné un cours difficile.*

   ❑ Encadrent un complément circonstanciel.
   ❑ Isole un complément circonstanciel au début d'une phrase.
   ❑ Isole un mot mis en apostrophe.
   ❑ Encadrent un groupe nominal mis en apposition.
   ❑ Séparent les éléments d'une énumération.

   e) *Demain, je vais aller m'entraîner.*

   ❑ Encadrent un complément circonstanciel.
   ❑ Isole un complément circonstanciel au début d'une phrase.
   ❑ Isole un mot mis en apostrophe.
   ❑ Encadrent un groupe nominal mis en apposition.
   ❑ Séparent les éléments d'une énumération.

2. Dans le texte suivant, surligne les éléments qui sont isolés par une ou deux virgules et qui peuvent être effacés ou déplacés.

   À la source l'homme buvait, son visage effleurant le reflet brisé et multiplié de son geste. Lorsqu'il se releva, il découvrit au milieu de son propre reflet, sans avoir pour cela entendu aucun bruit, l'image déformée du canotier de Popeye.

   En face de lui, de l'autre côté de la source, il aperçut une espèce de gringalet, les mains dans les poches de son veston, une cigarette pendant sur son menton.

   De l'autre côté de la source, les yeux de Popeye fixaient l'homme, semblables à deux boutons de caoutchouc noir et souple. « Je te parle, tu entends, reprit Popeye. Qu'est-ce que tu as dans ta poche ? »

1. Souligne les adjectifs de couleur correctement orthographiés.

a) Les roses (**écarlate/écarlates**) embaumaient le jardin.

b) Les prunes (**rouge pâle/rouges pâles**) sont acides.

c) Le feuillage (**feu/feux**) des érables est très joli.

d) Elle dessine avec les crayons (**bleu/bleus**).

e) Elle fait un bouquet avec les lilas (**mauve/mauves**).

f) Son chandail (**saumon/saumons**) est très à la mode cette année.

g) Elle avait des taches (**vert/vertes**) sur son pantalon.

h) Les fleurs (**rose/roses**) dominaient dans ce jardin.

i) La petite plume (**jaune vif/jaune vive**) s'envola dès que je vins pour la prendre.

j) Les chiennes (**noir/noires**) sont plus agressives.

k) Je voudrais les fruits (**orange/oranges**) car ils sont bons pour la santé.

l) Les vêtements (**bleu marin/bleus marins**) sont de mise sur un voilier.

m) Les pavots (**rouge/rouges**) sont jolis dans le pré.

n) Les murs (**charbon/charbons**) n'étaient pas très réjouissants.

o) Sa casquette (**blanc/blanche**) était sale.

2. Accorde correctement les adjectifs de couleur en **caractères gras**.

a) Les **rouge** qui strient le ciel dans le soleil couchant m'émerveillent. _____

b) Le peintre est reconnu pour ses **jaune** vivifiants. _____

c) Cette nappe **lie-de-vin** enjolive bien la pièce. _____

d) Méfiez-vous des **vert bouteille**, c'est un conseil d'amie. _____

e) Les **ocre**, les **vert profond**, les **feuille-morte** et les **jaune maïs** de ce tableau me ravissent chaque fois. _____ _____ _____ _____

f) J'enfile ma veste **bleu** et je sors. _____

g)   J'ai acheté des boucles d'oreille **grenat**.   _____

h)   J'adore ces pantoufles **rose**.   _____

i)   Quels jolis rideaux **caca d'oie**.   _____

j)   Ces drapeaux de la France sont **bleu**, **blanc** et **rouge**.   _____ _____ _____

k)   Une passante **roux** m'a demandé mon numéro de téléphone.   _____

l)   Vous devrez avoir plusieurs habits dont des robes **blanc**, **noir**   _____ _____ _____
      et **gris**. (Chaque robe n'a qu'une couleur.)

m) Les filaments **blanchâtre** qui sortaient de la machine semblaient peu appétissants.   _____

n)   Quelle est la recette pour faire cette tarte **jaune vert** ?   _____

3.   Souligne les adjectifs de couleur correctement accordés dans cet extrait du texte : *Le Capitaine Fracasse*
      de Théophile Gauthier.

      « Vous le voyez, le théâtre de notre petite troupe était assez bien machiné pour l'époque. Il est vrai que
      la peinture de la décoration eût semblé à des connaisseurs un peu enfantine et sauvage. Les tuiles des
      toits tiraient l'œil par la vivacité de leurs tons (**rouges / rouge**), le feuillage des arbres plantés devant
      les maisons était du plus beau (**vert-de-gris / vert de gris**) et les parties (**bleue / bleues**) du ciel
      étalaient un (**azur / azure**) invraisemblable ; mais l'ensemble faisait suffisamment naître l'idée de place
      publique chez les spectateurs de bonne volonté. Un rang de vingt-quatre chandelles (**ivoires / ivoire**)
      soigneusement mouchées jetait une forte clarté sur cette honnête décoration peu habituée à pareille fête.
      Cet aspect magnifique fit courir une rumeur de satisfaction parmi l'auditoire. »

4.   Souligne les adjectifs de couleur correctement accordés.

      Ce matin, je suis allée au marché pour acheter des fruits et des légumes. J'ai commencé par acheter
      des pommes (**rouge / rouges**), puis des poires (**vertes claires / vert clair / verts clairs**) qui avaient
      l'air délicieuses. Après, des pommes de terre (**pailles / paille**) pour faire un gratin dauphinois. Et pour
      terminer, des poivrons (**oranges / orange**) pour faire une bonne ratatouille. En rentrant chez moi, j'ai
      croisé une dame qui avait de drôles de chaussures (**roses pâles / rosepâle / rose pâle**). En arrivant dans
      mon jardin, j'ai vu que sur le toit aux tuiles (**marrons / marron**) de ma maison, il y avait un petit chat
      aux rayures (**gris bleu / gris bleues**). J'ai enlevé mon manteau et mon écharpe qui sont tous les deux
      (**vertes / verts**). Je suis allée dans ma cuisine aux murs (**jaunes orangés / jaune orangé**) pour préparer
      un délicieux repas avec tous les ingrédients achetés au marché.

test

1. Souligne l'adjectif de couleur qui est bien accordé.

   a) Mes deux chats, Albert et Einstein, ont les yeux (**gris vert / gris-verts / gris verts**), les oreilles (**blanc / blanches**) et (**noir / noires**) et les moustaches (**blanche / blanches**).

   b) Ma jeune sœur porte très longs ses cheveux (**blonds vénitiens / blond vénitien / blond-vénitien**).

   c) J'aimerais que le toit de ma nouvelle maison soit recouvert de tuiles (**rouge argile / rouges argile**).

   d) Je ne sais que choisir entre ces soies (**cerise / cerises**) et ces soies (**rose / roses**).

   e) Tu as vu ton papa ? Maintenant, ses cheveux sont (**poivre / poivres**) et (**sels / sel**).

   f) Comment trouves-tu ma nouvelle robe (**bleu clair / bleue claire**) ?

2. Dans la dictée suivante, accorde tous les adjectifs de couleur en **caractères gras**.

La demoiselle portait une ample cape **bleu vert** _____ bordée de rubans **bleu roi** _____ et **bleu marin** _____. Ses lèvres **écarlate** _____ formaient un contraste heureux avec son teint **ivoire** _____, ses yeux **noisette** _____ et ses cheveux **noir de jais** _____. Elle tenait une ombrelle **vert amande** _____ avec des incrustations **gris perle** _____ et un délicat liséré de soie **céladon** _____ ainsi qu'une aumônière **violet** _____. Des boucles d'oreille **incarnat** _____ et **gorge-de-pigeon** _____ encadraient son visage aux traits délicats. Sa robe **bleu** _____ et **noir** _____ était ornée de broderies **amarante** _____ sur lesquelles se détachait un collier de perles de la plus belle eau. Elle portait de fins souliers **ventre-de-biche** _____, une écharpe **vermeil** _____ et des gants **bistre** _____.

exercice 16 «««««««««««««

Les nombres

1. Écris les nombres suivants en toutes lettres.

a) 80 ans _____

b) 32 hectolitres _____

c) 66 dollars _____

d) 530 hommes _____

e) 480 mètres _____

f) 101 litres _____

g) 16 ans _____

h) 47 hectolitres _____

i) 76 dollars _____

j) 890 hommes _____

k) 370 mètres _____

l) 1101 litres _____

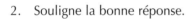

2. Souligne la bonne réponse.

➜ **200**
a) Deux cent
b) Deux cents
c) Deux-cents

➜ **74**
a) Soixante-quatorze
b) Soixante quatorze

➜ **80**
a) Quatre vingts
b) Quatre-vingts
c) Quatre-vingt

➜ **51**
a) Cinquante-et-un
b) Cinquante un
c) Cinquante et un

➜ **21**
a) Vingt et un
b) Vingt-et-un
c) Vingt un

➜ **201**
a) Deux cent un
b) Deux-cent-un
c) Deux cent et un

➜ **90**
a) Quatre-vingt-dix
b) Quatre-vingts dix
c) Quatre vingt dix

➜ **101**
a) Cent et un
b) Cent un
c) Un cent

➜ **34**
a) Trente-quatre
b) Trente quatre

➜ **2003**
a) Deux mil trois
b) Deux milles trois
c) Deux mille trois

➜ **72**
a) Soixante-douze
b) Soixante douze

➜ **24**
a) Vingt-quatre
b) Vingt quatre
c) Ving quatre

➜ **2010**
a) Deux mil dix
b) Deux mille dix
c) Deux-mille-dix

3. Dans les phrases suivantes, corrige, au besoin, les adjectifs numéraux.

1) Ce livre a deux cent pages. _____

2) Dimanche, Béatrice fêtera ses vingt ans. _____

3) Ma maison a été construite il y a vingt ans. _____

4) Trois cent quatres. _____

5) Il a toujours mille idées en tête. _____

6) 37 280 = trente-sept mille deux cents quatre-vingt. _____

7) Son salaire a augmenté de cent-quatre-vingt pour cent en vingt ans. _____

8) La mairie se trouve à cent mètres d'ici. _____

9) Le berger possède cinquante-une brebis. _____

10) Il a fait un chiffre d'affaires de quatre cents millions de dollars. _____

11) Quatre-vingt plus quarante = cent vingts. _____

12) Ce costume m'a coûté deux cent dollars. _____

13) Pour être élu, il faut quatre-vingt voix de plus que l'autre concurrent. _____

14) Ce navire longe la côte à cinq mille du large. _____

15) Ce journal tire à quatre-cent mille exemplaires. _____

16) Trois cent millions, je trouve ce prix élevé. _____

17) Il y avait deux cents personnes à droite et vingt-quatre personnes à gauche. _____

18) Je ne vous le répéterai pas cent fois. _____

19) N'oubliez pas que vous me devez trois mille un dollars. _____

20) La pollution des côtes coûte deux cents milliards par an. _____

21) Il n'y a aucune raison de conserver deux cent quatre livres en stock. _____

22) J'ai acheté un roman de deux cent vingt pages. _____

23) Cette réparation vous coûtera quatre-vingt dollars environ. _____

24) Ce tracteur coûte quatre-vingt mille dollars. _____

25) Il y avait mille cent invités. _____

26) Ces repas m'ont coûté cent-vingts dollars. _____

27) Jules a récolté près de trois cents kilogrammes de fruits. _____

28) Cinq cent deux milliards, voici la dette de ce pays. _____

29) Elle est hospitalisée depuis vingt-quatre heures. _____

30) 420 = quatre cent vingts. _____

31) Soixante et un plus 10 = soixante-onze. _____

test 16 «««««««««««

Les nombres

test

1. Écris les nombres en lettres.

a) Nous avons lu la page 53.

_____

b) Il y avait 108 participants.

_____

c) Où allons-nous loger ces 5000 réfugiés ?

_____

d) Tu poses toujours 1000 et 1 questions.

_____

e) Elle est toujours en forme malgré ses 120 ans ?

_____

f) N'oublie pas que le rendez-vous est à 8 heures.

_____

g) Il lui faudra 500 signatures.

_____

h) Reprenez vos 45 sous.

_____

i) Ne restez pas plus d'1 heure.

_____

j) Les 1000 premiers visiteurs ont eu de la chance.

_____

k) Savez-vous ce que deviennent ces 900 000 000 000 de particules ?

_____

l) Il y a eu trois 0 dans notre groupe.

_____

m) Il nous faut 600 personnes.

_____

n) Nous n'accepterons pas 620 personnes !

_____

o) Nous ne connaissons pas les 2/3 des gens dont vous parlez.

_____

1. Complète les phrases en écrivant le pronom relatif adéquat, précédé, au besoin, d'une préposition, et encercle son antécédent.

   a) Rappelez-moi le titre du livre de physique _____ je vous ai prêté.

   b) L'auberge de campagne _____ il passait ses vacances a été vendue.

   c) Ce _____ tu t'attendais ne s'est pas produit.

   d) Quel est celui de ces tableaux _____ vous préférez ?

   e) Ces loisirs _____ vous vous adonnez nuisent à votre rendement scolaire.

   f) Cette femme _____ on vous a parlé est une éminente physicienne.

   g) Malheur à ceux _____ le scandale arrive.

   h) Bien des personnes gardent toujours l'accent de la région _____ elles viennent.

   i) Le voyage en Europe _____ tu rêvais a été annulé.

   j) Nos amis sont ceux _____ nous pouvons nous confier dans le malheur.

   k) Les voyages _____ on a fait référence m'ont fasciné.

   l) Les films _____ on parle ont été choisis par le jury.

   m) L'immeuble _____ je travaille a été classé monument historique.

   n) Toutes les victoires _____ je garde un bon souvenir m'ont valorisé.

   o) Les hôtesses _____ je me suis adressé ont été très sympathiques.

   p) C'est exactement ce _____ je tiens le plus.

   q) Nous avons recueilli tous les documents _____ nous avions besoin.

   r) Je choisis la crème à la vanille, _____ est ma préférée.

exercice 17 «««««««««««

Les pronoms relatifs

2. Transforme les phrases suivantes de façon à n'en faire qu'une en utilisant le bon pronom relatif.

a) C'est un endroit ; il me plaît énormément. _____

b) C'est un pays ; je le connais bien. _____

c) Ce sont des paysans ; j'ai souvent rencontré ces paysans. _____

d) C'est une province ; j'ai déjà voyagé dans cette province. _____

e) Ce sont des forêts ; elle se promène parfois dans ces forêts. _____

f) C'est une amie ; je prête quelquefois des livres à cette amie. _____

g) C'est un travail ; je m'intéresse à ce travail. _____

h) C'est une étude ; nous nous intéressons à cette étude. _____

i) Ce sont des études ; ces études m'intéressent. _____

j) Donne-moi le journal ; le journal est sur la table. _____

k) J'aime ma chemise blanche ; je la lave souvent. _____

l) Je vois le coiffeur ; il tourne autour de son client. _____

m) Sur la table, il y a des livres ; j'ai lu ces livres. _____

n) J'entends l'autobus ; l'autobus roule dans la rue. _____

o) J'ai acheté un disque ; je l'écoute souvent. _____

p) Voici la lettre ; j'ai reçu cette lettre. _____

q) Donnez-moi l'assiette ; elle est sur la table. _____

r) Ce sont des exercices ; ils ne sont pas difficiles. _____

test

1. Ajoute le bon pronom relatif (*qui, que, dont*) dans les phrases suivantes.

    a) La souris _____ n'a pas de trou sera bientôt prise.

    b) La souris _____ j'ai vu sortir de ce trou sera bientôt prise.

    c) Regarde le dégât _____ tu viens de faire.

    d) C'est une aventure _____ je me rappellerai longtemps.

    e) Rapporte-moi le livre _____ je t'ai prêté.

    f) Vous trouverez bien des endroits _____ vous charmeront en lisant la publicité.

    g) C'est une affaire _____ je vois l'importance.

    h) Des bons livres _____ nous avons lus, nous avons retiré un grand profit.

    i) Voici les outils _____ vous m'aviez si gentiment prêtés.

    j) Le livre _____ tu as fait le résumé contient une intrigue palpitante.

    k) L'expérience _____ nous avons acquise résulte des erreurs _____
        nous avons commises.

    l) Les fleuves sont des chemins _____ marchent.

    m) Je vois des objets _____ tu ranges, d'autres _____ tu époussettes
        et des meubles _____ tu prends soin.

    n) Tous les chiens _____ aboient ne mordent pas.

    o) Ce sont là des tâches _____ il faudrait s'acquitter.

    p) As-tu réalisé le projet _____ tu m'as parlé ?

2. Complète les phrases suivantes à l'aide du bon pronom relatif : *duquel, auquel, auxquels, auxquelles, laquelle, lesquelles, lesquels.*

    a) Les parents avec _____ l'institutrice parle sont ceux de Marie.

    b) Les branches sur _____ nous sommes montés sont solides.

    c) L'employé _____ je me suis adressé m'a très bien renseigné.

    d) Ma grand-mère auprès de _____ je me sentais bien me lisait de longues histoires.

    e) Nous avons de nouveaux voisins chez _____ nous avons été invités.

    f) La leçon à _____ vous avez assisté est importante.

exercice 18 «««««««««««««««

Les marqueurs de relation

1. Dans les phrases suivantes, souligne les marqueurs de relation.

   a) Préfères-tu les bières blondes ou les bières brunes ?

   b) Martine a renversé son bol de céréales, cependant c'est son frère qui sera réprimandé.

   c) Marie adore le chocolat, mais elle devrait éviter d'en manger.

   d) Mon meilleur ami s'est cassé une jambe, donc il ne pourra jouer au hockey avant longtemps.

   e) Julie l'a regardé comme son jeune frère.

   f) La grand-mère a remporté le gros lot, alors elle est partie en voyage.

   g) Michel lui a exprimé ses états d'âme, c'est-à-dire tout le chagrin qu'il vivait.

   h) Puisque le temps est maussade, j'ai apporté mon parapluie.

   i) Roberto montre une excellente forme physique, et il en a épaté plus d'un parmi les partisans.

   j) Julien paiera toutes ses dettes, car il vient de décrocher un travail payant.

2. Dans le texte suivant, identifie tous les marqueurs de relation.

Pourquoi la population reçut-elle cette nouvelle avec plaisir ? La famille de Fougères n'avait laissé dans le pays que le souvenir de dîners fort honorables et d'une politesse exquise. Cela s'appelait des bienfaits, parce qu'une quantité de marmitons, de braconniers et de filles de basse-cour avaient trouvé leur compte à servir dans cette maison. Le bonheur des riches est inappréciable, puisque, en se contentant de manger leurs revenus de quelque façon que ce soit, ils répandent l'abondance autour d'eux. Le pauvre les bénit, pourvu qu'il lui soit accordé de gagner, au prix de ses sueurs, un mince salaire. Le bourgeois les salue et les honore, pour peu qu'il en obtienne une marque de protection. Leurs égaux les soutiennent de leur crédit et de leur influence, pourvu qu'ils fassent un bon usage de leur argent, c'est-à-dire pourvu qu'ils ne soient ni trop économes ni trop généreux. Ces habitudes contractées depuis le commencement de la société n'avaient pas tendu à s'affaiblir sous l'empire. La restauration venait leur donner un nouveau sacre en rendant ou accordant à l'aristocratie des titres et des privilèges tacites, dont tout le monde feignait de ne point accepter l'injustice et le ridicule, et que tout le monde recherchait, respectait ou enviait. Il en est, il en sera encore longtemps ainsi. Le système monarchique ne tend pas à ennoblir le cœur de l'homme. (Extrait de *Simon*, de Georges Sand)

3. Pour lier les phrases suivantes, choisis le marqueur de relation qui convient parmi ceux qui te sont proposés.

a) Hier soir, je n'ai pas voulu sortir. _____, il n'y avait pas de film intéressant à voir.
(*de toute façon – alors – c'est pourquoi*)

b) Ce grand magasin ferme à 18 heures. _____, beaucoup de personnes aimeraient faire leurs courses en sortant du bureau. (*en tout cas – par conséquent – pourtant*)

c) Hier, nous n'avions pas toutes les informations nécessaires pour compléter le dossier. _____, nous avons réussi à le terminer. (*cependant – donc – par ailleurs*)

d) Il n'y avait plus de place au théâtre, nous avons décidé de rentrer à la maison.
(*pourtant – alors – de toute façon*)

e) Elle travaille dans un magasin de disques. _____, elle aide son frère, le soir, dans son restaurant.
(*alors – donc – de plus*)

4. Utilise, parmi les choix suivants, un marqueur de relation pour compléter les phrases.

> de plus – pourtant – donc – en tout cas – par conséquent
> de toute façon – tandis que/qu'

a) Les Blanchard ont décidé de vendre leur maison à la montagne. _____, ils ont passé une petite annonce dans la presse locale.

b) Le garagiste nous a déconseillé de faire réparer la voiture. _____, elle était vieille et nous voulions la changer.

c) Il n'est pas allé à la fête de sa grand-mère. _____, elle y tenait beaucoup.

d) Tous les matins, j'allume l'ordinateur et j'ouvre le courrier électronique. _____, j'écoute les messages sur ma boîte vocale.

e) Pour célébrer le 24 juin, le maire de la ville a organisé un grand bal populaire en plein air sur la place principale, _____ il a invité les élus à un dîner de gala dans la salle des fêtes de la mairie.

f) Vous n'avez pas répondu à ma question. _____, je tiens vraiment à connaître votre avis.

test

1. Choisis le type de rapport sémantique qu'exprime le marqueur de relation : <u>conséquence</u>, <u>condition</u>, <u>cause</u>, <u>temps</u>, <u>addition</u>, <u>alternative</u>, <u>explication</u>, <u>opposition</u>, <u>transition</u>, <u>but</u>.

a) La pluie pourrait nuire à la prochaine récolte SI elle tombait pendant toute la semaine.

   _____

b) La serveuse reste attentive, CAR elle désire que ses clients repartent satisfaits.

   _____

c) L'accent circonflexe est QUELQUEFOIS la trace d'un *s* disparu au cours de l'histoire d'un mot.

   _____

d) Les jours de congé diffèrent parfois d'un pays à un autre ; PAR EXEMPLE, le jour de l'Action de grâce, que l'on fête au début d'octobre au Canada, se célèbre au mois de novembre aux États-Unis.

   _____

e) Dans la langue française, tous les noms ont un genre, C'EST-À-DIRE qu'ils sont féminins ou masculins.

   _____

f) Tu devrais présenter une demande d'emploi dans ce magasin à rayons SI tu veux y travailler.

   _____

g) N'oubliez pas d'apporter votre pelle PARCE QU'on annonce une tempête de neige demain.

   _____

h) Suivre la route pendant dix kilomètres, PUIS prendre le chemin Saint-Paul.

   _____

i) Le concierge leur a donné la permission d'utiliser ce local. Ils devront l'aviser QUAND ils partiront.

   _____

j) Mes élèves ont admirablement baptisé la salle de test « abattoir » OU « salle de torture ».

   _____

1. Mets les noms composés suivants au pluriel.

Un abat-jour	→ des _____	Un chasse-neige	→ des _____
Un avant-midi	→ des _____	Un chauffe-eau	→ des _____
Un casse-tête	→ des _____	Un coupe-faim	→ des _____
Un compte-gouttes	→ des _____	Un coupe-feu	→ des _____
Un coupe-vent	→ des _____	Un cure-ongles	→ des _____
Un grille-pain	→ des _____	Un essuie-main	→ des _____
Un lance-flamme	→ des _____	Un ou une garde-côte	→ des _____
Un porte-avions	→ des _____	Un ou une garde-chasse	→ des _____
Un porte-document	→ des _____	Un pare-soleil	→ des _____
Un ramasse-poussière	→ des _____	Un porte-drapeau	→ des _____
Un ou une sans-cœur	→ des _____	Un presse-papier	→ des _____
Un sous-verre	→ des _____	Un ou une rabat-joie	→ des _____

2. Forme dix noms composés à partir des éléments de chacune des deux listes.

brise	*exemple : oiseau-mouche*	trompe
froid	_____	attrape
bouche	_____	coupe
poussière	_____	~~mouche~~
~~oiseau~~	_____	sauf
conduit	_____	bise
crayon	_____	rince
cœur	_____	crève
l'œil	_____	taille
nigaud	_____	ramasse

exercice 19 «««««««««««««

Les noms composés

3. Souligne la forme correcte au pluriel des noms composés.

    a) Des belle-de-jour s'épanouissent à midi. (**belles-de-jours / belles-de-jour**)

    b) Ces journaux sont les porte-parole de l'opposition. (**porte-paroles / porte-parole**)

    c) Les belles routes sont les chef-d'œuvre de nos pères. (**chef-d'œuvre / chefs-d'œuvre**)

    d) Les on-dit qu'on allonge ne sont que des mensonges. (**on-dit / on-dits**)

    e) Nous passions des après-midi à jouer. (**après-midis / après-midi**)

    f) Sa voix était renforcée par plusieurs haut-parleur. (**haut-parleurs / hauts-parleurs**)

    g) Des cerf-volant bourdonnaient au crépuscule. (**cerfs-volants / cerf-volants**)

    h) Voici ma collection d'emporte-pièce. (**emporte-pièces / emporte-pièce**)

    i) Bénoche pensait seul par à-coup. (**à-coup / à-coups**)

    j) Les rouge-gorge chantent dans l'aubépine en fleur. (**rouge-gorges / rouges-gorges**)

    k) Des laurier-rose poussaient entre de belles toitures. (**lauriers-roses / lauriers-rose**)

    l) Les gratte-ciel disparaissent à mi-hauteur. (**gratte-ciel / gratte-cieux**)

    m) Aux rond-point, les bruyères roses fleurissaient. (**ronds-points / rond-points**)

    n) Il a oublié d'emporter avec lui son démonte-pneu. (**démonte-pneu / démonte-pneus**)

    o) Il a vendu ses antiques tourne-disque. (**tourne-disque / tourne-disques**)

4. Encercle la bonne réponse.

    a) Quel est le pluriel de *avant-poste* ?
        Des avants-poste.   *Des avant-postes.*   *Des avant-poste.*   *Des avants-postes.*

    b) Quel est le pluriel de *porte-plume* ?
        Des porte-plumes.   *Des porte-plume.*   *Des porte-plume.*   *Des portent-plumes.*

    c) Quel est le pluriel de *nouveau-né* ?
        Des nouveaux-nés.   *Des nouveau-né.*   *Des nouveau-nés.*   *Des nouveaux-né.*

    d) Quel est le pluriel de *chef-d'œuvre* ?
        Des chefs-d'œuvre.   *Des chefs-d'œuvres.*   *Des chef-d'œuvre.*   *Des chef-d'œuvres.*

    e) Quel est le pluriel de *sot-l'y-laisse* ?
        Des sot-l'y-laisse.   *Des sots-l'y-laisse.*   *Des sots-l'y-laissent.*   *Des sot-l'y-laissent.*

    f) Quel est le pluriel de *haut-parleur* ?
        Des hauts-parleurs.   *Des haut-parleur.*   *Des hauts-parleur.*   *Des haut-parleurs.*

    g) Quel est le pluriel de *pourboire* ?
        Des pour-boire.   *Des pourboire.*   *Des pourboivent.*   *Des pourboires.*

    h) Quel est le pluriel de *tragi-comédie* ?
        Des tragis-comédies.   *Des tragi-comédies.*   *Des tragi-comédie.*   *Des tragis-comédie.*

    i) Quel est le pluriel de *demi-finale* ?
        Des demi-finales.   *Des demies-finales.*   *Des demies-finale.*   *Des demi-finale.*

    j) Quel est le pluriel de *post-scriptum* ?
        Des posts-scriptums.   *Des post-scriptums.*   *Des post-scriptum.*   *Des posts-scriptum.*

test

1. Encercle la forme correcte au pluriel des noms composés dans les phrases suivantes.

a) Ma soeur a acheté un timbre-poste de collection.
   Des (**timbres-postes** / **timbres-poste** / **timbre-poste**)

b) Quand je suis allée à Lourdes, j'ai réservé une voiture-lit.
   Des (**voiture-lit** / **voitures-lits** / **voitures-lit** / **voiture-lits**)

c) Ma grand-mère nous prépare toujours un pot-au-feu quand on lui rend visite.
   Des (**pots-au-feu** / **pot-au-feu** / **pot-au-feux** / **pots-aux-feux**)

d) Le skieur a essayé un chasse-neige dernier cri.
   Des (**chasses-neiges** / **chassent-neiges** / **chasses-neige** / **chasse-neige**)

e) Le voleur a emmené un coffre-fort d'une valeur inestimable.
   Des (**coffres-forts** / **coffre-forts** / **coffre-fort**)

f) Ta lettre a besoin d'un en-tête !
   Des (**en-têtes** / **en-tête** / **en-têtent**)

g) De nos jours, un pur-sang se doit de gagner des courses s'il veut être renommé.
   Des (**pur-sang** / **purs-sangs** / **pur-sangs**)

h) As-tu vu le nid là-haut ? C'est un rouge-gorge qui y niche !
   Des (**rouges-gorges** / **rouge-gorge** / **rouges-gorge** / **rouge-gorge**)

i) Ce prunier est un reine-claude.
   Des (**reines-claudes** / **reine-claudes** / **reines-claude**)

j) Mon frère a acheté un grille-pain pour remplacer celui qu'il a cassé.
   Des (**grillent-pain** / **grilles-pain** / **grille-pains** / **grilles-pains** / **grille-pain**)

k) Pour Noël, je veux un porte-monnaie.
   Des (**portent-monnaie** / **porte-monnaie** / **portes-monnaie** / **portes-monnaies**)

l) Cet agriculteur a une basse-cour de renom et de qualité.
   Des (**basse-cours** / **basses-cours** / **basse-cour**)

m) C'est un chef-lieu que je ne connais pas, désolée !
   Des (**chef-lieu** / **chefs-lieu** / **chefs-lieux** / **chefs-lieus**)

n) Pour annoncer la naissance de Paul, elle a choisi un faire-part moderne.
   Des (**fairent-parts** / **faires-parts** / **faire-parts** / **faire-par**t)

o) Philippe, aurais-tu un tire-bouchon, s'il te plaît ?
   Des (**tirent-bouchons** / **tires-bouchons** / **tire-bouchon** / **tire-bouchons**)

p) Il travaille dans une arrière-boutique depuis que son patron l'a embauché.
   Des (**arrières-boutiques** / **arrière-boutiques** / **arrière-boutique**)

q) J'ai besoin d'un nouveau pare-brise, j'ai cassé le mien, hier, sous la grêle.
   Des (**parent-brises** / **pares-brises** / **pare-brises** / **pare-brise**)

r) Ce poisson vit dans le haut-fond de l'océan.
   Les (**haut-fond** / **hauts-fond** / **haut-fonds** / **hauts-fonds**)

exercice 20 ««««««««««««««

Le champ lexical

1. Dans *Le dormeur du val* d'Arthur Rimbaud, relève cinq mots appartenant au champ lexical de la nature.

C'est un trou de verdure où chante une rivière,
Accrochant follement aux herbes des haillons
D'argent ; où le soleil, de la montagne fière,
Luit : c'est un petit val qui mousse de rayons

a) _____

Un soldat jeune, bouche ouverte, tête nue,
Et la nuque baignant dans le frais cresson bleu,
Dort ; il est étendu dans l'herbe, sous la nue,
Pâle dans son lit vert où la lumière pleut.

b) _____

c) _____

Les pieds dans les glaïeuls, il dort. Souriant comme
Sourirait un enfant malade, il fait un somme :
Nature, berce-le chaudement : il a froid.

d) _____

e) _____

Les parfums ne font pas frissonner sa narine ;
Il dort dans le soleil, la main sur sa poitrine,
Tranquille. Il a deux trous rouges au côté droit.

2. Lis cet extrait du roman *Le vieil homme et la mer* d'Ernest Hemingway, détermine quel est le champ lexical qui s'y trouve et souligne les mots s'y rapportant.

Il était une fois un vieil homme, tout seul dans son bateau, qui pêchait au milieu du Gulf Stream. En quatre-vingt-quatre jours, il n'avait pas pris un poisson. Les quarante premiers jours, un jeune garçon l'accompagna ; mais au bout de ce temps, les parents du jeune garçon déclarèrent que le vieux était décidément et sans remède salao, ce qui veut dire aussi guignard qu'on peut l'être. On embarqua donc le gamin sur un autre bateau, lequel, en une semaine, ramena trois poissons superbes.

_____

3. Regroupe les termes figurant dans les listes ci-dessous en deux ensembles afin de créer deux champs lexicaux différents (un même terme peut appartenir aux deux champs).

a) arbre - lycée - crayon soleil - arc-en-ciel pluie - estrade - cahier		
b) violette - mousse - auto route - chemin de fer nid - oiseau		
c) obscur - lumière - matin remonter - ombrage feuillage - sentier - heure soir - montre - cadran		
d) médecin - enfant - rit - jeu poupée - fièvre - maigrit		
e) musique - vent - navire partition - violon - orchestre flot - voile - tempête		

4. Dans le poème de Ronsard *Mignonne, allons voir si la rose*, relève les termes appartenant au vocabulaire des fleurs, de la femme et du temps.

Mignonne, allons voir si la rose
Qui ce matin avait déclose
Sa robe de pourpre au soleil
A point perdu, cette vêprée
Les plis de sa robe pourprée
Et son teint au vôtre pareil

Las, voyez comme en peu d'espace ;
Mignonne, elle a dessus la place
Las, las, ses beautés laissé choir !
Ô vraiment marâtre Nature,
Puis qu'une telle fleur ne dure
Que du matin jusqu'au soir

Donc, si vous me croyez mignonne
Tandis que vostre âge fleuronne
En sa plus verte nouveauté,
Cueillez, cueillez votre jeunesse
Comme à cette fleur, la vieillesse
Fera ternir votre beauté.

Termes appartenant au vocabulaire...		
... des fleurs	... de la femme	... du temps

a) Quels sont les termes qui appartiennent au vocabulaire humain pour parler de la rose ?

b) Quels sont les termes qui appartiennent au vocabulaire des fleurs pour parler de la jeune fille ?

c) Quels sont les termes relatifs au temps qui passe ?

test

1. À l'aide des définitions en italique, complète chaque phrase avec l'un des mots placés dans l'encadré ci-dessous (certains d'entre eux peuvent être utilisés plus d'une fois).

> navrés – détresse – anxiété – amertume – mélancolie – nostalgie
> déception – confusion – chagrin – désespoir – tourment

a) *Profonde tristesse.*

La mère de Jean a du _____ parce que son enfant a une vilaine cicatrice à la lèvre.

b) *Tristesse parce qu'on n'obtient pas ce qu'on espérait.*

Lorsqu'elle a été refusée au permis de conduire, Mélanie a éprouvé une violente _____.

c) *Causer une peine très vive.*

Gabriel et Amandine seraient _____ que Juliette n'obtienne pas son diplôme.

d) *Perte de tout courage.*

Le _____ s'empara de Robinson lorsqu'il constata qu'il ne pouvait mettre son bateau à l'eau.

e) *Tristesse, abattement, dégoût de la vie.*

La _____ est un sentiment fréquemment évoqué dans les œuvres d'écrivains romantiques.

f) *Tristesse vague causée par le regret du pays natal.*

Exilé en Angleterre, Chateaubriand avait la _____ de sa Bretagne natale.

g) *Souffrance causée par une déception ou un sentiment d'injustice.*

Eugénie Grandet lit avec _____ la lettre de rupture de son cousin qui l'a séduite pour avoir son argent.

h) *Sentiment d'abandon et d'impuissance éprouvé dans une situation difficile.*

Quand vient l'hiver, les sans-logis sont dans une terrible _____.

i) *Souffrance ressentie parce qu'un besoin vital ne peut être satisfait.*

Les réfugiés qui ont perdu tous leurs biens éprouvent une vive _____.

j) *Tracas, souci, préoccupation, angoisse qui occupe sans cesse l'esprit.*

Vendredi était devenu un véritable _____ pour Robinson, tant il faisait de bêtises.

k) *Agitation causée par la crainte, l'incertitude, l'appréhension.*

L' _____ s'empara de Marcel, lorsqu'il s'aperçut qu'il était perdu dans la montagne.

1. Dans la dictée trouée, remplace les mots soulignés par un des synonymes qui se trouve dans la liste qui suit : *chandail, saute, sans doute, brusquement, agréable, médecin, sérieux, repos, souffrant, ordinaire.*

C'est chouette _____ de se réveiller un jour de vacances _____ !
Delphine saute de son lit et s'habille à toute vitesse en pensant : « Avec un peu de chance, maman sera encore là et je pourrai lui dire au revoir avant qu'elle s'en aille. Papa, lui, est certainement _____ déjà parti, je ne le vois jamais le matin... » Mais en enfilant son pull _____ , Delphine a l'impression d'entendre la voix de son père, en bas. Tiens, tiens, ce n'est pas normal _____ ! Soudain _____ , on frappe à la porte et c'est maman qui entre en souriant.

- Alors, Delphine, déjà levée ?
- Oui, maman. Il est encore là, papa ? Comment ça se fait ?

- Il est malade _____ . Rien de grave _____ , une petite grippe. Mais le docteur _____ lui a signé un arrêt de travail. Il faut qu'il reste au lit et, comme tu t'en doutes, il n'aime pas ça du tout !

Delphine bondit _____ de joie : - Eh bien moi, je dis tant mieux ! Comme ça il pourra rester à la maison et jouer avec moi ! Elle dévale l'escalier et se précipite dans la chambre de son père.

2. Parmi les homonymes suivants, souligne celui qui convient : *peu, peux* ou *peut.*

    a) Il ne (**peu / peux / peut**) pas partir.

    b) Elle a si (**peu / peux / peut**) d'argent.

    c) Il m'aimera bien un (**peu / peux / peut**).

    d) Le papillon sort (**peu / peux / peut**) à (**peu / peux / peut**).

    e) Pourquoi ne (**peu / peux / peut**) -tu pas faire ton travail ?

3. Parmi les homonymes dans les phrases suivantes, souligne le bon.

Les dernières volontés

Peu de temps avant sa mort, un père écrivait à ses fils : « (**Mes / M'est / Met / Mets / Mais**) enfants, il (**mes / m'est / met / mets / mais**) reproché de vous avoir drôlement élevés. Je vous (**conseil / conseille**) maintenant de ne plus vous essuyer les pieds quand vous monterez (**dans / d'en**) l'autobus, (**mes / m'est /met / mets / mais**) s'il pleut, évitez de vous ébrouer comme un chiot. Toutefois, s'il vous arrivait de loucher sur la seule banquette inoccupée, à l'instant même où (**la / l'a / l'as / là**) repère une vieille dame, accordez-lui (**la / l'a / l'as / là**) priorité. (**S'y / Si / Ci**) quelque malotru se permet (**dans / d'en**) ricaner, restez stoïques, (**mes / m'est / met / mets / mais**) notez (**son / sont**) comportement : il est rarement seul et se (**mes / m'est / met / mets / mais**) souvent les pieds sur la banquette (**dans / d'en**) face. Les fripouilles de son espèce, malgré (**leur / leurs**) allure désinvolte, (**on / ont**) leurs habitudes et (**leur / leurs**) lieux de réunion, évitez (**leur / leurs**) compagnie. C'est à toi surtout que je m'adresse, petit Paul, tu l'auras compris : en public, ne (**mes / m'est / met / mets / mais**) jamais tes pieds sur une banquette, ni ton doigt (**dans / d'en**) ton nez comme tu le fais toujours (**a / à**) la maison. Mais, (**la / l'a / l'as / là**) n'est pas l'essentiel, et je m'égare souvent, comme ton frère me (**la / l'a / l'as / là**) si bien fait remarquer : l'essentiel, c'est le ciel. »

exercice 21 «««««««««««««

Synonyme – antonyme – homonyme

4. Associe chaque mot de la liste A à son antonyme de la liste B. Écris la paire dans la colonne de la liste C.

Liste A	Liste B	Liste C
Adroit	Agréable	
Sinistre	Affection	
Rudesse	Assombrir	
Faible	Aversion	
Punition	Courage	
Hardi	Création	
Calme	Défaite	
Aversion	Derrière	
Souiller	Émoussé	
Tranchant	Énervé	
Coloré	Exclure	
Victoire	Fertile	
Aride	Fort	
Réalité	Fréquence	
Facultatif	Fréquent	
Agressif	Gai	
Misère	Gauche	
Pénible	Hué	
Intérêt	Indifférence	
Rare	Inoffensif	
Affection	Intelligent	
Lâcheté	Joie	
Punir	Lâche	
Illettré	Lettré	
Majeur	Maigre	
Gras	Mesquin	
Devant	Mineur	
Pauvreté	Mirage	
Tristesse	Nettoyer	
Affable	Obligatoire	
Mensonge	Odieux	
Définitif	Opulence	
Adorable	Passif	
Actif	Provisoire	
Rareté	Récompense	
Imitation	Récompenser	
Fatigue	Repos	
Ignorant	Richesse	
Éclaircir	Souple	
Acclamé	Tendresse	
Raide	Terne	
Inclure	Vérité	

test

1. Tous les mots de la liste sont des synonymes du mot en gras, sauf un. Souligne-le.

   a) **Langue :** langage, vocabulaire, secret, idiome, expression, jargon, parler, dialecte, patois.

   b) **Fabriquer :** confectionner, produire, faire, détruire, usiner, forger, manufacturer, inventer, créer.

   c) **Camarade :** ami, collègue, copain, compagnon, condisciple, adversaire, confrère, acolyte, partenaire.

   d) **Performance :** exploit, record, action d'éclat, prouesse, succès, réussite, médiocre, victoire.

   e) **Énervé :** frénétique, calme, exalté, hystérique, déchaîné, agité, excité, excédé.

   f) **Agréable :** aimable, assommant, accueillant, affable, charmant, gentil, sympathique, avenant.

   g) **Adroit :** astucieux, habile, souple, empoté, capable, ingénieux, intelligent, malin.

   h) **Contraire :** opposé, différent, autre, distinct, dissemblable, divergent, conforme, inverse.

   i) **Abandonner :** laisser, céder, adopter, donner, léguer, livrer, se défaire de, rompre avec, lâcher.

   j) **Prendre :** saisir, attraper, agripper, enlever, ôter, distribuer, ravir, s'emparer de, empoigner.

   k) **Arrogant :** aimable, impertinent, hautain, fier, dédaigneux, orgueilleux, suffisant, désagréable.

   l) **Avare :** chiche, cupide, dur, égoïste, intéressé, sordide, pingre, radin, charitable.

   m) **Attachant :** fascinant, ravissant, captivant, désagréable, charmant, envoûtant, séduisant, émouvant.

   n) **Plaire :** captiver, charmer, fasciner, séduire, attirer, intéresser, subjuguer, blaser, envoûter.

   o) **Produire :** composer, façonner, consommer, constituer, élaborer, forger, construire, créer.

2. Remplace le mot entre parenthèses par un antonyme.

   a) En cette journée de (tempête) _____, les enfants étaient très (excités) _____.

   b) (Sa naissance) _____ prématurée a pris tout le monde par surprise.

   c) Avec l'arrivée d'Eva, (la zizanie) _____ a commencé.

   d) Il leur donna une réponse (laconique) _____.

   e) Elle est toujours vêtue avec (élégance) _____.

   f) Tatiana a écrit un texte (succint) _____.

   g) (La complexité) _____ de la tâche effrayait Bruno.

   h) Malgré les (réprimandes) _____, mon chat refuse de sortir.

   i) Mon grand-père est un homme (bourru) _____.

3. Souligne la bonne réponse.

1) Il (**a / à**) tout (**a / à**) fait raison de s'en prendre (**a / à**) mon indifférence.

2) Viens me montrer ton diplôme (**aussitôt / aussi tôt**) que tu l'auras reçu.

3) (**Ce / Se**) joueur (**ce / se**) trompe s'il croit qu'on va tolérer sa tricherie.

4) Jean-Marc (**ce / se**) fâche parfois lorsqu'il (**ce / se**) rend compte qu'il a fait des erreurs stupides.

5) Le directeur (**ces / ses / c'est / s'est / sais / sait**) très bien ce qui (**ces / ses / c'est / s'est / sais / sait**) passé.

6) (**Ces / Ses / C'est / S'est / Sais / Sait**) un fait que dans (**ces / ses / c'est / s'est / sais / sait**) circonstances, une mère protège d'abord (**ces / ses / c'est / s'est / sais / sait**) enfants.

7) La stagiaire (**ces / ses / c'est / s'est / sais / sait**) contentée de relire (**ces / ses / c'est / s'est / sais / sait**) notes de cours.

8) La mairesse refuse (**dans / d'en**) confier l'exécution à son adjoint.

9) Les policiers ont trouvé des preuves (**dans / d'en**) le parc.

10) Des légumes et des fruits, ils essaient (**dans / d'en**) consommer le plus possible.

11) Cette voiture offre plus (**davantage / d'avantages**) que n'importe laquelle autre voiture de la même catégorie.

12) Il serait bon qu'il réalise (**davantage / d'avantage**) la portée de ses paroles.

13) Les voisins (**dont / donc**) elles se plaignent sont pourtant gentils.

14) Qu'ont-elles (**dont / donc**) à le dévisager ?

15) Vous auriez (**du / dû / due / dus / dues**) vous entendre avec eux.

16) La source (**du / dû / due / dus / dues**) bruit venait (**du / dû / due / dus / dues**) moteur.

17) Il a posé (**la / là / l'a**) télévision sur une étagère et (**la / là / l'a**) branchée.

18) Rapporte-(**leur / leurs**) (**leur / leurs**) manuels pour qu'ils puissent étudier demain.

19) Ils sont persuadés que (**leur / leurs**) deux fils tenteront (**leur / leurs**) chance cette année.

20) La postière (**ma / m'a / m'as**) remis une lettre.

21) Je me demande pourquoi cette femme (**mais / mes / m'es / m'est / mets**) aussi antipathique.

22) Dépose ton sac ici, (**mais / mes / m'es / m'est / mets**) (**mais / mes / m'es / m'est / mets**) affaires sur cette table.

23) Les magiciens (**mon /m'ont**) toujours fascinée.

24) (**Mon / M'ont**) horaire est bouleversé parce que des clients (**mon / m'ont**) retardé durant une heure.

25) (**On /On n' / Ont**) accepte plus les objets qu'ils fabriquent.

26) Elle viendra nous rejoindre au moment (**ou / où**) elle arrivera.

27) On dit que c'est le vent (**ou / où**) un éclair qui a causé cette panne de courant.

28) Elle est excédée (**parce que (qu') / par ce que (qu')**) elle entend.

»»»»»»»»»»»»»»exercice 22

Demi – nu – possible

1. Parmi les choix de réponses, souligne la bonne.

a) Il traça sur le sable deux (**demis-cercles / demi cercles / demis cercles / demi-cercles**) et les regarda fixement.

b) Fabien a quinze ans (**et-demis / et demi / et-demi / et demie / et demis**), il entre en 5ᵉ secondaire cette année.

c) Il a eu son accident à (**mi-côte / mi côte / mie-côte / mie côte**) près du village voisin.

d) Ne sors pas avec les pieds (**nu / nus / nues**) s'il te plaît !

e) À cinq heures (**et-demi / et-demie / et demi / et demie**), Marc a rendez-vous avec son directeur.

f) Il passe trois semaines par mois dans son (**semi-remorque / semie remorque / semi remorque / semie-remorque**) puis se repose une semaine.

g) À rester (**nue-tête / nue tête / nu tête / nu-tête**) au soleil, tu vas avoir une insolation !

h) Son épaule restait (**à demi voilée / à demie voilée / à demie-voilée / à demi-voilée**) par l'écharpe de soie qui, peu à peu, glissait.

i) La plaie était presque (**à nue / à nu**). Il fallait refaire le pansement.

j) Son pantalon, trop court, remontait à (**mi hauteur / mi-hauteur / mie hauteur / mie-hauteur**), dévoilant ses mollets trop maigres.

k) Derrière la porte à (**demie fermée / demi fermée / demi-fermée / demie-fermée**), je les entendais se disputer violemment.

l) Nous avons bu deux (**demis / demi**) et sommes rentrés sagement.

m) Nous sommes rentrés à quatre heures et (**demi / demis / demie**).

2. Complète les phrases suivantes à l'aide de termes utilisant *mi* / *demi* / *nu*. Écris les nombres et abréviations en toutes lettres ou souligne la bonne réponse.

a) Donnez-moi un pain d'½ (_____) livre s'il vous plaît.

b) Dans les vestiaires de la piscine, il faut marcher pieds (**nus / nu**), c'est plus propre.

c) Je n'aime pas que tu marches (**nu-pieds / nus-pieds / nue-pieds**) dans la cave : il peut y avoir des clous.

d) Je voudrais ½ douzaine (_____) d'œufs.

e) Les promeneurs se sont arrêtés (**à mi-chemin / à mie-chemin / à demi-chemin / à mi chemin**), fatigués.

f) La banque nous prête de l'argent à un taux d'intérêt de 15,5 (_____) pour cent.

g) Il est 10 h 30 (_____) à ma montre.

h) Je vous rejoins dans 30 minutes (_____) à la gare.

i) Jeanne est la fille de mon beau-père ; c'est donc ma (**demi-soeur / mi-soeur / demie-soeur**), pour parler plus clairement.

j) Les roses ont des épines ; ne les touchez pas à main (**nue / nues / nu**), prenez des gants.

k) J'ai besoin d'un câble de 5,5 mètres (_____) de long.

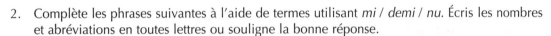

exercice 22«««««««««««««««

Demi – nu – possible

3. Accorde *possible* correctement.

   a) Elle effectuait toutes les corrections possible____.

   b) Il faut écrire le plus de lignes possible____.

   c) Ce professeur voulait les meilleurs étudiants possible____.

   d) Cette commerçante visita les quelques endroits possible____.

   e) La malade devait manger le plus de fruits possible____.

   f) On cherche les terrains les moins grands possible____.

   g) Les poursuites possible____ devant un tribunal le font réfléchir.

   h) Karla craint tous les accidents possible____.

   i) Venez le plus tôt possible____.

   j) Les solutions possible____ ne sont pas nombreuses.

   k) Les enfants faisaient tous les dégâts possible____.

   l) Ils poussaient le plus fort possible____.

   m) Prenez tous les légumes possible____.

   n) Tu prendras les vacances les plus longues possible____.

   o) On achetait les meilleurs plats possible____.

   p) Possible____, ces placements seraient très rentables.

   q) Messieurs, je veux vous voir le moins possible____.

   r) Elle contacte tous les agents possible____.

   s) Dans la fabrication, il utilisait le moins de clous possible____.

   t) Elles s'organisent le mieux possible____.

   u) Ayez les meilleures notes possible____ !

   v) Tous les cas possible____ furent envisagés.

4. La phrase suivante : « À minuit et *demi*, il restait encore une douzaine et *demi* de bouteilles *plein* d'alcool » doit être corrigée. Choisis la bonne réponse.

   a) demi, demi et plein   e) demi, demie et plein

   b) demie, demi et pleines   f) demie, demie et pleines

   c) demi, demie et pleines   g) demie, demi et plein

   d) demi, demi et pleines   h) demie, demie et plein

test

1. Souligne la bonne réponse.

a) Pour patauger dans l'eau, tous s'étaient mis pieds (**nue / nus / nu**).

b) Certains étaient aussi (**nue / nues / nu**) -jambes.

c) La lutte à mains (**nues / nu / nue**) était pratiquée dans l'Antiquité.

d) Cette fresque ressort bien sur la muraille (**nues / nu / nue**).

e) L'avion avait une heure et (**demis / demi / demie**) de retard.

f) Nous finissons de marcher dans la (**demie / demis / demi**) -obscurité.

g) Les (**semi / semie / semies**) -conserves doivent être gardées au frais.

h) La statue était à (**demie / demi / demies**) voilée.

i) La bouteille était pleine à (**demies / demi / demie**) de cidre.

j) Cette tache se voit à l'œil (**nus / nu / nue**).

k) Ils avaient bu deux (**demis / demi / demie**) -litres de vin rouge...

l) … et un litre et (**demie / demis / demi**) de vin blanc.

m) Nous nous sommes arrêtés à (**mi / mis / mie**) -côte.

2. Accorde *possible* correctement.

a) Ils essaient tous les remèdes possible____.

b) Essayez le plus possible____ d'être ponctuelles.

c) Ce sera fait dans les meilleures conditions possible____.

d) Tous les coups sont possible____ dans cette situation.

e) J'aurais aimé qu'il soit possible____ de tous les éviter.

f) Ils voulaient les déranger le moins possible____.

g) Ces achats seront possible____ si les produits ne sont pas trop coûteux.

h) Nathalie a obtenu les pires notes possible____ dans cette matière.

i) Ces travaux ne seront possible____ que si nous avons de bons outils.

j) La professeure désire que le moins d'élèves possible____ ne soient absents ce jour-là.

exercice 23 ««««««««««««««

Même

1. Accorde *même* correctement.

a) Il était adjoint dans le _____ département.

b) Cette fois, les parents eux-_____ le remercièrent.

c) Il est à _____ de comprendre.

d) Sans _____ le savoir, il se doutait de ce qui était arrivé.

e) Les parents, de _____ que les enfants, ont droit au respect.

f) C'est tout de _____ inacceptable.

g) C'est quand _____ intéressant.

h) J'irai _____ si tu ne le veux pas.

i) Les garçons ou _____ les filles peuvent y arriver.

j) Les filles et _____ les garçons peuvent y arriver.

k) Ni les jeunes ni _____ les adultes n'ont réussi.

l) Les élèves, de _____ que les enseignants et les membres de la direction, ont apprécié la conférence de Bernard Voyer.

m) Quand bien _____ tu le voudrais, tu ne pourrais pas.

n) Au fin fond de nous- _____, nous savions qu'ils avaient raison.

o) Ces symboles, ce sont les _____ que j'ai vus dans le dictionnaire.

p) Elles ont tout fabriqué elles- _____.

q) Le service d'ordre _____ a été amélioré.

r) Les scouts leur sont _____ venus en aide.

s) La chanteuse _____ est incommodée par la chaleur.

t) _____ s'ils s'y opposent, il faudra saisir leurs biens.

u) On présentera encore les _____ spectacles.

v) Les intrus avaient _____ fracassé les fenêtres.

w) Pourquoi ne se soigne-t-il pas lui- _____ ?

x) Les arbitres _____ n'y ont rien compris.

y) La température, l'hiver _____, semble confortable à Cali.

z) Ce linguiste est la rigueur _____.

aa) Le français et l'espagnol sont des langues de la _____ famille, car leur souche est la _____.

bb) On trouve des communautés francophones un peu partout dans le monde, _____ aux États-Unis.

cc) _____ aux États-Unis, on trouve des communautés francophones.

dd) On construit la grammaire de sa langue maternelle sans _____ s'en rendre compte.

ee) Ces pays africains n'ont pas les _____ langues officielles.

ff) « La langue ne peut résister au changement » ; voilà les paroles _____ de ce linguiste.

gg) Les linguistes eux-_____ affirment que rien ne peut freiner la création de néologismes

test

1. Dans les phrases suivantes, écris correctement le mot *même*.

   a) Ils avaient gardé les _____ vêtements.

   b) Elle surprenait _____ ses meilleures amies.

   c) Dans cette boutique, on rencontre toujours les _____ personnes.

   d) Ils réparèrent eux-_____ les dégâts qu'ils avaient causés.

   e) On n'est jamais si bien servi que par soi-_____.

   f) Nous avons voulu vérifier par nous-_____.

   g) Il ne voulait pas suivre les _____ études que son frère.

   h) _____ les chats s'étaient réfugiés sous les meubles.

   i) Les _____ prendront le départ demain matin.

   j) Les fraises, les groseilles, les pêches _____, tout lui plaisait !

   k) Ce sont ces livres _____ que je cherchais.

   l) Il lit les petits livres, les volumes ordinaires, les gros dictionnaires _____ !

   m) Nous possédons les _____ goûts.

   n) Les roses _____ ont été gelées.

   o) Cet épicier vend _____ des assiettes.

   p) Ces porcelaines, _____ fêlées, ont de la valeur.

   q) Les circonstances _____ de l'accident ne sont pas connues.

   r) Ce sont les _____ personnes que nous avons vues hier.

   s) Les plus grands hommes _____ ont leurs faiblesses.

   t) J'ai lu les _____ livres l'an dernier.

   u) Les hommes, les femmes, les enfants _____ ont leurs faiblesses.

   v) Pardonnons _____ à nos ennemis.

   w) Nous ferons ce travail nous- _____.

   x) Les animaux _____ craignent la foudre.

   y) Il répète toujours les _____ promesses.

   z) Ce sont les joueurs _____ qui ont nettoyé le terrain de football.

   aa) Aux _____ maux les _____ remèdes.

exercice 24 «««««««««««««««««

Chaque, chacun, certain

1. Dans les phrases suivantes, souligne le bon déterminant.

    a) Maman prépare le goûter pour (**les** / **chaque**) enfants.

    b) Le maître veut que (**les** / **chaque**) élèves écrivent (**les** / **chaque**) réponse au crayon à mine.

    c) (**Les** / **Chaque**) mercredi, (**les** / **chaque**) petits vont à la garderie.

    d) (**Les** / **Chaque**) policiers ont interrogé (**les** / **chaque**) suspect.

2. Souligne la bonne réponse.

    a) Les enfants, ne répondez pas tous en même temps ! (**Chacun** / **Chacune** / **Chaque**) son tour.

    b) J'ai rempli des pochettes de bonbons, assure-toi qu'elles pèsent 250 g (**chacun** / **chacune** / **chaque**).

    c) Dans (**chacun** / **chacune** / **chaque**) des fermes du village, il y a des chambres d'hôtes.

    d) Au bridge, on distribue treize cartes à (**chacun** / **chacune** / **chaque**) joueur.

    e) Ces melons ne sont pas chers. À 1 $ (**chacun** / **chacune** / **chaque**), j'achète !

    f) Pour la fête, (**chacun** / **chacune** / **chaque**) enfant va offrir un cadeau à (**chacun** / **chacune** / **chaque**) de ses parents.

test 24

1. Dans les phrases suivantes, accorde correctement *certain*.

_____ de ses compétences, Olivier cherchera un emploi cet été. _____ décisions sont difficiles à prendre. La mécanique, c'est _____, ce n'est pas mon domaine. À la suite de son accident de moto, il éprouvait une _____ gêne dans ses mouvements. Je me suis fait quelques amis par correspondance électronique. J'en reçois même _____ chez moi durant l'été. Jouer de la musique demande un _____ talent, mais beaucoup de travail. Isabelle est absolument _____ que cet événement aura lieu demain soir. _____ vous diront qu'il vaut mieux recommencer un mauvais travail que le corriger. Une chose est _____, les vacances sont vraiment terminées.

Depuis un _____ temps, le ciel est constamment étoilé. _____ de mes vêtements ne sont plus à la mode. Lors de mon voyage en Gaspésie, j'ai vu de nombreux oiseaux. _____ étaient gigantesques. _____ de mes relations ont été informées de ma décision hier. Après un travail intense, on espère une _____ reconnaissance. Mes parents et _____ de leurs amis iront voir les feux d'artifice à Montréal. Depuis un _____ soir de novembre, j'ai peur de me promener seule dans le parc. _____ journées de l'été sont plus ensoleillées que d'autres. J'ai entendu de bonnes blagues lors de la soirée d'hier. J'ai essayé d'en retenir _____.

1. Relie d'un trait le mot *sauvage* à un mot de même sens dans la colonne de droite.

a) Elle portait une chemise de nuit en soie SAUVAGE. •   • 1) Cruelle

b) Une SAUVAGE répression s'abattit sur le peuple. •   • 2) Non cultivées

c) Tous les citadins rêvent de sites SAUVAGES. •   • 3) Misanthrope

d) Ce SAUVAGE n'ouvre sa porte à personne. •   • 4) Non apprivoisées

e) Ces SAUVAGES ne respectent rien. •   • 5) Barbares

f) Robinson pense à se protéger des bêtes SAUVAGES. •   • 6) Illégale

g) Une tribu SAUVAGE habitait dans l'île. •   • 7) Asocial

h) Dans son jardin, on ne voyait que des plantes SAUVAGES. •   • 8) Déserts

i) Quel enfant SAUVAGE que celui-là ! •   • 9) Primitive

j) Une grève SAUVAGE a éclaté dans cette usine. •   • 10) Naturelle

2. Dans chacune des phrases suivantes, un mot a été remplacé par des ? ? ?. Trouve le mot manquant qui, dans chacune de ces phrases, a un sens différent.

a) Pendant que les invités du mariage prenaient l'apéritif, le jeune apprenti cuisinier interpella le chef : « Patron, j'ai vraiment besoin de vos ? ? ? : quelle est la durée de cuisson d'un pied de veau en gelée ? »

_____

b) « Certains albums de Lucky Luke mettent en scène un chien nommé Rantanplan. Non seulement il n'obéit jamais aux ordres, mais en plus, il est clair que ce n'est vraiment pas une ? ? ? », explique Rémy à Élodie.

_____

c) Au terme d'une longue enquête, les enquêteurs ne sont pas parvenus à faire toute la ? ? ? sur la catastrophe d'AZF.

_____

d) Les étoiles les plus proches de notre bonne vieille Terre sont situées à plusieurs années- ? ? ?.

_____

e) « Il est difficile d'observer convenablement le ciel à Montréal la nuit à cause des ? ? ? de la ville. Mais d'ici, on aperçoit la voie lactée ! » souffle Benjamin à Noémie.

_____

exercice 25 «««««««««««

3. À partir des phrases suivantes, trouve le sens des mots en **caractère gras**.

a) Le **chasseur** de l'hôtel Maxim's est venu prendre les valises dès l'arrivée des clients.

_____

b) À l'annonce de l'attaque ennemie, une escadrille de **chasseurs** a décollé immédiatement.

_____

c) Les **chasseurs** se sont couchés dans les taillis pour attendre le gibier.

_____

d) Cet enfant a un **caractère** de cochon !

_____

e) Quels **caractères** as-tu utilisé pour écrire cette lettre ?

_____

f) Cette tarte aux **fraises** est délicieuse !

_____

g) Au XVIe siècle, les hommes n'hésitaient pas à porter une **fraise** pour relever la beauté de leurs habits.

_____

h) Mon dentiste est un génie, même en utilisant la **fraise**, il ne me fait pas mal.

_____

test

1. Dans les phrases suivantes, remplace le mot *fait* par un des mots suivants : *prépare, suit, mesure, construit, joué, établit, coudre, réalisé, fournis, parcourt.*

   a) Ce champ **fait** _____ 40 mètres de long.

   b) Ma mère **fait** _____ un gâteau pour l'anniversaire de ma petite sœur.

   c) Mon grand frère **fait** _____ des cours du soir.

   d) Je **fais** _____ tous les efforts nécessaires pour réussir.

   e) Cet entrepreneur a **fait** _____ une maison en 40 jours.

   f) Alice **fait** _____ ce chemin tous les jours.

   g) Nous avons **fait** _____ un bon match de football.

   h) Le médecin **fait** _____ son diagnostic.

   i) Grâce à cette machine, elle peut **faire** _____ un pantalon en une demi-heure.

   j) Notre équipe de basket a **fait** _____ un bon pointage durant cette rencontre.

2. Reformule chaque énoncé pour faire apparaître la diversité d'information du verbe **gagner** (cherche des synonymes, des périphrases ; précise un contexte...). Recherche dans le dictionnaire d'autres emplois (d'autres sens) pour ce verbe.

   a) Le navire gagne le large.

   _____

   b) L'orateur a gagné en assurance au fil des années.

   _____

   c) En choisissant un autre caractère d'imprimerie, l'imprimeur a pu gagner deux pages.

   _____

   d) C'est un raccourci qui te fait gagner certainement une dizaine de minutes !

   _____

   e) Voilà un bordeaux qui gagne à vieillir encore quelques années.

   _____

exercice 26 «««««««««««««

Emprunts et anglicismes – néologismes

1. Dans la dernière colonne, écris la forme correcte trouvée dans la colonne du centre (méli-mélo) qui correspond à l'anglicisme.

Anglicismes	Méli-mélo	Forme correcte
1. à l'effet que	a. une version définitive	_____
2. un cours privé	b. une franchise de 100 $	_____
3. demander une question	c. une décision sans appel	_j_
4. un dépôt direct	d. une correspondance	_____
5. un e-mail	e. une conférence téléphonique	_____
6. en autant que	f. une tribune téléphonique	_____
7. des heures d'affaires	g. suivre un cours	_____
8. une ligne ouverte	h. des questions diverses	_____
9. prendre un cours	i. pourvu que	_____
10. un appel conférence	j. poser une question	_____
11. un déductible de 100 $	k. des heures d'ouverture	_____
12. un transfert (d'autobus)	l. un cours particulier	_____
13. une décision finale	m. un courrier électronique, un courriel	_____
14. varia	n. un virement automatique	_____
15. une version finale	o. selon lequel, que, voulant que, indiquant que	_____

2. Néologismes et barbarismes – Coche la formulation correcte.

a) ❑ 1. Martin aime beaucoup peinturer les maisons.
   ❑ 2. Martin aime beaucoup peindre les maisons.

b) ❑ 1. Présentement, je m'amuse à améliorer la qualité de mon français.
   ❑ 2. Actuellement, je m'amuse à améliorer la qualité de mon français.

c) ❑ 1. Nos employés se pilent continuellement sur les pieds.
   ❑ 2. Nos employés se marchent continuellement sur les pieds.

d) ❑ 1. Mon ami a des pierres sur les reins, ce qui le fait souffrir.
   ❑ 2. Mon ami a des calculs rénaux, ce qui le fait souffrir.

e) ❑ 1. Le coiffeur lui a teindu les cheveux.
   ❑ 2. Le coiffeur lui a teint les cheveux

f) ❑ 1. Cet ordinateur est un don de la Fondation Maurice-Grenier.
   ❑ 2. Cet ordinateur est une gracieuseté de la Fondation Maurice-Grenier.

g) ❑ 1. Marc s'est absenté parce qu'il était malade.
   ❑ 2. Marc s'est absenté à cause qu'il était malade.

test

1. Évalue la qualité de ton français et encercle la bonne réponse.

   a) *Il a _____.*

      1) appliqué pour un emploi.   2) demandé pour un emploi.
      3) fait une demande d'emploi.   4) fait une application pour un emploi.

   b) *Cette loi va _____ tout le monde.*

      1) bénéficier   2) profiter à   3) bénéficier à   4) profiter

   c) *J'ai vu quelques _____... Oh là là !*

      1) J'ai vu quelques pamphlets de voyages… Oh là là !
      2) J'ai vu quelques dépliants touristiques… Oh là là !
      3) J'ai vu quelques pamphlets touristiques… Ouh là là !
      4) J'ai vu quelques dépliants de voyages… Oh là là !

2. Une des deux phrases est un calque de l'anglais et l'autre est écrite correctement. Coche la bonne formulation.

   a) ❑ 1. J'ai affecté Luc à cette tâche
       ❑ 2. J'ai assigné cette tâche à Luc.

   b) ❑ 1. Pour seulement 20 $, ce cédérom t'appartient.
       ❑ 2. Pour aussi peu que 20 $, ce cédérom t'appartient.

   c) ❑ 1. Il m'a appelée d'une boîte téléphonique.
       ❑ 2. Il m'a appelée d'une cabine téléphonique.

   d) ❑ 1. Est-elle un défenseur des droits humains ?
       ❑ 2. Est-elle un défenseur des droits de la personne ?

   e) ❑ 1. Mon ami broie du noir.
       ❑ 2. Mon ami a les bleus.

   f) ❑ 1. Suzanne devra faire un dépôt direct.
       ❑ 2. Suzanne devra faire un virement automatique.

   g) ❑ 1. Elle fait partie du conseil d'administration.
       ❑ 2. Elle fait partie du bureau des directeurs.

   h) ❑ 1. Claudette passera le bouillon au coton à fromage.
       ❑ 2. Claudette passera le bouillon à l'étamine.

   i) ❑ 1. Son indicatif régional est 514.
       ❑ 2. Son code régional est 514.

   j) ❑ 1. Ce bris de contrat est inadmissible.
       ❑ 2. Cette rupture de contrat est inadmissible.

exercice 27 «««««««««««««««

Figures de style

Homographes : Termes de sens différents qui ont la même orthographe.

Homophones : Termes de sens différents qui ont une sonorité semblable.

Paronymes : Termes de sens différents et de sonorités différentes, mais proches.

Allitération : Retour d'un même son consonantique.

Assonance : Retour d'un même son vocalique.

Polysémie : Qualifie un mot qui a plusieurs sens.

Synonymes : Termes de sens proches qui peuvent exprimer des nuances importantes et appartenir à des registres de langue différents.

Périphrase : Consiste à remplacer un terme par une expression qui la définit.

Métaphore : Image fondée sur une comparaison qui est sous-entendue (une comparaison sans *comme*, sans outil de comparaison).

Métonymie : Consiste à désigner un individu, un objet par quelque chose qui lui est logiquement lié : le tout par la partie, le contenu par le contenant, l'abstrait par le concret, un personnage par un de ses attributs, etc.

Personnification : Consiste à prêter à un être inanimé ou à un animal un comportement humain.

Symbole : Représentation concrète d'une idée abstraite.

Antiphrase : Consiste à utiliser un terme dans un sens contraire à celui qu'il a habituellement, mais sans qu'il y ait doute sur le sens véritable.

Euphémisme : Consiste à désigner un être, un objet ou une idée par un terme ou une expression qui efface ou atténue son côté désagréable.

Hyperbole : Consiste à utiliser des termes ou des images qui visent à exagérer.

Litote : Consiste à dire le moins pour suggérer le plus.

Oxymore ou alliance de mots de sens opposé : Consiste à réunir dans un même groupe syntaxique des termes de sens contradictoires.

Antithèse : Consiste à opposer deux expressions ou membres de phrases de sens contradictoires.

Anaphore : Consiste à reprendre un même terme ou une même expression à la même place et avec la même fonction grammaticale.

Énumération : Consiste à énoncer une série plus ou moins longue de termes ou de groupes de mots de la même catégorie grammaticale.

---

1. Des figures de style définies dans l'encadré, détermine laquelle est contenue dans les phrases suivantes :

    a) Les mots *habiter, demeurer, loger* sont des _____.

    b) La Smart veut nous changer la ville (la vie). Cette phrase contient des _____.

    c) Je n'étais pas mécontent de ma vêture (= j'étais très satisfait). Cette phrase est une _____.

    d) À père avare, fils prodigue. Cette phrase est une _____.

    e) Une boucherie héroïque. Cette expression est un _____.

    f) Pas pimpante, la pampa (a, im, an, a...). Ce slogan contient une _____.

    g) Pas pimpante, la pampa (p, p, p, p, p). Ce slogan contient une _____.

    h) S'éteindre (=mourir), les non-voyants (= les aveugles). Ces expressions contiennent un _____ chacune.

    i) Les trompettes, les fifres, les hautbois, les tambours, les canons... Cette expression est une _____.

    j) Quel et qu'elle sont des _____.

k) Les grenouilles, par brusques détentes, exercent leurs ressorts. Dans cette phrase, il y a une _____.

l) Les grenouilles qui demandent au roi... Cette phrase est une _____.

m) C'est du beau travail (au sens de quel désastre !). Cette phrase est une _____.

n) Les poules du couvent couvent. Cette phrase contient des _____.

o) L'astre de la nuit (=la lune), la gent marécageuse (=les grenouilles). Ces expressions sont des _____.

p) Supergénial, le plus grand génie de tous les temps, excellentisme, inouï... ou lamentable, archinul. Ces expressions sont des _____.

q) Personne ne parlait, personne ne respirait, personne n'était plus là. Cette phrase contient une _____.

r) Un but dans la vie (un objectif et le but qu'on marque au foot). Cette phrase contient une _____.

s) Une voile (un bateau à voile), boire un verre (de vin), un képi bleu (un gendarme). Ces expressions sont des _____.

t) Aimé Jacquet brandit la coupe, symbole de la victoire. Cette phrase contient un _____.

2. Détermine si la phrase qui t'est proposée est une métaphore ou une métonymie. (Il peut y avoir deux cas par phrase.)

a) Les **cols bleus** envisagent de faire la grève. _____

b) Ils ont reçu une **avalanche de protestations**. _____

c) Cette histoire-là, c'est de la **dynamite**. _____

d) **Éteindre** l'ordinateur. _____

e) Ils ont **baissé les bras** devant l'apathie générale. _____

f) Elle est entrée dans un **café**. _____

g) Pour manger une **coquille St-Jacques**. _____

h) Où êtes-**vous** dans l'**échelle salariale** ? _____

i) Elle attend à l'**arrêt** d'autobus. _____

j) Votre **déménagement** est arrivé. _____

k) « Lavé, lavé » a **récolté** tous les honneurs. _____

l) M. Lance (septuple champion du Tour de France), vous êtes un fervent de la **pédale**. _____

m) Vous avez choqué les **oreilles** pudiques. _____

n) Elle l'a **foudroyé** du regard. _____

o) Sa **boîte** l'a viré. _____

p) Il a reçu un coup de **pétard** dans le **buffet**. _____

q) Toute la **ville** en parle. _____

test

1. Encerle la bonne réponse.

   a) Une métaphore, c'est :
   - 1- un rapprochement entre termes contraires.
   - 2- une exagération dépassant la réalité.
   - 3- une comparaison entre deux termes éloignés.

   b) Pour un euphémisme, on choisit :
   - 1- une expression banale.
   - 2- un terme plus faible que l'intention.
   - 3- une expression forte.

   c) Une femme armée d'une faux est une :
   - 1- anaphore.
   - 2- litote.
   - 3- allégorie.

   d) L'expression ironique d'une idée par son contraire est :
   - 1- une antiphrase.
   - 2- un euphémisme.
   - 3- un chiasme.

   e) L'hyperbole est une figure de :
   - 1- la répétition.
   - 2- l'exagération.
   - 3- la ressemblance.

2. Pour chacun des énoncés suivants, encercle la figure de style utilisée.

   a) C'est un coin de verdure où chante une rivière. (**antithèse / comparaison / personnification**)

   b) Cette journée a duré une éternité. (**métonymie / hyperbole / métaphore**)

   c) Le stade en délire se leva pour applaudir. (**métonymie / hyperbole / antithèse**)

   d) Les feuilles mortes crissent sous nos pas. (**personnification / métonymie / comparaison**)

   e) Tu n'as pas été malchanceux à ce jeu. (**métaphore / hyperbole / litote**)

   f) Pierre est rouge comme une pivoine. (**métonymie / comparaison / antithèse**)

   g) La plainte du vent, les soirs de tempête, m'a toujours fait frémir. (**personnification / litote / métaphore**)

   h) Il a un bon coup de fourchette. (**hyperbole / métonymie / comparaison**)

   i) Nous étions tellement assoiffés que nous avons bu des litres d'eau ! (**hyperbole / métaphore / litote**)

   j) Je t'offrirai des perles de pluie... (**métaphore / comparaison / litote**)

   k) Il m'a invité à boire un verre. (**hyperbole / métaphore / métonymie**)

   l) « Paris est tout petit, c'est là sa vraie grandeur. » (**litote / métonymie / antithèse**)

   m) Il est têtu comme une bourrique. (**hyperbole / comparaison / métaphore**)

   n) Des troupeaux d'autobus mugissants près de moi roulent. (**personnification / métaphore / litote**)

   o) Pas une voile sur la mer. (**métonymie / hyperbole / comparaison**)

   p) Elle a versé des torrents de larmes. (**hyperbole / métaphore / litote**)

   q) Va, je ne te hais point. (**métaphore / litote / comparaison**)

   r) Nous étions tous morts de rire. (**litote / hyperbole / métaphore**)

   s) Achille bondit comme un lion. (**litote / comparaison / hyperbole**)

examen final

1.

Horizontalement

1. Qui est tout sauf doux, mot qui commence par la lettre *r*.

3. Qui marque la distance à l'égard d'un inférieur ou d'une personne considérée comme tel, de la même famille que *condescendre*.

4. Qui s'aime trop soi-même, comme dans le célèbre mythe de l'homme transformé en fleur.

8. Qui est trop replié sur lui-même, mot qui commence par la lettre *i*.

11. Qui est peureux, vient du latin *timor*, la peur.

12. Qui agit de façon trompeuse, déloyale pour parvenir à ses fins.

13. Agressif, de la même famille que le mot *hargne*.

14. Qui se met en colère facilement, mot qui vient du latin *irascibilis*, *ira* qui signifie *colère*.

15. Qui ne pense qu'à soi-même, qui ne veut pas partager.

16. Qui parle peu, mot de la même famille que *tacite*.

examen final «««««««««««««««

Verticalement

2. Qui se croit le centre du monde.

5. Qui prend les autres de haut.

6. Menteur rusé, de *fourbir*, au sens argotique de *voler*.

7. Qui manque de volonté, mot qui vient du latin *volus*, qui signifie frivole.

9. Qui marque un excès de respect, un vendeur...

10. Qui s'impose de façon absolue, du latin *imperiosus*.

2. Trouve les erreurs de construction et corrige-les.

a) Voici les personnes qui sont venues nous voir ce matin : un homme de quarante-trois ans et de soixante-dix-huit ans.

_____

b) Elle aime les romans d'enquête policière et mystérieux.

_____

c) Elle a reçu un joli cadeau pratique de sa tante et son oncle.

_____

d) La porte de la chambre et du salon donnent toutes les deux sur l'entrée.

_____

e) Elle aime le ballet et se promener. _____

f) Une fois sur le continent africain, mes parents voyageront en avion et autobus pour se rendre à leur destination finale.

_____

g) Ma sœur et moi lorsque nous étions enfants avions un petit chien.

_____

h) Les vacances sont nécessaires pour reposer l'esprit et le changement de la routine.

_____

i) À Noël, j'offrirai à ma soeur, un manteau et une écharpe.

_____

3. Réécris les phrases déclaratives suivantes selon le type ou la forme demandé.

a) Les élèves de ma classe sont allés au Salon du livre. (interrogative)

_____

b) Notre pièce de théâtre était très réussie. (exclamative)

_____

c) Tu dois pratiquer tes multiplications. (impérative)

d)   Le tournage du film a été ardu. (négative)

_____

e)   Paul se calme. (impérative)

_____

f)   Les devoirs constituent un moment idéal pour être dehors. (exclamative et négative)

_____

g)   Vous êtes des élèves merveilleux. (impérative)

_____

h)   Pour les vacances d'été, ils iront dans les Maritimes. (interrogative)

_____

i)   Je suis très beau. (interrogative et négative)

_____

4.   Les verbes des phrases suivantes sont conjugués au passé composé ; encercle le bon auxiliaire : *avoir* ou *être*.

a)   François (**est / a**) retourné à Paris, il y a une semaine.

b)   Mon fils (**a / est**) tombé sur la rue verglacée.

c)   Vous (**êtes / avez**) déjà retourné le livre à la bibliothèque.

d)   Pierre (**a / est**) monté l'escalier pour aller chez Henri.

e)   Julien (**a / est**) sauté par-dessus la flaque pour éviter de se mouiller les pieds.

5.   Conjugue les verbes entre parenthèses au passé composé.

Attention : Le participe passé s'accorde avec le pronom réfléchi quand il y a un complément d'objet direct. Si l'objet direct est placé après le verbe, il n'y a pas d'accord. Si le pronom réfléchi est objet indirect, il n'y a pas d'accord.

Hier soir, Marc et sa femme (se réveiller) _____ tard. Ils (se regarder) _____ tendrement, ils (s'embrasser) _____ et (se lever) _____ sans se hâter. D'abord, ils (se mettre) _____ à faire du yoga. Ensuite, ils (se baigner) _____ et (se brosser) _____ les dents. Marc (se raser) _____ la barbe pendant que sa femme (se laver) _____ les cheveux. Enfin, ils (s'habiller) _____ lentement. Ils (se parler) _____ un peu et, enfin, ils (suggérer) _____ de sortir pour le petit déjeuner. Ils (se préparer) _____ et ils _____ (aller) au restaurant CHEZ HENRI.

6. Accorde les participes passés entre parenthèses.

Il faisait beau, c'était l'été. Ils s'étaient (installer) _____ sur un banc de parc et regardaient la nuée d'oiseaux qui s'étaient (envoler) _____ dans le ciel. Dès qu'ils tournèrent leur regard, les deux garçons se reconnurent presque en même temps. Ils s'étaient (perdre) _____ de vue depuis quelque dix ans, mais du premier coup d'œil, ils constatèrent qu'ils n'avaient pas (changer) _____. Après s'être (serrer) _____ la main avec effusion, ils se mirent à parler en même temps, s'interrompant dans un fou rire.

– Tu te souviens la fois où nous sommes (tomber) _____ dans le puits, les efforts qu'il a (falloir) _____ pour nous repêcher avec une corde. La colère que nous avons (subir) _____ de la part des adultes était terrifiante !

– Et cet autre jour, les constructions de sable que nous avions (édifier) _____ s'étaient (écrouler) _____ sur mon petit frère. Les risques étaient moins grands que nous l'avions (croire) _____, mais quand même, quelle peur ! On nous a (considérer) _____ comme de vrais dangers publics et nous avons été (punir) _____ !

– Et encore, la fois où les arbres que nous avions (regarder) _____ tomber pendant un orage ont (faillir) _____ nous écraser.

– Nous ne nous rendions pas compte alors de tous les efforts que notre éducation avait (coûter) _____ à nos parents.

– Mais les temps ont (changer) _____. Nous avons (vieillir) _____ et même notre ville n'est plus ce qu'elle était. Mais je ne regrette en rien les trois mille kilomètres que j'ai (parcourir) _____ pour te retrouver : tu me fais revivre de si merveilleux moments. Finalement nous avons eu une enfance bien plus extraordinaire que je l'avais (penser) _____.

7. **La concordance des temps**
    Conjugue les verbes entre parenthèses en tenant compte de la précision demandée pour choisir le temps.

    Ma chère Francine,

    Je commençais à descendre l'escalier avec la poubelle. Je me méfiais parce que je (*savoir* – simultanéité) _____ bien que les marches deviendraient glissantes quand il (*neiger* – antériorité) _____. Or, il avait neigé, comme je l'(*constater* – simultanéité) _____ en regardant par la fenêtre. Cette première neige, je l'attendais et je savais comme elle (*être* – postériorité, événement présenté dans sa durée) _____ dangereuse. Je me disais que j' (*avoir* – postériorité, événement présenté dans sa durée) _____ enfin de vrais motifs pour me plaindre au propriétaire. J'imaginais souvent comment je lui (*parler* – postériorité, événement présenté dans sa durée) _____, et mon discours changeait au fil des jours.

8. Ponctue correctement l'extrait suivant de *Le Seigneur des anneaux* (J.R.R. Tolkien).

À son réveil M. Frodon se trouva couché dans un lit Il pensa tout d'abord avoir dormi tard après un long cauchemar qui flottait toujours au bord de sa mémoire Ou peut-être avait-il été malade Mais le plafond lui paraissait étranger il était plat et il avait des poutres sombres richement sculptées Il resta encore un moment allongé à regarder des taches de soleil sur le mur et à écouter le son d'une cascade

Où suis-je et quelle heure est il demanda-t-il à voix haute au plafond

Dans la maison d'Elrond et il est dix heures du matin dit une voix Et c'est le matin du 24 octobre si vous voulez le savoir

9. Accorde correctement les adjectifs de couleur.

a) Il a acheté une perruche à plumes (**vertes / verte / verts / vert**).

b) Ses cheveux noirs ont des reflets (**bleus sombres / bleus sombre / bleu sombre**).

c) L'incendie ne laissa qu'une masse informe de pierres (**noirâtres / noirâtre / noîratres**).

d) Elle avait composé un bouquet de fleurs des champs (**rouges, vertes et jaune vif / rouges, verte et jaune vif / rouges, vertes et jaunes vifs**).

e) Les nouvelles tenues de la police sont (**gris cendrée / grises cendrées / gris cendré**).

f) La mode de cet automne est aux teintes (**rousses et fauves / rousses et fauve / rousse et fauve**).

g) Le coucher de soleil inondait le ciel de nappes (**rouge vif et pourpres / rouge vif et pourpre / rouges vif et pourpres**).

h) Chez Picasso, j'aime surtout sa période (**bleu / bleue / bleus**).

i) Mets ta jupe (**bleue outremer / bleu outremer / bleue outre mer**).

j) Ils ont eu une peur (**bleus / bleu / bleue**) quand ils se sont rendu compte qu'ils n'avaient plus de freins.

10. Accorde correctement l'adjectif numéral.

a) Nous ne comptons que (**trente / trentes**) classes en tout.

b) Les deux (**premier / premiers**) jours après la rentrée seront chargés.

c) Le séisme a causé la mort de près de cinq (**mille / milles**) personnes.

d) Noémie a gagné dix (**millions / million**) de dollars à la loterie !

e) Le magasin a en stock (**deux cent vingt-cinq / deux cents vingts-cinq / deux cents vingts-cinqs / deux cent vingts-cinq**) jouets.

f) Pourquoi n'as-tu pas précisé dans le rapport que le malade a (**quatres-vingt / quatres-vingts / quatre-vingt / quatre-vingts**) ans ?

g) Suzanne, ouvre, s'il-te-plaît, ton livre à la page (**quinze / quinzes**).

h) Nous sommes en liquidation totale, il ne nous reste que (**quatre-vingts-trois / quatres-vingt-trois quatre-vingt-trois / quatres-vingts-trois**) livres en ce moment.

i) Je t'ai demandé d'acheter (**dix huit / dix-huit**) bonbons et non quatorze !

j) Il y a des (**millier / milliers**) d'élèves dans cet énorme cégep.

11. Choisis le pronom relatif approprié.

a) Nous organisons une fête _____ vous êtes invités.
   à laquelle / qui / que / dont

b) « Enquête » est une émission de télé _____ on parle beaucoup.
   laquelle / dont / où / duquel

c) Internet est une invention _____ je trouve géniale.
   qui / où / à laquelle / que

d) Les personnes _____ ont des enfants ont des réductions fiscales.
   auxquelles / que / dont / qui

e) C'est une chose _____ tout le monde a peur.
   que / dont / qui / laquelle

f) _____ m'intéresse en ce moment, c'est la peinture impressionniste.
   Ce que / Ce qui / Lequel / Ceux qui

g) Je ne comprends pas la raison pour _____ tu ne veux pas venir.
   lequels / qui / quoi / laquelle

h) Voilà le numéro de téléphone _____ vous pouvez toujours me trouver.
   que / où / dont / qui

i) Mon fils ne sait pas _____ il veut faire plus tard.
   qui / qu' / ce qu' / où

j) Le problèmes de langue _____ vous faites allusion sont ridicules !
   auxquels / que / desquels / où

12. Les marqueurs de relation *ainsi, puis, sur un autre plan, car, de sorte que, donc, lorsque, tout compte fait, mais, d'où, prenons un exemple, cependant, parce que* ont été retirés de l'extrait suivant. Redonne au texte sa cohérence en plaçant chaque marqueur à l'endroit approprié. Attention, il y a deux marqueurs de relation superflus dans la liste !

Nous ne pouvons nous confiner éternellement dans notre propre conception du beau, _____ le beau est fait pour être partagé. La fonction de la beauté est _____ d'essayer de recueillir des consensus toujours plus larges par le partage et le débat.

_____ pour bien illustrer cet état de choses. Dans un musée, la façon dont les œuvres sont disposées sur les murs vise à capter le regard. L'objectif fondamental est de provoquer chez le visiteur un arrêt, découlant d'un choc entre lui et l'œuvre. _____, à partir de cette émotion de départ, il est possible pour ce dernier de pousser plus loin cette recherche de la beauté en poursuivant sa réflexion sur ce qui l'a touché. Pour le visiteur, expliquer ce qui l'a ému dans une œuvre est _____ un exercice difficile. _____ la nécessité et le besoin pour lui de débattre et d'échanger par la suite sur le sujet.

_____, la même chose peut se produire _____ nous assistons à un concert. À la fin d'une chanson ou d'une pièce, les gens se lèvent pour applaudir, _____ tous ne le font pas toujours pour les mêmes raisons que nous, _____ nous ne sommes pas spontanément touchés par les mêmes choses.

_____, il n'est pas exagéré de dire que les débats sur le beau peuvent, jusqu'à un certain point, se comparer à ceux sur le sens de la vie ou sur l'existence de Dieu. Ce sont tous des débats infinis.

13. À l'aide des racines latines et grecques du tableau suivant, compose des mots savants.

Racine latine	Sens	Mots savants	Racine grecque	Sens	Mots savants
Aqua	eau		Algie	douleur	
Api	abeille		Archi	commander	
Arbor	arbre		Bio	vie	
Igni	feu		Chloro	vert	
Moto	qui meut		Chrom(o)	couleur	
Fère	qui porte		Ciné	mouvement	
Multi	nombreux		Gam(o)	mariage	
Uni	unique		Géo	terre	
Omni	tout		Hippo	cheval	
Pède	pied		Homo	semblable	
Cide	qui tue		Hydro	eau	
Fuge	qui fait fuir		Morpho	forme	
Pare	qui porte		Pédo	enfant	
Radio	rayon		Poly	nombreux	
Vore	qui mange		Mono	unique	
Fique	qui produit		Pyro	feu	

examen final «««««««««««««

14. Divise les termes suivants de façon à créer deux champs lexicaux.

a) ambulant - nuage - chute - gradins demeure - temple - sauter - dormir - mort cercueil - étang - rivières - cascades		
b) vallon - sable - désert - brume mousse - poussière - aride - pluie grottes - cascades		
c) parc - bergerie - étable - ciel - chambre - dormir à la belle étoile lande - jardin - plaine		
d) ombre - dense - danse - marbre pesant - massif - fantôme - plomb plume - s'envoler - gravité - bloc		

15. Dans ces phrases, encercle le bon homonyme : *à, as, a*.

a) Je suis seul (**à / as / a**) la maison. Maman est partie, elle (**à / as / a**) des courses (**à / as / a**) faire. Si tu en (**à / as / a**) envie, viens tout de suite, apporte tous les exercices que tu (**à / as / a**) (**à / as / a**) faire, on va les faire ensemble. Maman va rentrer (**à / as / a**) 20 h. Si elle arrive (**à / as / a**) l'heure, elle va nous préparer des crêpes.

b) Brigitte habite (**à / as / a**) Montréal. Elle (**à / as / a**) des amies (**à / as / a**) Québec. Montréal est (**à / as / a**) 250 kilomètres de Québec. Il y (**à / as / a**) deux heures de train de Montréal (**à / as / a**) Québec. Elle y va souvent.

c) Elle s'intéresse (**à / as / a**) la littérature. Elle (**à / as / a**) lu de nombreux romans, mais ce qu'elle (**à / as / a**) toujours préféré, ce sont les romans policiers. Elle sera vraiment contente si tu (**à / as / a**) des livres (**à / as / a**) lui prêter. Elle va te les rendre (**à, as, a**) temps.

d) Il y (**à / as / a**) 40 ans, tous les textes étaient écrits (**à / as / a**) la main. Puis, on les (**à / as / a**) longtemps tapés (**à / as / a**) la machine (**à / as / a**) écrire. Aujourd'hui, nous les écrivons (**à / as / a**) l'ordinateur. J'ai mal (**à / as / a**) la tête. Je n'arrive plus (**à / as / a**) penser (**à / as / a**) écrire mon devoir. Mon amie (**à / as / a**) mal (**à / as / a**) la main droite, mais elle (**à / as / a**) réussi (**à / as / a**) finir son devoir.

16. Accorde correctement le mot *même*.

a) Ils se sont heurtés aux (**Mêmes / même**) difficultés qu'à l'ordinaire.

b) (**Mêmes / Même**) si les poules avaient des dents, elles ne pourraient dévorer les renards.

c) Les pilotes vérifient eux-(**mêmes / même**) l'état de l'avion avant de décoller.

d) Les terres, (**mêmes / même**) les plus fertiles, doivent être travaillées.

e) Les assiettes anciennes, (**mêmes / même**) fendues, ont de la valeur.

f) Les brocanteurs achètent (**mêmes / même**) les vieilles ferrailles.

g) Les poulets picorent (**mêmes / même**) les coquilles d'huîtres, quand ils en trouvent.

h) Toutes les régions du monde, (**mêmes / même**) les plus reculées, ont été explorées.

i) Cette machine lave les lainages, (**mêmes / même**) les plus fragiles.

j) Les spectateurs sont nombreux, mais il reste tout de (**mêmes / même**) quelques places.

k) Je voudrais refaire les (**mêmes / même**) voyages et revoir ces paysages.

l) Quand bien (**mêmes / même**) il me l'aurait dit, je ne m'en souviens pas.

17. Encercle la bonne formulation.

a) (**Quel que soit / quelle qu'elle soit / quelle que soit / quelles qu'elles soient / quelles que soient / quels qu'ils soient/quels que soient**) la vérité, je veux l'entendre de ta bouche.

b) Tu dois rester prudent (**quel que soit / quelle qu'elle soit / quelle que soit / quelles qu'elles soient / quelles que soient / quels qu'ils soient / quels que soient**) ton courage.

c) (**Quel que soit / quelle qu'elle soit / quelle que soit / quelles qu'elles soient / quelles que soient / quels qu'ils soient / quels que soient**) vos convictions, vous devez voter.

d) (**Quel que soit / quelle qu'elle soit / quelle que soit / quelles qu'elles soient / quelles que soient / quels qu'ils soient / quels que soient**) vos prétextes, je ne veux pas les entendre.

e) Les réponses, (**quel que soit / quelle qu'elle soit / quelle que soit / quelles qu'elles soient / quelles que soient / quels qu'ils soient / quels que soient**), sont à vérifier.

f) Les chapeaux, (**quel que soit / quelle qu'elle soit / quelle que soit / quelles qu'elles soient / quelles que soient / quels qu'ils soient / quels que soient**), te vont très bien.

g) La maladie, (**quel que soit / quelle qu'elle soit / quelle que soit / quelles qu'elles soient / quelles que soient / quels qu'ils soient / quels que soient**), est toujours une épreuve.

h) (**Quel que soit / quelle qu'elle soit / quelle que soit / quelles qu'elles soient / quelles que soient / quels qu'ils soient / quels que soient**) ta volonté et ton courage, ce sera un vrai défi.

i) Il est de bonne humeur (**quel que soit / quelle qu'elle soit / quelle que soit / quelles qu'elles soient / quelles que soient / quels qu'ils soient / quels que soient**) les circonstances.

j) (**Quel que soit / quelle qu'elle soit / quelle que soit / quelles qu'elles soient / quelles que soient / quels qu'ils soient / quels que soient**), tu dois la respecter.

k) La jupe et la robe, (**quel que soit / quelle qu'elle soit / quelle que soit / quelles qu'elles soient / quelles que soient / quels qu'ils soient / quels que soient**), sont au même prix.

18. Dans les phrases suivantes, accorde correctement le mot *tout*.

   a) On ne peut pas être bon en _____ et il faut très bien connaître la fiscalité pour profiter de _____ les façons légales de payer moins d'impôt.

   b) Vous n'utilisez pas plus d'essence en faisant fonctionner votre climatiseur sur la route, car l'énergie motrice requise est compensée par le gain en efficacité aérodynamique à rouler _____ glaces relevées.

   c) Cet ouvrage répondra à _____ les questions que vous vous posez.

   d) Les routes secondaires ne sont pas encore _____ déneigées ; partez donc un peu plus tôt !

   e) TST garantit à l'acheteur d'origine, pour une durée de trois ans à partir de la date d'achat, que cet appareil est exempt de _____ vice de fabrication.

   f) Le nombre d'additifs alimentaires de _____ sortes est impressionnant et il importe d'être vigilant avec _____ ces substances.

   g) Il faut envisager la question sous _____ ses angles.

   h) Même si _____ vous exaspère, évitez les commentaires.

   i) Nous réunissons sous un même toit _____ l'expertise nécessaire pour répondre aux besoins des gens d'affaires.

   j) Il a légué _____ ses biens à la Fondation Jules-Léger.

   k) La garantie s'applique à _____ les pièces d'origine.

   l) La direction s'engage à répondre à _____ les lettres qui lui parviendront.

   m) Il a passé _____ sa carrière au service de cette société d'État.

   n) _____ ces nouvelles peu réjouissantes suffisent à gruger la foi des investisseurs dans la reprise économique.

   o) Veuillez porter l'étiquette qui vous identifie à _____ les activités du congrès.

   p) Le droit pour les contribuables de prendre _____ les mesures possibles afin de minimiser leurs impôts est reconnu, si _____, évidemment, s'effectue dans la légitimité.

19. Évite la confusion de sens en choisissant le bon mot. Souligne la bonne réponse.

   a) Je veux te remercier de ton aimable invitation et te prier de transmettre à tes parents mon (**acception / acceptation**).
      (Gustave Flaubert, *Correspondance*)

   b) Comme les hauts gradins [du théâtre d'Éphèse] (**affleuraient / effleuraient**) le sol de la colline.
      (Ernest Renan, *Histoire des origines du Christianisme*, Saint-Paul)

   c) – Moi aussi, dit-il, j'ai assisté l'autre jour à l'enterrement civil d'un de mes agents. J'ai même prononcé, non pas un discours, mais une petite (**allocation / allocution**).
      (Jules Renard, *Journal*)

   d) « Votre honneur, répondit le jeune capitaine, est trompé par une (**illusion / allusion**) d'optique. »
      (Jules Verne, *Les Enfants du capitaine Grant*)

e) Quelques années plus tôt, elle [Elisabeth] se serait adressée à un (**astronome / astrologue**) pour savoir son avenir, pour trouver son bonheur.
(Maurice Barrès, *Mes cahiers*, t. XIV)

f) Son (**avènement / événement**) au trône lui enleva son père ; sa descente du trône pensa renverser son empire.
(Chateaubriand, *Mémoires d'Outre-Tombe*, t. III)

g) Pour lui, l'amour pur, l'amour comme on le rêve au jeune âge, était la (**collision / collusion**) de deux natures angéliques.
(Honoré de Balzac, *Louis Lambert*)

h) [Cet oxyde] (**colorie / colore**) la flamme tantôt en vert (...) tantôt en violet.
(Albert-Auguste de Lapparent, *Cours de minéralogie*)

i) Les innombrables heures infernales que j'ai (**consommées / consumées**) sur ce canapé.
(Georges Duhamel, *Confession de Minuit*)

j) Il était impossible d'empêcher la fuite du gaz, qui s'échappait librement par une (**déchirure / déchirement**) de l'appareil.
(Jules Verne, *l'Île mystérieuse*)

k) Elle [la duchesse] fit voler les deux bouts de l'(**écharpe / écharde**) qui pendait à ses côtés.
(Honoré de Balzac, *La Duchesse de Langeais*)

l) Le nom de ton amant va tout (**éclairer / éclaircir**), va tout nous dire, n'est-ce pas ? Qui aimes-tu ? Qui est-ce ?
(Jean Giraudoux, *Électre*)

m) Tout à coup, l'(**éminent / imminent**) orage éclata.
(Pétrus Borel, *Champavert*)

n) La civilisation s'affaisse et disparaît momentanément sous d'effrayantes (**éruption / irruptions**) de barbares, venant les unes du dehors, les autres du dedans.
(Victor Hugo, *Le Rhin*)

o) Nous pouvons, en y traçant une (**gradation / graduation**) convenable, transformer un thermomètre non gradué soit en thermomètre Fahrenheit, soit en thermomètre Réaumur.
(Henri Poincaré, *La Valeur de la Science*)

Bravo !
Tu as terminé !

MATHÉMATIQUE

| Jean-François Bédard |

index de l'aide-mémoire »»»»»»»»»»»»»

Tu trouveras dans cet aide-mémoire un résumé des notions que tu étudies dans ta classe de mathématique de 4e secondaire, séquence Technico-sciences (TS).

Propriétés des exposants et des logarithmes

Lois des exposants et des logarithmes

Lois des exposants	Lois des logarithmes
$a^0 = 1$	
$a^1 = a$	$\log_a p = m \leftrightarrow a^m = p$
$a^{-n} = \dfrac{1}{a^n}$	
$\sqrt[n]{a} = a^{\frac{1}{n}}$	$\log_{10} p = \log p$
$\sqrt[n]{a^m} = a^{\frac{m}{n}}$	
$a^m \bullet a^n = a^{m+n}$	$\log_a m^n = n \log_a m$
$a^m \div a^n = a^{m-n}$	
$(ab)^n = a^n b^n$	$\log_a m = \dfrac{\log m}{\log a}$
$(a^m)^n = a^{mn}$	
$\left(\dfrac{a}{b}\right)^n = \dfrac{a^n}{b^n}$	(loi des changements de base)

Équations et inéquations exponentielles

Pour résoudre une équation ou une inéquation exponentielle, il suffit d'appliquer le logarithme de base 10 de chaque côté de l'équation et d'utiliser les lois des exposants et des logarithmes.

Exemple

$$\left(\frac{1}{4}\right)^{2x} = 4^{10}$$

$$\log\left(\frac{1}{4}\right)^{2x} = \log 4^{10}$$

$$2x \bullet \log\left(\frac{1}{4}\right) = 10 \log 4$$

$$x = \frac{10\log 4}{2\log\left(\frac{1}{4}\right)} = -5$$

Opérations sur des expressions algébriques

Multiplication de deux polynômes

Lors de la multiplication d'un premier polynôme par un second, il suffit de distribuer chacun des termes du premier polynôme sur ceux du second. L'expression algébrique sera finale lorsque les termes obtenus semblables auront été additionnés ou soustraits.

Exemple

$$(3ab + a - 8)(3ab - 2)$$
$$= (3ab \cdot 3ab) + (3ab \cdot \text{-}2) + (a \cdot 3ab) + (a \cdot \text{-}2) + (\text{-}8 \cdot 3ab) + (\text{-}8 \cdot \text{-}2)$$
$$= 9a^2b^2 - 6ab + 3a^2b - 2a - 24ab + 16$$
$$= 9a^2b^2 - 30ab + 3a^2b - 2a + 16$$

Division d'un polynôme par un binôme

Exemple

$$
\begin{array}{r|l}
2a^2 + 5a + 4 & a + 1 \\
\underline{-(2a^2 + 2a)} & 2a + 3 \text{ reste } 1 \\
3a + 4 & \\
\underline{3a + 3} & \\
1 &
\end{array}
$$

Exemple

$$
\begin{array}{r|l}
8x^3 + 8x^2 - 4x + 3 & 2x + 3 \\
\underline{-(8x^3 + 12x^2)} & 4x^2 - 2x + 1 \\
-4x^2 - 4x + 3 & \\
\underline{-(\text{-}4x^2 - 6x)} & \\
2x + 3 & \\
\underline{-(2x + 3)} & \\
0 &
\end{array}
$$

Factorisation de polynômes

Mise en évidence double

Exemple

$$2x^2 + 4x + xy + 2y$$
$$= 2x(x + 2) + y(x + 2)$$
$$= (2x + y)(x + 2)$$

Différence de carrés

Exemple

$$4x^2 - 36y^2$$
$$= (2x + 6y)(2x - 6y)$$
$$\left(\sqrt{4x^2} = 2x \text{ et } \sqrt{36y^2} = 6y \right)$$

Trinôme carré parfait

Exemple

$$9x^2 \pm \underline{24x} + 16$$
$$= (3x \pm 4)^2$$
$$\left(\sqrt{9x^2} = 3x \text{ et } \sqrt{16} = 4 \right) \qquad \text{et } \pm 2 \cdot 3x \cdot 4 = \pm \underline{24x}$$

Fractions rationnelles (simplification)

Exemple

$$\frac{x^2 - 4}{x^2 - 4x + 4} = \frac{(x+2)(x-2)}{(x-2)^2} = \frac{x+2}{x-2}$$

Fractions rationnelles (opérations mathématiques)

Exemple

$$\frac{2}{x+2} + \frac{x}{(x+2)^2} = \frac{2(x+2)+x}{(x+2)^2} = \frac{2x+4+x}{(x+2)^2} = \frac{3x+4}{(x+2)^2}$$

Inéquations du 1er degré à deux variables

Pour résoudre une inéquation du premier degré à deux variables, il est nécessaire de la transformer sous l'une des quatre formes suivantes :

Forme 1	$y < ax + b$
Forme 2	$y \leq ax + b$
Forme 3	$y > ax + b$
Forme 4	$y \geq ax + b$

Voici les étapes à suivre pour résoudre une telle inéquation :

1) Transformer l'inéquation sous l'une des quatre formes énumérées ci-dessus.

2) Tracer la droite de l'équation $y = ax + b$ dans un plan cartésien :

   a) si le symbole de l'inéquation est < ou >, la droite est représentée par un trait pointillé ;

   b) si le symbole de l'inéquation est ≤ ou ≥, la droite est représentée par un trait plein.

3) Hachurer la zone correspondante délimitée par la droite :

   a) si le signe de l'inéquation est < ou ≤, la zone hachurée se situera au-dessous de la droite ;

   b) si le signe de l'inéquation est > ou ≥, la zone hachurée se situera au-dessus de la droite.

Si l'on multiplie ou divise les deux membres d'une inéquation par un nombre négatif, on inverse le sens de l'inéquation.

aide-mémoire «««««««««««««««

Exemple

Détermine l'ensemble solution de l'inéquation $-y + 2x \geq -1$.

$-y \geq -2x - 1$
$y \leq 2x + 1$
Pente = 2
Ordonnée à l'origine = 1

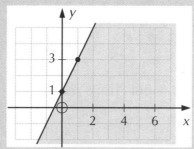

Systèmes d'équations du 1er degré à deux variables

Méthode par comparaison

La méthode par comparaison s'applique particulièrement (mais non exclusivement) lorsque le système d'équations se présente comme suit :

$$y = a_1 x + b_1$$
$$y = a_2 x + b_2$$

Exemple

Équation 1 : $y = 2x + 6$
Équation 2 : $y = -2x + 4$

y (équation 1) = y (équation 2)
$2x + 6 = -2x + 4$
$4x = -2$
$x = -0,5$

Équation 1 : $y = 2x + 6 = 2(-0,5) + 6 = 5$

$(x, y) = (-0,5, 5)$

Méthode par substitution

La méthode par substitution s'applique particulièrement (mais non exclusivement) lorsque le système d'équations se présente comme suit :

$$y = a_1 x + b_1$$
$$x = a_2 y + b_2$$

Exemple

Équation 1 : $y = 3x - 8$
Équation 2 : $x = 2y - 1$

Si l'on remplace la variable x de l'équation 1 par $(2y - 1)$, soit la valeur de la variable x dans l'équation 2, on obtient :

Équation 1 :
$$y = 3(2y - 1) - 8$$
$$y = 6y - 3 - 8$$
$$-5y = -11$$
$$y = 2,2$$

Équation 2 : $x = 2y - 1 = 2(2,2) - 1 = 3,4$

$(x,\ y) = (3,4,\ 2,2)$

Méthode par réduction ou méthode d'élimination

La méthode par réduction ou d'élimination s'applique particulièrement (mais non exclusivement) lorsque le système d'équations se présente comme suit :

$$a_1 x + b_1 y = c_1$$
$$a_2 x + b_2 y = c_2$$

Exemple

Équation 1 : $2x + 4y = 5$
Équation 2 : $3x + 5y = -12$

Si l'on multiplie chaque terme de l'équation 1 par -3, et chaque terme de l'équation 2 par 2, on obtient :

$$-6x - 12y = -15$$
$$6x + 10y = -24$$

Si l'on additionne les deux membres des deux équations, on obtient :

$$(-6x - 12y = -15)$$
$$+ \quad (6x + 10y = -24)$$

$$-6x - 12y + 6x + 10y = -15 - 24$$
$$-2y = -39$$
$$y = 19,5$$

Équation 1 :
$$2x + 4y = 5$$
$$2x + 4(19,5) = 5$$
$$2x + 78 = 5$$
$$2x = -73$$
$$x = -36,5$$

$(x,\ y) = (-36,5,\ 19,5)$

aide-mémoire ««««««««««««««

Équations et inéquations avec racine carrée

Dans une équation ou une inéquation contenant une racine carrée, il est important de s'assurer que la solution respecte la condition de départ : <u>l'expression sous le radical doit être supérieure ou égale à 0</u>. Aussi, la racine carrée d'un nombre est toujours positive. De plus, il est bon de vérifier chaque solution dans le problème original. Il se peut qu'une solution soit inadmissible.

Exemple

$2\sqrt{x} = 10$; Condition : $x \geq 0$

$\sqrt{x} = 5$

$\left(\sqrt{x}\right)^2 = 5^2$

$x = 25$

Vérification

$MG = 2\sqrt{25}$ $MD = 10$

$= 2(5)$

$= 10$

$MG = MD$ Alors la solution est $x = 25$

Exemple

$-\sqrt{5x} = 1$; Condition : $5x \geq 0$; donc, $x \geq 0$

$\sqrt{5x} = -1$

$\varnothing$ (pas de solution, car la racine carrée d'un nombre ne peut pas être négative)

Exemple

$\sqrt{x} \leq 5$; Condition : $x \geq 0$

$\left(\sqrt{x}\right)^2 \leq 5^2$

$x \leq 25$

Puisque $x \leq 25$ et que $x \geq 0$ (condition), alors :

Solution finale = [0, 25]

Équations et inéquations du 2ᵉ degré à une variable

Exemple

$4x^2 = 8$

$x^2 = 2$

$x = \pm\sqrt{2} \approx \pm 1,414$

Exemple

$x^2 > 7$

$x > \sqrt{7}$ ou $x < -\sqrt{7}$

$x > 2,646$ ou $x < -2,646$

Solution finale : $]-\infty, -2,646[\cup]2,646, +\infty[$

Exemple

$5x^2 - 11 \leq 0$

$5x^2 \leq 11$

$x^2 \leq 2,2$

$x \leq \sqrt{2,2}$ ou $x \geq -\sqrt{2,2}$

$x \leq 1,483$ ou $x \geq -1,483$

Solution finale : [-1,483, 1,483]

Propriétés des fonctions

Les définitions suivantes s'appliquent à une fonction de type $y = f(x)$, où x représente la variable indépendante et y, la variable dépendante.

Domaine : ensemble des valeurs possibles de la variable indépendante x.

Image : ensemble des valeurs possibles de la variable dépendante y ou $f(x)$.

Zéros : ensemble des valeurs de x pour lesquelles $f(x) = 0$.

Ordonnée à l'origine : valeur de y ou de $f(x)$ lorsque $x = 0$.

Signe : la valeur de y ou de $f(x)$ est :
1) positive dans un intervalle du domaine lorsque $f(x) > 0$ dans cet intervalle ;
2) négative dans un intervalle du domaine lorsque $f(x) < 0$ dans cet intervalle.

Extremums : y ou $f(x)$ peut posséder un maximum et/ou un minimum :
1) maximum : valeur maximale de y ou de $f(x)$;
2) minimum : valeur minimale de y ou de $f(x)$.

Croissance et décroissance :
Si $x_1 \geq x_2$ et $f(x_1) \geq f(x_2)$ dans un intervalle du domaine, alors la fonction est croissante dans cet intervalle ;

Si $x_1 \geq x_2$ et $f(x_1) \leq f(x_2)$ dans un intervalle du domaine, alors la fonction est décroissante dans cet intervalle.

Asymptote : droite horizontale ou verticale de laquelle s'approche une fonction y ou $f(x)$ sans jamais la toucher.

Fonctions polynomiales du 2e degré

L'étude de la fonction polynomiale du 2e degré se limitera à la forme suivante :
$$f(x) = y = a(bx)^2$$

Dans un plan cartésien, une telle fonction prend la forme d'une parabole ouverte vers le haut ($a > 0$) ou vers le bas ($a < 0$), dont le sommet est à l'origine.

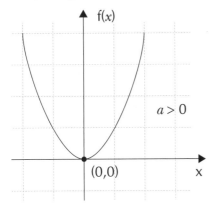

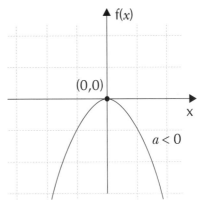

aide-mémoire «««««««««««««««««

Caractéristiques de la fonction polynomiale $f(x) = y = a(bx)^2$

Sommet	(0, 0)	
Axe de symétrie (équation)	$x = 0$	
Extremum	Si $a > 0$ minimum = 0	Si $a < 0$ maximum = 0
Zéro	0	
Ordonnée à l'origine	0	
Croissance et décroissance de la fonction	Si $a > 0$ - décroissante de $]-\infty, 0]$ - croissante de $[0, +\infty[$	Si $a < 0$ croissante de $]-\infty, 0]$ décroissante de $[0, +\infty[$
Domaine	L'ensemble des nombres réels.	
Image	Si $a > 0$ $[0, +\infty[$	Si $a < 0$ $]-\infty, 0]$
Signe de la fonction	Si $a > 0$, positive, sauf à $x = 0$	Si $a < 0$, négative, sauf à $x = 0$

Inéquations du 2e degré à deux variables

Si $a > 0$		Si $a < 0$	
$y \geq a(bx)^2$	$y \leq a(bx)^2$	$y \geq a(bx)^2$	$y \leq a(bx)^2$

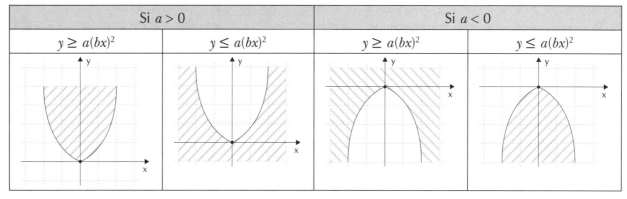

N.B. Pour les inéquations $y > a(bx)^2$ et $y < a(bx)^2$, les paraboles sont tracées à l'aide de courbes pointillées.

Fonction racine carrée

L'étude de la fonction racine carrée se limitera à la forme suivante :

$$f(x) = y = a\sqrt{bx}$$

Graphiquement, une fonction racine carrée prend la forme d'une demi-parabole orientée vers la droite ou vers la gauche.

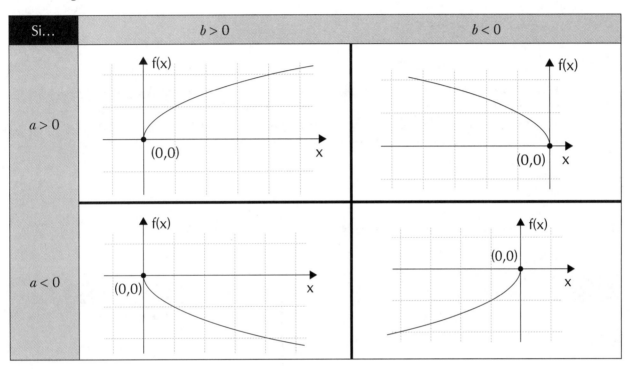

Si...	$b > 0$	$b < 0$
$a > 0$		
$a < 0$		

Caractéristiques de la fonction $f(x) = y = a\sqrt{bx}$

Sommet	(0, 0)	
Extremum	Si $a > 0$ minimum = 0	Si $a < 0$ maximum = 0
Zéro	0	
Ordonnée à l'origine	0	
Croissance et décroissance de la fonction	Si a et b sont de signes semblables : la fonction est croissante	Si a et b sont de signes différents : la fonction est décroissante
Domaine	Si $b > 0$ $[0, +\infty[$	Si $b < 0$ $]-\infty, 0]$
Image	Si $a > 0$ $[0, +\infty[$	Si $a < 0$ $]-\infty, 0]$
Signe	Si $a > 0$, la fonction est positive, sauf à $x = 0$	Si $a < 0$, la fonction est négative, sauf à $x = 0$

aide-mémoire <<<<<<<<<<<<<<<<<

Fonction exponentielle

L'étude de la fonction exponentielle se limitera à la forme suivante :

$$f(x) = ac^{bx}$$

Dans la résolution de problèmes impliquant une fonction exponentielle, il arrive souvent que $x \geq 0$. Alors, le paramètre a représente la valeur initiale. Quant au paramètre c, il représente le facteur de multiplication. Enfin, le paramètre b représente le nombre de fois que le facteur de multiplication s'applique dans l'unité de mesure de x.

Exemple

Dans un marécage, la population de phragmites double ($c = 2$) tous les quatre ans ($b = 1 \div 4 = 0,25$). Sachant que, présentement, le nombre de phragmites est évalué à 500 tiges ($a = 500$), détermine la fonction $f(x) = ac^{bx}$ représentant cette situation, sachant que $f(x)$ représente le nombre de phragmites et x le nombre d'années.

$$f(x) = 500 \bullet 2^{0,25x}$$

Graphiquement, une fonction exponentielle prend la forme d'une courbe.
   a) Si $c > 1$, la courbe peut alors prendre les formes suivantes :

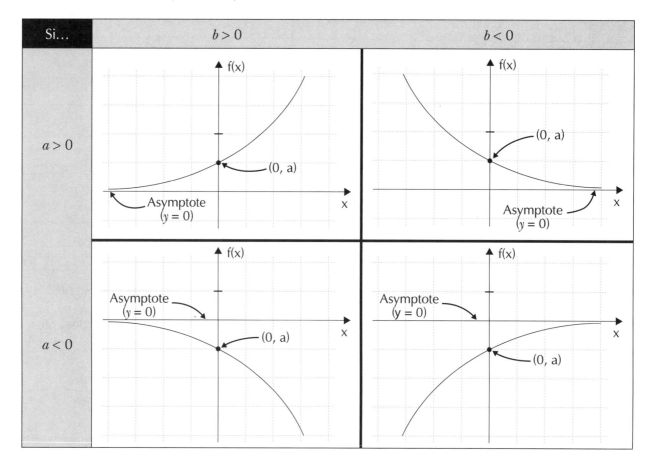

b) Si $0 < c < 1$, la courbe peut alors prendre les formes suivantes :

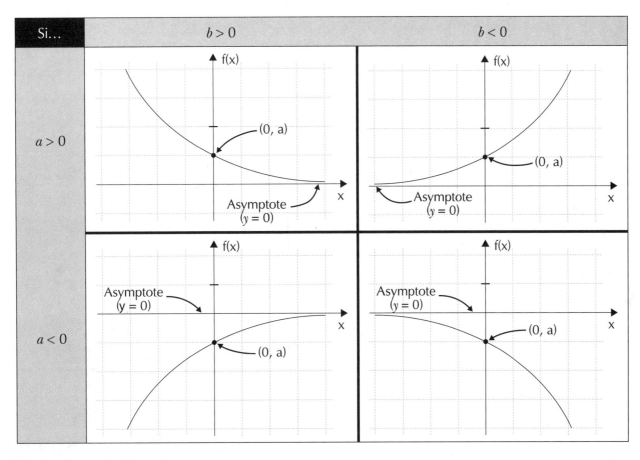

Caractéristiques de la fonction exponentielle

Asymptote	$y = 0$	
Zéro	–	
Ordonnée à l'origine	a	
Croissance et décroissance de la fonction	Si $c > 1$	
	Si a et b sont de signes semblables : la fonction est croissante	Si a et b sont de signes différents : la fonction est décroissante
	Si $0 < c < 1$	
	Si a et b sont de signes semblables : la fonction est décroissante	Si a et b sont de signes différents : la fonction est croissante
Domaine	L'ensemble des nombres réels.	
Image	Si $a > 0$ $]0, +\infty[$	Si $a < 0$ $]-\infty, 0[$
Signe	Si $a > 0$, la fonction est positive	Si $a < 0$, la fonction est négative

aide-mémoire «««««««««««««

Fonction partie entière

En mathématique, l'opération $[x]$ signifie « trouver le plus grand nombre entier inférieur ou égal à x ».

L'étude de la fonction partie entière se limitera à la forme suivante :

$$f(x) = a[b(x)]$$

Graphiquement, une fonction partie entière est une fonction en escalier.

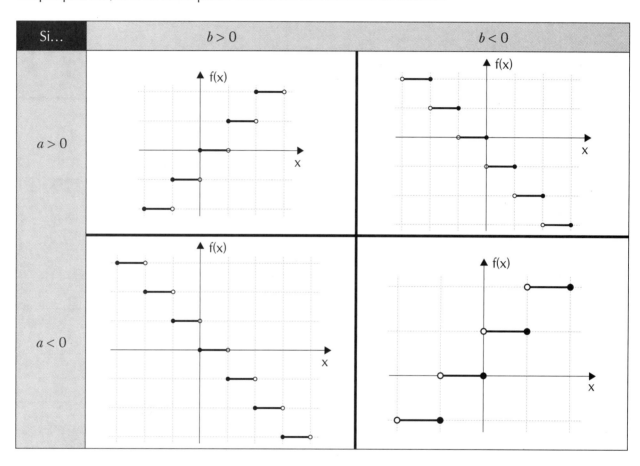

Si...	$b > 0$	$b < 0$
$a > 0$		
$a < 0$		

Caractéristiques de la fonction partie entière

	Si $b > 0$	Si $b < 0$
Zéros	$\left[0, \dfrac{1}{b}\right[$	$\left]\dfrac{1}{b}, 0\right]$
Ordonnée à l'origine	0	
Croissance et décroissance de la fonction	Si a et b sont de signes semblables : la fonction est croissante	Si a et b sont de signes différents : la fonction est décroissante
Hauteur entre les marches	$|a|$	
Longueur des marches	$|1/b|$	
Domaine	L'ensemble des nombres réels.	
Image	$n \cdot a$, où n est un nombre entier	

Fonction définie par parties

Une fonction définie par parties est composée de plusieurs fonctions simples dont voici les principales :
- fonction linéaire ;
- fonction exponentielle ;
- fonction racine carrée ;
- fonction polynomiale du 2e degré.

Étude de la droite

Soit deux points $A(x_1, y_1)$ et $B(x_2, y_2)$ appartenant à une droite. La pente (m) de cette droite se calcule à l'aide de la formule suivante :

$$m = \frac{y_2 - y_1}{x_2 - x_1}$$

Une droite peut s'écrire sous deux formes :
- la forme canonique : $y = mx + b$ (b = ordonnée à l'origine)
- la forme générale : $Ax + By + C = 0$

Une droite d'équation $x = k$, où k est une constante, possède une pente indéterminée (droite verticale).

Position relative de deux droites

Soit deux droites d'équation $y = m_1x + b_1$ et $y = m_2x + b_2$.

Condition(s)	Résultat	# point(s) d'intersection
Si $m_1 = m_2$ et $b_1 \neq b_2$	Droites parallèles distinctes	Aucun
Si $m_1 = m_2$ et $b_1 = b_2$	Droites parallèles confondues	Une infinité
Si $m_1 \neq m_2$	Droites sécantes	Un seul
Si $m_1 \cdot m_2 = -1$	Droites sécantes perpendiculaires	Un seul

Déterminer le point d'intersection de deux droites revient à déterminer la solution du système d'équations suivant :

$$y = m_1x + b_1$$
$$y = m_2x + b_2$$

- Deux droites sont parallèles et confondues si la résolution du système d'équations aboutit à $0x = 0$ ou bien $0y = 0$;
- Deux droites sont parallèles et distinctes si la résolution du système d'équations aboutit à $0x = k$ ou bien $0y = k$, où k est une constante non nulle.

aide-mémoire «««««««««««««««

Distance entre deux points

Soit deux points A(x_1, y_1) et B(x_2, y_2) appartenant à une droite. La distance (d) entre ces deux points se calcule à l'aide de la formule suivante :

$$d = \sqrt{\left(x_2 - x_1\right)^2 + \left(y_2 - y_1\right)^2}$$

Coordonnées d'un point de partage

Soit deux points A(x_1, y_1) et B(x_2, y_2) les extrémités d'un segment de droite. Pour déterminer un point de partage P partageant le segment AB dans un rapport $m : n$, il s'agit d'appliquer les formules suivantes :

$$P \left(x_1 + \frac{m}{m+n} (x_2 - x_1),\ y_1 + \frac{m}{m+n} (y_2 - y_1)\right)$$

On dit aussi que le point P est situé aux $\frac{m}{m+n}$ de la distance entre A et B, à partir du point A.

Point milieu

Soit deux points A(x_1, y_1) et B(x_2, y_2), qui sont les extrémités d'un segment de droite. Pour déterminer le point milieu M du segment AB, il s'agit d'appliquer la formule suivante :

$$M \left(\frac{x_1 + x_2}{2}, \frac{y_1 + y_2}{2}\right)$$

Exemple

Soit un segment de droite reliant les points A(2, 4) et B(-1, 1).

1) Quelles sont les coordonnées d'un point P qui partage le segment AB dans un rapport 1 : 3 ?

$(x_1, y_1) = (2, 4)$ et $(x_2, y_2) = (-1, 1)$; $m = 1$ et $n = 3$

$$P \left(x_1 + \frac{m}{m+n} (x_2 - x_1),\ y_1 + \frac{m}{m+n} (y_2 - y_1)\right)$$

$$P \left(2 + \frac{1}{1+3} (-1 - 2),\ 4 + \frac{1}{1+3} (1 - 4)\right) = P (1{,}25,\ 3{,}25)$$

2) Quelles sont les coordonnées d'un point Q situé au $\frac{1}{3}$ du segment AB, à partir du point A ?

$(x_1, y_1) = (2, 4)$ et $(x_2, y_2) = (-1, 1)$; $m = 1$ et $m + n = 3$

$$Q \left(x_1 + \frac{m}{m+n} (x_2 - x_1),\ y_1 + \frac{m}{m+n} (y_2 - y_1)\right)$$

$$Q \left(2 + \frac{1}{3} (-1 - 2),\ 4 + \frac{1}{3} (1 - 4)\right) = Q (1, 3)$$

3) Quelles sont les coordonnées du point milieu M du segment AB ?

$(x_1, y_1) = (2, 4)$ et $(x_2, y_2) = (-1, 1)$

$$M \left(\frac{x_1 + x_2}{2}, \frac{y_1 + y_2}{2}\right) = M \left(\frac{2 + (-1)}{2}, \frac{4 + 1}{2}\right) = M (0{,}5,\ 2{,}5)$$

Rapports trigonométriques dans le triangle rectangle

Soit le triangle rectangle suivant :

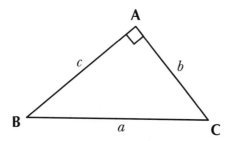

$\sin B = \dfrac{\text{cathète opposée à l'angle B}}{\text{hypoténuse}} = \dfrac{b}{a}$	$\sin C = \dfrac{\text{cathète opposée à l'angle C}}{\text{hypoténuse}} = \dfrac{c}{a}$
$\cos B = \dfrac{\text{cathète adjacente à l'angle B}}{\text{hypoténuse}} = \dfrac{c}{a}$	$\cos C = \dfrac{\text{cathète adjacente à l'angle C}}{\text{hypoténuse}} = \dfrac{b}{a}$
$\tan B = \dfrac{\text{cathète opposée à l'angle B}}{\text{cathète adjacente à l'angle B}} = \dfrac{b}{c}$	$\tan C = \dfrac{\text{cathète opposée à l'angle C}}{\text{cathète adjacente à l'angle C}} = \dfrac{c}{b}$

L'angle d'élévation, c'est l'angle formé par l'horizontale et la ligne de visée d'une personne regardant vers le haut.

L'angle de dépression, c'est l'angle formé par l'horizontale et la ligne de visée d'une personne regardant vers le bas.

Relations métriques dans le triangle rectangle

Dans la figure ci-dessous, les triangles ABC, ABD et ACD sont semblables, ce qui nous permet de déduire plusieurs proportions.

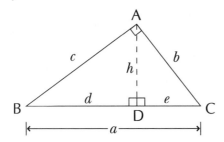

$\dfrac{b}{e} = \dfrac{a}{b}$ ou $b^2 = ae$

$\dfrac{h}{e} = \dfrac{d}{h}$ ou $h^2 = de$

$\dfrac{b}{h} = \dfrac{a}{c}$ ou $bc = ah$

Mesures de dispersion : écart moyen et écart type

$$\text{Écart moyen} = \text{EM} = \frac{\sum \left| x_i - \bar{x} \right|}{n}$$

$$\text{Écart type} = \sigma = \sqrt{\frac{\sum \left(x_i - \bar{x} \right)^2}{n}}$$

où : x_i représente chacune des i données de la distribution statistique

$\bar{x}$ représente la moyenne des données x_i

n représente le nombre de données x_i

Corrélation linéaire

Soit une distribution statistique comprenant deux ensembles de données, dont chaque ensemble est identifié à une variable. Il existe une corrélation linéaire entre les deux variables si l'ensemble des couples de données forme un nuage de points dans un plan cartésien, s'apparentant à une droite.

Le coefficient de corrélation linéaire (r) mesure la linéarité d'un nuage de points. Ce coefficient peut varier entre -1 et 1.

Plus $|r|$ approche la valeur de 1, plus le nuage de points s'apparente à une droite et plus la corrélation est forte. Le tableau ci-dessous permet de qualifier le degré de corrélation d'un nuage de points en fonction de la valeur du coefficient de corrélation.

Valeur de $|r|$	Degré de corrélation
$0{,}98 \leq |r| \leq 1$	Corrélation parfaite
$0{,}80 \leq |r| < 0{,}98$	Corrélation forte
$0{,}60 \leq |r| < 0{,}80$	Corrélation moyenne
$0{,}35 \leq |r| < 0{,}60$	Corrélation faible
$|r| < 0{,}35$	Corrélation nulle

La corrélation linéaire (et son coefficient) est :
- positive si les valeurs des deux variables varient dans le même sens ;
- négative si leurs valeurs varient dans le sens contraire.

À l'aide du nuage de points, il est possible de calculer le coefficient de corrélation linéaire en traçant un rectangle le plus petit possible incluant tous les points. Sachant que la longueur du rectangle = L et que sa largeur = l, il s'agit ensuite d'appliquer l'une des deux formules suivantes :

Si $0 \leq |r| \leq 1$	Si $-1 \leq |r| \leq 0$
$r = 1 - \dfrac{l}{L}$	$r = \dfrac{l}{L} - 1$

Soit y la variable dépendante (axe vertical) et x la variable indépendante (axe horizontal). Il est aussi possible de calculer algébriquement le coefficient de corrélation linéaire en appliquant la formule suivante :

$$r = \frac{\sigma_{xy}}{\sigma_x \sigma_y} \quad \left(\sigma_{xy} = \frac{\sum (x_i y_i)}{n} - \bar{x} \bullet \bar{y} \right)$$

Droite de régression

Une droite de régression est la droite la plus représentative d'un nuage de points s'apparentant à une droite. Voici deux méthodes permettant de calculer les paramètres de la règle de cette droite : la méthode médiane-médiane et la méthode de Mayer.

Méthode médiane-médiane

- Ordonner les couples de données par ordre croissant des abscisses ; pour deux ou plusieurs abscisses de même valeur, classer par ordre croissant ou décroissant des ordonnées, selon la tendance générale de l'évolution de ces ordonnées.
- Séparer les couples en trois groupes de même taille, si possible ; sinon, s'assurer que le premier et le dernier groupe contiennent un nombre similaire de couples ; un groupe ne doit pas contenir deux couples de plus qu'un autre groupe.
- Dans le premier groupe, déterminer la médiane des abscisses (x_1) et des ordonnées (y_1), ce qui formera le point $P_1 (x_1, y_1)$.
- Appliquer l'étape précédente aux deux autres groupes, ce qui formera les points $P_2 (x_2, y_2)$ et $P_3 (x_3, y_3)$.
- Calculer $P_M \left(\dfrac{x_1 + x_2 + x_3}{3}, \dfrac{y_1 + y_2 + y_3}{3} \right)$
- La droite de régression passe par le point P_M, tout en étant parallèle à la droite passant par P_1 et P_3.

Méthode de Mayer

- Ordonner les couples de données par ordre croissant des abscisses ; pour deux ou plusieurs abscisses de même valeur, classer par ordre croissant ou décroissant des ordonnées, selon la tendance générale de l'évolution de ces ordonnées.
- Séparer les couples en deux groupes de même taille, si possible ; sinon, séparer les couples de telle sorte que le premier groupe possède un couple de plus que le second.
- Dans le premier groupe, calculer la moyenne des abscisses (x_1) et des ordonnées (y_1), ce qui formera le point $P_1 (x_1, y_1)$.
- Appliquer l'étape précédente au second groupe, ce qui formera le point $P_2 (x_2, y_2)$.
- La droite de régression passe par les points P_1 et P_2.

Corrélation non linéaire et notation factorielle

Corrélation non linéaire

Une table de valeurs permet d'énumérer les couples de données, chaque couple étant formé d'une donnée dépendante et d'une donnée indépendante.

L'ensemble de ces couples de données forme un nuage de points sur un plan cartésien. L'analyse de ce nuage de points permet de déterminer à quel modèle fonctionnel se rapporte ce nuage.

Mis à part le modèle linéaire, les différents modèles fonctionnels possibles sont :

- la fonction polynomiale du 2e degré ;
- la fonction racine carrée ;
- la fonction exponentielle.

aide-mémoire «««««««««««««

Notation factorielle

- $n! = n \cdot (n-1) \cdot (n-2) \cdot \ldots \cdot 3 \cdot 2 \cdot 1$
- $0! = 1$
- $1! = 1$

Événements exclusifs et non mutuellement exclusifs / probabilité subjective

Événements exclusifs et non mutuellement exclusifs

Lors d'une expérience, deux événements sont exclusifs s'ils ne possèdent aucun résultat en commun. En d'autres mots, la probabilité que les deux événements se produisent simultanément est nulle.

Lors d'une expérience, deux événements sont non exclusifs s'ils possèdent au moins un résultat en commun. En d'autres mots, la probabilité que les deux événements se produisent simultanément n'est pas nulle.

Soit deux événements A et B, la probabilité (P) qu'au moins un des deux événements se produise est :

$$P(A \cup B) = P(A) + P(B) - P(A \cap B)$$

Exemple

Soit les trois événements suivants en rapport avec le lancer d'un dé à jouer :

A : obtenir un nombre premier : {2, 3, 5}
B : obtenir un nombre pair : {2, 4, 6}
C : obtenir un nombre plus grand que 5 : {6}

- Quelle est la probabilité que les événements A ou B se réalisent ?

$$P(A \cup B) = P(A) + P(B) - P(A \cap B) = \frac{1}{2} + \frac{1}{2} - \frac{1}{6} = \frac{5}{6}$$

- Quelle est la probabilité que les événements A ou C se réalisent ?

$$P(A \cup C) = P(A) + P(C) - P(A \cap C) = \frac{1}{2} + \frac{1}{6} - 0 = \frac{2}{3}$$

À noter que les événements A et B sont non mutuellement exclusifs $P(A \cap B) = \frac{1}{6} \neq 0$, tandis que les événements A et C sont exclusifs $P(A \cap C) = 0$.

Probabilité subjective

Lorsqu'il est impossible de déterminer théoriquement ou expérimentalement la probabilité d'un événement, on parle alors de probabilité subjective. Une probabilité subjective n'est pas déterminée au hasard : elle repose sur des facteurs tels le jugement, les expériences et les statistiques passées.

Exemple

Sachant que Sydney Crosby a marqué quatre buts à ses six derniers matchs, quelle est la probabilité qu'il marque un but lors du match suivant ?

Probabilité $= \frac{4}{6} = \frac{2}{3}$

Probabilité conditionnelle

La probabilité conditionnelle représente la probabilité qu'un événement se produise, sachant qu'un événement antérieur s'est déjà produit.

> **Exemple**
>
> Robert lance un dé à deux reprises. Quelle est la probabilité que le chiffre obtenu au deuxième lancer soit supérieur à celui obtenu au premier lancer, sachant qu'il a obtenu un 4 au premier lancer?
>
> Probabilité $= \dfrac{2}{6} = \dfrac{1}{3}$

Concept d'équité

Dans une expérience aléatoire, si la probabilité d'obtenir chacun des résultats possibles est semblable, ces résultats sont dits équiprobables.

Si les résultats d'une expérience sont équiprobables, on utilise la formule suivante pour déterminer les « chances pour » d'un événement :

« chances pour » = nombre de résultats favorables <u>pour</u> nombre de résultats défavorables

Si les résultats d'une expérience sont équiprobables, on utilise la formule suivante pour déterminer les « chances contre » d'un événement :

« chances contre » = nombre de résultats défavorables <u>contre</u> nombre de résultats favorables

Si l'on additionne le nombre de résultats favorables et le nombre de résultats défavorables (avant la simplification) d'une expérience aléatoire, on obtient le nombre de résultats possibles.

> **Exemple**
>
> Quelles sont les « chances pour » et les « chances contre » d'obtenir un facteur de 6 (1, 2, 3, 6) lors du lancer d'un dé à jouer?
>
> « chances pour » = nombre de résultats favorables <u>pour</u> nombre de résultats défavorables
> « chances pour » = 4 pour 2 = 2 pour 1
>
> « chances contre » = nombre de résultats défavorables <u>contre</u> nombre de résultats favorables
> « chances contre » = 2 contre 4 = 1 contre 2

Espérance mathématique

Soit une expérience aléatoire. L'espérance mathématique se calcule comme suit :
- multiplier chacune des valeurs de l'expérience par la probabilité d'obtenir cette valeur ;
- additionner la somme des produits obtenus.

Plus particulièrement, le calcul de l'espérance mathématique s'applique à une expérience impliquant des gains ou des pertes monétaires. En supposant une certaine mise de départ, trois situations sont possibles :

- si l'espérance mathématique de l'expérience est supérieure à la mise de départ, cette expérience vous est favorable ; à long terme, vous gagnerez de l'argent ;
- si l'espérance mathématique de l'expérience est inférieure à la mise de départ, l'expérience vous est défavorable ; à long terme, vous perdrez de l'argent ;
- si l'espérance mathématique de l'expérience est équivalente à la mise de départ, l'expérience ne vous est ni favorable ni défavorable ; à long terme, vous repartirez sans gains ni pertes.

Exemple

Un ami te propose un jeu. Il t'offre de miser 2 \$ et de te payer 5 \$ si tu obtiens un multiple de 3 (3, 6) lors du lancer d'un dé à jouer. Détermine l'espérance mathématique de ce jeu. Ce jeu t'est-il favorable? Espérance = 5 \$ • $(\frac{1}{3}) \approx$ 1,67 \$

L'espérance de ce jeu (1,67 \$) est inférieure à la mise de 2 \$: ce jeu t'est donc défavorable.

Les symboles

π	Pi $\approx$ 3,1416
•	multiplication
$\pm$	plus ou moins
$\approx$	est approximativement égal à
$\neq$	est différent de
<	est plus petit que
>	est plus grand que
$\leq$	est plus petit ou égal à
$\geq$	est plus grand ou égal à
∞	l'infini (+)
$-\infty$	moins l'infini
°	degrés
m	mètre
dm	décimètre
cm	centimètre
mm	millimètre
km	kilomètre
a	année
h	heure
min	minute
s	seconde
°C	degrés Celsius
$\sqrt{a}$	racine carrée de a
$\sqrt[n]{a}$	racine n^e de a
[x]	plus grand entier inférieur ou égal à x

|x|	valeur absolue de x
$\log_n$	logarithme de base n
log	logarithme de base 10
U	union
$\cap$	intersection
$\varnothing$	aucune réponse possible
[x, y]	intervalle incluant x et y
[x, y[	intervalle incluant x, mais pas y
]x, y]	intervalle incluant y, mais pas x
]x, y[	intervalle excluant x et y
⌐	angle droit
$\sin \theta$	sinus de l'angle θ
$\cos \theta$	cosinus de l'angle θ
$\tan \theta$	tangente de l'angle θ
$\overline{AB}$	segment AB
$\angle C$	angle C
O	centre d'un cercle
Σ	somme
EM	écart moyen
σ	écart type
x_i	i^e donnée
$\overline{x}$	moyenne des x_i
r	coefficient de corrélation linéaire
n !	n factorielle
P(A)	probabilité de l'événement A

1. En utilisant les lois des exposants, simplifie les expressions suivantes ; l'expression finale ne doit pas contenir d'exposants négatifs.

a) $\dfrac{x^2}{x^{-6}}$ = x^8

b) $2ab \bullet 5a^2b^3$ =

c) $3x^{-2}y^6 \bullet 0,25x^2y^{-3}$ = $0,75xy^3$

d) $6x \bullet 3x^3$ =

e) $\left(\dfrac{1}{21}\right)x^2y^2 \bullet 7x^{-3}y^{-2}$ = $\frac{1}{3}x^{-1}y \to \dfrac{\frac{1}{3}xy}{1}$

f) $16x^{a+4} \bullet y^5x^3$ =

g) $2^{a+b} \bullet 2^{a-b}$ = 2^{a^a}

h) $(a^2)^4 \bullet (b^3)^2$ =

i) $(x^2)^{-2} \bullet (y^3)^{\frac{1}{3}}$ = pareil

j) $5(x^2)^3 \bullet y \bullet 12(y^4)^2$ =

k) $(x^2)^{\frac{8}{12}} \div \sqrt[3]{x^6}$ = x^{15}

l) $\sqrt[4]{\sqrt{x^{32}}}$ =

m) $\sqrt{x} \bullet \sqrt[3]{x}$ = $\frac{1}{?}x$

n) $\dfrac{x^5}{x^6}$ =

o) $(8x^2y^3)^{\frac{1}{3}} \bullet (2x)^{-1}$ = $\dfrac{16xy}{1}$

p) $\left(\sqrt[4]{16a^2b^2}\right)^2$ =

q) $\dfrac{5a^3}{\left(b^2\right)^3} \div \left(\dfrac{b}{5a}\right)^2$ =

r) $a^{\frac{1}{4}} \bullet \left(a^{\frac{3}{8}}\right)^{\frac{2}{5}}$ =

2. Écris ces équations exponentielles sous la forme logarithmique.

a) $4^3 = 64$ $\log 4 = 3 = 64$

b) $y = \left(\dfrac{1}{3}\right)^x$ $\log \frac{1}{3}\ y = x$

c) $10^y = z$

$\log 10\ y = z$

3. Écris ces équations logarithmiques sous la forme exponentielle.

a) $\log_c x = y + 1$

$x^c = y+1$

b) $\log 1\,000 = 3$

pareil

c) $\log_3 9^2 = 4$

$3 \cdot 9 = 4$

4. En utilisant la loi des changements de base et le logarithme de base 10, calcule le résultat de :
(Arrondis au millième près, s'il y a lieu.)

a) $\log_8 27$ =

b) $\log_2 5$ =

c) $\log_{\frac{1}{3}} 7$ =

d) $\log_4 0,5$ =

exercice 1 «««««««««««««

Propriétés des exposants et des logarithmes

5. Résous algébriquement ces équations exponentielles. Arrondis au millième près, si nécessaire.

a) $2^x = 128$

b) $3^{x-1} = \dfrac{1}{27}$

c) $100^{x+1} = 1\,000$

d) $\left(\sqrt{5}\right)^{x+2} - 125 = 0$

e) $4^x = 48$

f) $\left(\dfrac{1}{49}\right)^{x-1} = \dfrac{1}{343}$

6. La relation suivante permet de prédire l'évolution de la population (P) d'un village dont le taux de croissance est de x:

$$P = P_0(1 + x)^t$$

Où : P_0 = population en 2010
x = taux de croissance
t = nombre d'années après 2010

a) Sachant qu'en 2010, la population d'un certain village était de 10 000 habitants et que le taux de croissance de sa population est de 3,5 %, précise la nature de la relation ci-dessus en remplaçant P_0 et x par leurs valeurs respectives.

b) Quelle sera la population de ce village en 2011 ?

c) Quelle sera la population de ce village en 2020 ?

d) Quelle était la population de ce village en 2000, sachant que sa croissance obéissait à la règle observée après 2010 ?

e) Le village pense poser sa candidature aux Jeux du Québec lorsque sa population aura atteint 12 500 habitants. En quelle année cela sera-t-il possible ?

f) En quelle année la population du village aura-t-elle doublé par rapport à celle de 2010 ?

test

1. Sachant que $\log_a p = m$ équivaut à l'équation exponentielle $a^m = p$, détermine si les équations exponentielles sont vraies ou fausses.

    a) $\log_2 16 = 4$

    b) $\log 100 = 10$

2. Résous les deux équations suivantes. Arrondis au millième près.

    a) $5^x = 4^{2x+1}$

    b) $7^{x+3} = 18$

3. Simplifie les deux expressions suivantes tout en t'assurant que leurs exposants sont positifs.

    a) $(4x^3y)^{\frac{1}{2}} \bullet \sqrt[3]{8xy^2}$

    b) $(-3x^3y^{-2})^{-2} \bullet (9x^2y^3)^4$

4. La valeur (V) d'une voiture diminue de 15 % par année, obéissant ainsi à la relation suivante :

$$V = V_0(0{,}85)^t$$

Combien d'années (t) après l'achat une voiture neuve de 22 000 \$ (V_0) atteindra-t-elle 20 % de sa valeur initiale ? Arrondis au millième près.

exercice 2 «««««««««««««

Opérations sur des expressions algébriques

1. Développe et simplifie les expressions algébriques suivantes.

a) $4a^2(6b - 2ab)$	b) $(5x + 2y^2 - 3) \bullet -0{,}5x$
c) $(a^2 - b)(-3a - 5b^2 + 1)$	d) $(5x^2 + 2)(3x + y - 8)$
e) $(x + 2y + 1)(x - 2)$	f) $(x - y - 1)(x - 1)$
g) $(x + y + 1)(10x - 11)$	h) $(3x + 3y + 3xy)(x - 1)$
i) $(8xy + 4x - 2y)(xy^2 + 1)$	j) $(a + b)(a - b)$
k) $5a\left(\dfrac{8a}{3}\right)$	l) $(2x + 3)^2$
m) $(a^2 + b^2)^3$	n) $(2x - 6xy + 3)^2$
o) $(y - 1)^2$	p) $\dfrac{5x^4 + 15x^2}{5x}$

2. Détermine le quotient des divisions suivantes. Indique le reste, s'il y a lieu.

a) $(x^2 + 9x + 20{,}25) \div (x + 4{,}5)$	b) $(x^2 - 16) \div (x + 4)$
c) $(x^2 + x + 1) \div (x + 1)$	d) $(x^2 - 5x + 2) \div (2x + 1)$
e) $(x^3 + 1) \div (x + 1)$	f) $(x^2 + 4xy + 3x + 4y^2 + 6y) \div (x + 2y)$
g) $(5x^3 + 7x^2 - 2x + 8) \div (x + 2)$	h) $(4x^3 + 7x + 24) \div (2x + 3)$
i) $(3a^2 - 2a^2b + 3a - 2ab) \div (a + 1)$	j) $(5x^2 + 16x + 3) \div (x + 3)$

exercice 2 «««««««««««««««

Opérations sur des expressions algébriques

3. Détermine sous sa forme développée l'expression algébrique représentant l'aire d'un carré dont la mesure d'un côté est de $(x + 4)$ cm.

4. Détermine la hauteur d'un rectangle si son aire et sa base mesurent respectivement $(2x^2 + 5x + 3)$ cm² et $(2x + 3)$ cm.

5. Soit un cylindre dont la hauteur mesure $(x - 2)$ m et dont le diamètre de la base mesure $(2x + 2)$ m.

a) Détermine le volume de ce cylindre.	b) Détermine l'aire totale de ce cylindre.

6. On installe une maison rectangulaire de dimensions $(3x + 1)$ m • $(3x - 1)$ m sur un terrain carré de $(4x + 3)$ m de côté. Calcule l'aire du terrain inoccupée par la maison.

7. Exprime algébriquement l'aire d'un triangle dont la hauteur mesure $(2x + 4)$ cm et dont la base est trois fois plus longue que sa hauteur.

test

1. Développe et simplifie les expressions algébriques suivantes.

a) $(x - 2)^2 - 16$	b) $(3x + 3)^2(x + 1)$

2. Détermine le quotient des divisions suivantes.

a) $(12a^2 - 7ax - 12x^2) \div (3a - 4x)$	b) $(6x^3 + 13x^2 - 73x + 60) \div (3x^2 + 11x - 20)$

3. Soit le trapèze suivant :

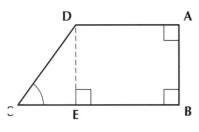

$m\ \overline{CE} = x + 2$

$m\ \overline{AD} = 2x + 5$

$m\ \overline{AB} = 2x - 4$

a) Quelle expression algébrique correspond à la longueur du côté CD ?

b) Quelle expression algébrique correspond à l'aire de la figure ?

exercice 3 «««««««««««««

Factorisation de polynômes

1. Factorise complètement les polynômes suivants.

a) $x^2 - 2x + 1$	b) $49 - b^4$
c) $9x^2y^2 - 100$	d) $100x^4 + 180x^2 + 81$
e) $12ab + 24a^2 - 2b - 4a$	f) $18x^4 + 6x^3 - 3xy - y$
g) $x^4 - 16$	h) $28xyz^2 - 4xy + 7z^4 - z^2$
i) $2x^3y - 6xy - 4x^2y + 12y$	j) $32x^2 - 50$
k) $(x + 2)^2 - 9$	l) $a^3 - a$
m) $x^2 - (x + y)^2$	n) $8x^3 + 8x$
o) $(a + b)^2 - (a - b)^2$	p) $6xy - 12x + 18y - 36$

2. À l'aide de la factorisation, simplifie les expressions rationnelles suivantes.

a) $\dfrac{12x^2 - 15xy}{8xy - 10y^2}$	b) $\dfrac{2x - 4}{2x + 4}$
c) $\dfrac{2x^2 - 2xy + x - y}{4x^2 + 4x + 1}$	d) $\dfrac{12x^3 + 8x^2}{27x^2 + 18x}$
e) $\dfrac{xy + 5x + y + 5}{y^2 + 10y + 25}$	f) $\dfrac{(x+3)^2 - 16}{x^2 - 1}$
g) $\dfrac{x^3 - 9x}{x^2 + 6x + 9}$	h) $\dfrac{16x^3 - 24x}{4x^4 - 9}$
i) $\dfrac{4x^2 - 9}{(2x+3)(4x^2 + 9x)}$	j) $\dfrac{5x^2 - x^5 + 15x - 3x^4}{2x^2 y + x^2 + 6xy + 3x}$

exercice 3 «««««««««««««««

Factorisation de polynômes

3. Simplifie les expressions rationnelles suivantes.

a) $\dfrac{15x-30}{2x} \bullet \dfrac{3x^2}{5x-10}$	b) $\dfrac{x+1}{x-1} \div \dfrac{10x^2}{5x-10}$
c) $x-2+\dfrac{x+1}{x-1}$	d) $\dfrac{(x-1)(x+2)}{x^2+4x+4}$
e) $\dfrac{5}{x+3} - \dfrac{5}{(x+3)^2}$	f) $\dfrac{2a+3}{a^2-1} + \dfrac{5}{a+1}$
g) $\dfrac{\left(\dfrac{10x+30}{x+2}\right)}{\left(\dfrac{15+5x}{(x+2)^2}\right)}$	h) $\dfrac{1}{a+3} \bullet \dfrac{9-a^2}{a+5} \bullet \dfrac{5+a}{a-3}$
i) $\dfrac{2x}{x+1} - \dfrac{3x}{x-3}$	j) $\dfrac{5}{x} - \dfrac{2}{x+3}$

test

1. Factorise complètement les expressions suivantes.

a) $2x^2y - 7xy^2 + 4xy - 14y^2$	b) $8x^2 - 48x + 72$
c) $121x^2 - 144y^2$	d) $(x-5)^2 - 25$
e) $x^5 - x$	f) $6x^2 + 10 - 2x^2 - 19$

2. Simplifie les expressions rationnelles suivantes à l'aide de la factorisation.

a) $\dfrac{x^2 - 16}{x^2 - 8x + 16}$	b) $\dfrac{100x^4y^4 - 81x^2y^2}{100x^4y^4 + 81x^2y^2}$

3. Simplifie les expressions rationnelles suivantes.

a) $\dfrac{1}{2\left(x^2 - 4\right)} + \dfrac{1}{x\left(x^2 - 4x + 4\right)}$	b) $\dfrac{a+2}{a^2 - 25} + \dfrac{10}{a+5} - \dfrac{8}{a-5}$

exercice 4 «««««««««««««

Inéquations du 1ᵉʳ degré à deux variables

1. Isole la variable y dans chacune des inéquations ci-dessous.

a) $3x + y > 5$	b) $4x - y \geq 8$	c) $2x - 3y + 6 < 0$
d) $\frac{3}{2}x \leq 3y + 15$	e) $0,5y > -3x - 12$	f) $1 - 3y + 7 \geq 8$

2. Détermine l'inéquation représentée par la zone hachurée des plans cartésiens ci-dessous.

a) 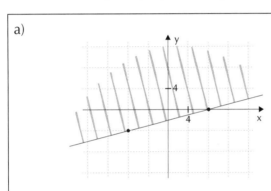	b) 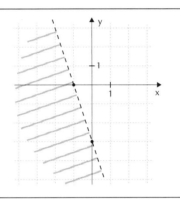
Démarche	Démarche

3. Représente l'ensemble solution associé à l'inéquation $y < \frac{5}{3}x - 1$.

Table de valeurs et calculs	

4. Détermine graphiquement l'ensemble solution associé à chacune des inéquations ci-dessous.

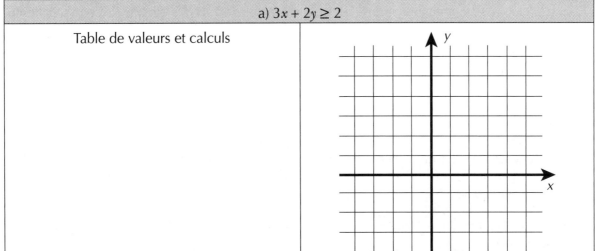

a) $3x + 2y \geq 2$

Table de valeurs et calculs

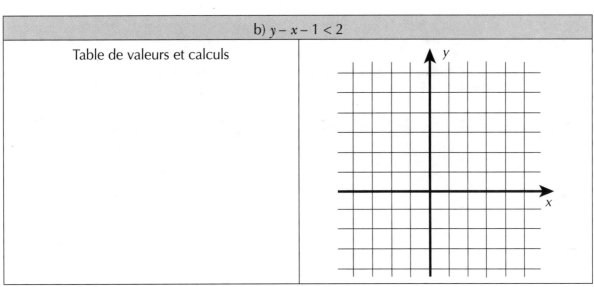

b) $y - x - 1 < 2$

Table de valeurs et calculs

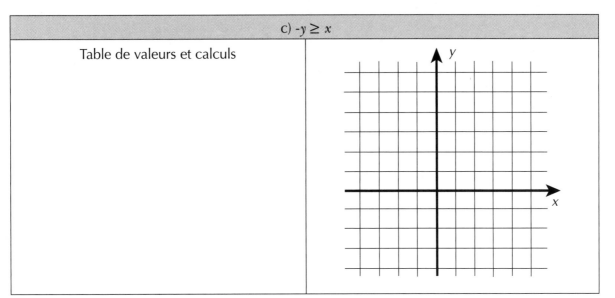

c) $-y \geq x$

Table de valeurs et calculs

exercice 4 «««««««««««««

Inéquations du 1er degré à deux variables

5. On désire construire un jardin triangulaire et un jardin rectangulaire. Le triangle formé par le premier jardin est équilatéral, et le côté de ce jardin est congru à la largeur du jardin rectangulaire. Sachant que la clôture entourant ces jardins doit mesurer moins de 100 mètres, traduis cette situation par une inéquation.

6. Jacinthe veut s'acheter un billet de cinéma à 7,50 $. Pour ce faire, elle décide de vendre de la limonade sur le coin de la rue. Sachant qu'un petit verre de limonade rapporte 0,25 $ et qu'un grand verre rapporte 0,50 $:

a) détermine l'inéquation représentant cette situation, sachant que Jacinthe veut cumuler au moins 7,50 $.

b) détermine graphiquement l'ensemble solution de cette inéquation, sachant que les deux variables sont supérieures ou égales à 0.

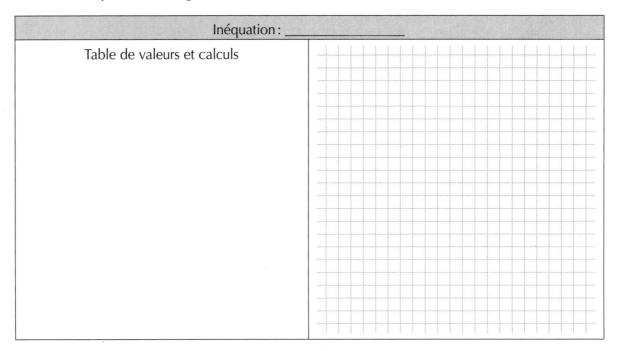

Inéquation : _____	
Table de valeurs et calculs	

c) Jacinthe sait qu'elle vendra environ 6 grands verres de limonade. Combien de petits verres de limonade devra-t-elle vendre au minimum pour atteindre son objectif ?

test

1. Représente graphiquement sur le même plan cartésien les deux inéquations suivantes :

$$y > 2x + 2$$
$$16x - 8y - 8 \geq 0$$

Table de valeurs et calculs	
	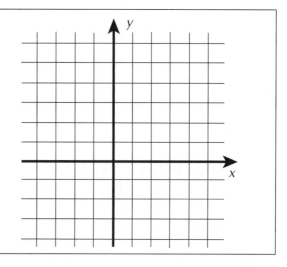

2. Un couple possède deux voitures : une petite voiture économique qui consomme 0,08 litre d'essence au kilomètre, et une jeep dont la consommation est de 0,12 litre d'essence au kilomètre. Pour chaque mois, ce couple ne veut pas consommer plus de 400 litres d'essence.

   a) Traduis cette situation par une inéquation du 1er degré à deux variables.

   b) Transforme l'inéquation ci-dessus en isolant la valeur de y, en supposant que cette dernière variable représente la distance parcourue par la jeep.

   c) La petite voiture a parcouru 5 000 km au mois de janvier. Qu'en est-il de l'utilisation de la jeep pendant ce mois, en sachant que la limite maximale d'essence consommée n'a pas été dépassée ?

exercice 5 «««««««««««««

Systèmes d'équations du 1er degré à deux variables

1. Détermine le couple solution des systèmes de deux équations suivants.

a) $y = 2x + 4$ et $y = 5x - 20$	b) $y = 0{,}25x - 3$ et $x = 0{,}25y - 3$
c) $3x - y = 8$ et $4x + 4y = 12$	d) $10x - 25y + 5 = 0$ et $y = x + 5$
e) $x = 4$ et $2x + 3y = 14$	f) $2x - y = 10$ et $y - 4 = 0$

2. Détermine le point de rencontre des paires de droites suivantes.

a) $2y = -\dfrac{2}{3}x + 4$ et $2x - 6y = 9$	b) $y = \dfrac{3}{2}x + \dfrac{1}{4}$ et $3y - 4 = x + 8$
c) $2y = 3x$ et $2y - 9 = 6x + 4$	d) $\dfrac{x}{5} + \dfrac{y}{2} = 1$ et $6x = 5y - 8$
e) $8y = 16x$ et $x = 5y - 9$	f) $6 - 2x = 3y$ et $y = 0$

3. Dans une pâtisserie, Micheline doit débourser 6,75 $ pour acheter trois muffins et cinq beignes. Quant à Pauline, l'achat de quatre beignes et de quatre muffins lui coûte 7,00 $. Détermine ce que Marie devra dépenser si elle achète une douzaine de beignes et un seul muffin.

4. Un spectacle de marionnettes dans une salle de 500 sièges affiche complet. Sachant que la vente de billets a généré des revenus de 2 250 $, combien d'adultes assisteront au spectacle sachant que le prix d'un billet adulte est de 5 $ et que le prix d'un billet enfant est de 3 $?

5. L'enclos d'un éleveur est occupé par des cerfs de Virginie et des orignaux. Le nombre total d'animaux dans l'enclos s'élève à 80. Si le nombre d'orignaux triplait et celui des cerfs de Virginie doublait, l'enclos contiendrait 186 bêtes. Combien y a-t-il d'animaux de chaque espèce dans l'enclos?

test

1. Résous chacun des deux systèmes d'équations suivants.

a) $2y = 6 - 8x$ et $y = 5x + 12$	b) $5x + 8y = -2$ et $-3x - 6y = 7$

2. Une compagnie téléphonique offre à Carole-Anne deux tarifs différents d'appels interurbains en fonction du moment de l'appel : les jours de la semaine et les fins de semaine.

   Pendant le mois de février, Carole-Anne a payé 13,80 $ pour deux heures et demie d'appels interurbains, dont une heure pendant les fins de semaine.

   Pendant le mois de mars, Carole-Anne a payé 11,70 $ pour deux heures et demie d'appels d'interurbains, dont une heure pendant les jours de la semaine.

   Quel est le tarif à la minute des appels effectués pendant la semaine et pendant la fin de semaine ?

exercice 6 ««««««««««««««««

Équations et inéquations avec racine carrée

1. S'il y a lieu, détermine la valeur de x dans les équations suivantes.

a) $\sqrt{x} = 15$	b) $\sqrt{x} = -8$
c) $-\sqrt{x} = -4$	d) $-\sqrt{x} = 1$
e) $\sqrt{x} = 0$	f) $-\sqrt{x} = 0$
g) $\sqrt{2x} = 12$	h) $\sqrt{-\dfrac{1}{3}x} = 9$
i) $\sqrt{-0,25x} = -5$	j) $3\sqrt{x} = 8$
k) $-5\sqrt{x} = 7$	l) $-\dfrac{2}{7}\sqrt{x} = -0,5$
m) $-6\sqrt{x} = 18$	n) $2\sqrt{2x} = 4$
o) $-3\sqrt{-5x} = -10$	p) $50\sqrt{-2x} = 1\,150$
q) $-5\sqrt{0,45x} = 5$	r) $-\dfrac{5}{6}\sqrt{-2x} = 12$

2. S'il y a lieu, détermine l'intervalle représentant la solution de ces inéquations.

a) $\sqrt{x} < 8$	b) $5\sqrt{x} > 12$
c) $-\sqrt{x} \geq -7$	d) $-\sqrt{x} \leq 2$
e) $\sqrt{x} \leq 0$	f) $-\sqrt{x} < 0$
g) $\sqrt{4x} \geq 13$	h) $\sqrt{-\frac{2}{7}x} > 5$
i) $-10\sqrt{1,8x} < 10$	j) $-\frac{4}{3}\sqrt{-4x} \geq 24$
k) $-4\sqrt{x} \leq 9$	l) $-\frac{2}{11}\sqrt{x} > -0,88$
m) $-6\sqrt{-12x} \geq -24$	n) $11\sqrt{-11x} < 22$

3. Il est possible de déterminer le diamètre (D) d'un cercle si l'on connaît la mesure de son aire (A):

$$D = \sqrt{\frac{4A}{\pi}}$$

Calcule l'aire d'un cercle dont le diamètre mesure 13 cm. Arrondis au centième près.

4. Cette relation représente l'équation d'une demi-parabole dans un plan cartésien:

$$y = -2\sqrt{6x}$$

Détermine la coordonnée manquante des points ci-dessous de la parabole.

a) $(x, -3)$	b) $(x, 0)$
c) $(x, -10)$	d) $(x, 3)$

5. Il est possible d'obtenir une relation entre la distance parcourue (d) et le temps (t) pour une voiture accélérant à vitesse constante. Par exemple, pour une voiture accélérant constamment de 0 à 90 km/h en 4 secondes, on obtient la relation suivante:

$$t = \sqrt{\frac{d}{3,125}}$$

où d se mesure en mètres et t se mesure en secondes. Détermine la distance parcourue par la voiture entre la deuxième et la quatrième seconde.

test

---

1. Résous les équations et les inéquations suivantes.

a) $4\sqrt{4x} = 2$	b) $-0,5\sqrt{x} = \dfrac{7}{2}$
c) $-1,8\sqrt{10x} < 1,8$	d) $-24\sqrt{-18x} \geq -6$
e) $-\sqrt{x} = -225$	f) $50\sqrt{-2x} = 100$
g) $\sqrt{13x} \geq 4$	h) $-\sqrt{x} \leq 10$

2. Pour déterminer le rayon (r) d'une sphère à partir de sa surface exposée (A), il est possible d'utiliser la relation suivante :

$$r = \sqrt{\dfrac{A}{4\pi}}$$

Si le diamètre d'une sphère mesure 80 cm, détermine la surface de cette sphère en mètres carrés (m²). Arrondis au millième près.

exercice 7 «««««««««««««««««

Équations et inéquations du 2e degré à une variable

1. Résous les équations suivantes. Arrondis au millième près, s'il y a lieu.

a) $x^2 = 16$	b) $x^2 = 48$
c) $x^2 = 0$	d) $x^2 = -7$
e) $4x^2 = 400$	f) $5x^2 = 90$
g) $x^2 = \dfrac{3}{7}$	h) $0{,}24x^2 = 15{,}6$
i) $(5x)^2 = 25$	j) $(-3x)^2 = 10$
k) $-(2x)^2 = -72$	l) $-4(-6{,}5x)^2 = 33$

2. Résous les inéquations suivantes. Arrondis au millième près, s'il y a lieu.

a) $0,38x^2 < 1,33$	b) $(11x)^2 \geq 121$
c) $x^2 \leq \dfrac{9}{16}$	d) $-(5x)^2 > -625$
e) $-4(-6,5x)^2 < 33$	f) $x^2 \leq -15$

exercice 7 «««««««««««««

3. Pour asphalter un espace de stationnement, le coût est de 50 $/m².

   a) Détermine la relation qui existe entre le coût total (C) d'un travail d'asphaltage et le côté (c) d'un terrain de stationnement de forme carrée. Identifie les unités de mesure des deux variables.

   b) Détermine la mesure du côté d'un terrain de stationnement de forme carrée dont le travail d'asphaltage a nécessité un déboursé de 1 500 $? Arrondis au millième près.

   c) Quelle peut être l'aire d'un terrain de stationnement de forme carrée si le travail d'asphaltage a nécessité un déboursé minimal de 2 000 $?

4. Chaque base d'un cylindre est formée d'un cercle de rayon r.

   a) Détermine la relation qui existe entre r et la somme des aires des deux bases (A$_b$) du cylindre.

   b) Détermine le rayon en centimètres de la base d'un cylindre dont l'aire d'une seule base mesure 50 cm². Arrondis au millième près.

   c) Détermine la circonférence de la base d'un cylindre dont l'aire d'une seule base mesure 100 m². Arrondis au centième près.

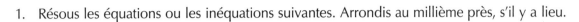
test

1. Résous les équations ou les inéquations suivantes. Arrondis au millième près, s'il y a lieu.

a) $(-4x)^2 = 144$	b) $-(2{,}5x)^2 = -5$	c) $13(13x)^2 \geq 169$

2. Pendant les premières secondes de son décollage, une navette spatiale accélère (a) à un taux constant d'environ 8,3 m/s². À ce titre, il est possible de prévoir la hauteur (h) de la navette en fonction du temps passé depuis le décollage (t):

$$h = 0{,}5at^2$$

où h se mesure en mètres et t en secondes. Détermine le temps requis à la navette pour atteindre une hauteur de: (Arrondis au millième près.)

a) 10 mètres.	b) 100 mètres.

exercice 8 «««««««««««««

Propriétés des fonctions

1. Détermine les propriétés des fonctions suivantes, représentées sur un plan cartésien.

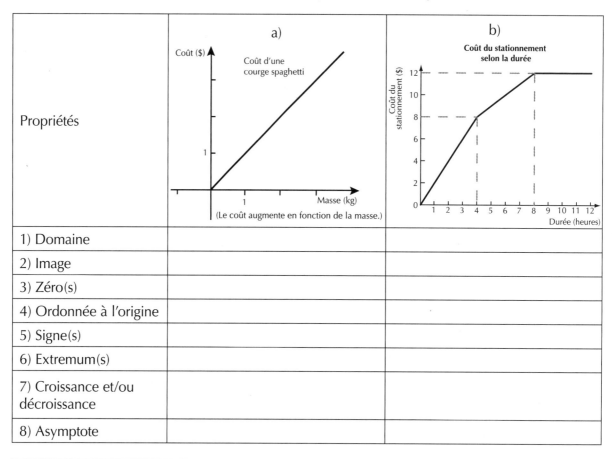

Propriétés	a) Coût d'une courge spaghetti (Le coût augmente en fonction de la masse.)	b) Coût du stationnement selon la durée
1) Domaine		
2) Image		
3) Zéro(s)		
4) Ordonnée à l'origine		
5) Signe(s)		
6) Extremum(s)		
7) Croissance et/ou décroissance		
8) Asymptote		

Propriétés	c)	d)
1) Domaine		
2) Image		
3) Zéro(s)		
4) Ordonnée à l'origine		
5) Signe(s)		
6) Extremum(s)		
7) Croissance et/ou décroissance		
8) Asymptote		

2. Détermine les propriétés des fonctions suivantes, représentées sur un plan cartésien.

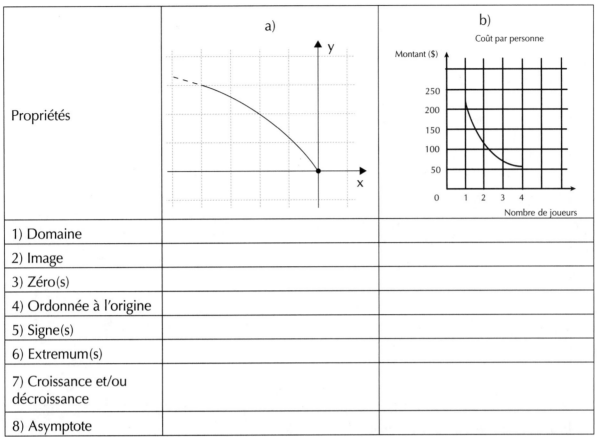

Propriétés	a)	b)
1) Domaine		
2) Image		
3) Zéro(s)		
4) Ordonnée à l'origine		
5) Signe(s)		
6) Extremum(s)		
7) Croissance et/ou décroissance		
8) Asymptote		

Propriétés	c)	d)
1) Domaine		
2) Image		
3) Zéro(s)		
4) Ordonnée à l'origine		
5) Signe(s)		
6) Extremum(s)		
7) Croissance et/ou décroissance		
8) Asymptote		

exercice 8 «««««««««««««

Propriétés des fonctions

3. Pour un père de famille, faire du vélo avec ses enfants ne lui permet pas de brûler beaucoup de calories. En fait, on estime que dans un tel contexte, une personne adulte brûle 20 calories par tranche de 15 minutes de vélo pour une promenade en vélo ne dépassant pas une heure complète.

a) Illustre graphiquement cette situation, sachant que la variable indépendante est représentée par le nombre de minutes de vélo et que la variable dépendante est représentée par le nombre de calories brûlées.

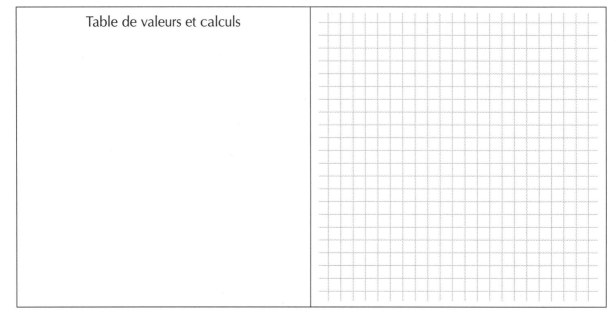

Table de valeurs et calculs

b) Détermine le domaine et l'image de la fonction.

c) La fonction possède-t-elle un minimum ? Si oui, lequel ?

d) Détermine le maximum de cette fonction. Que représente-t-il ?

e) La fonction est-elle croissante ou décroissante ? D'après le contexte du problème, est-ce logique ? Pourquoi ?

f) Détermine le zéro de la fonction. Est-ce logique ? Pourquoi ?

g) Si la promenade en vélo dure un minimum de 30 minutes, quel est l'impact sur l'ensemble des propriétés ci-dessus ?

test

1. Détermine les propriétés des fonctions suivantes, représentées sur un plan cartésien.

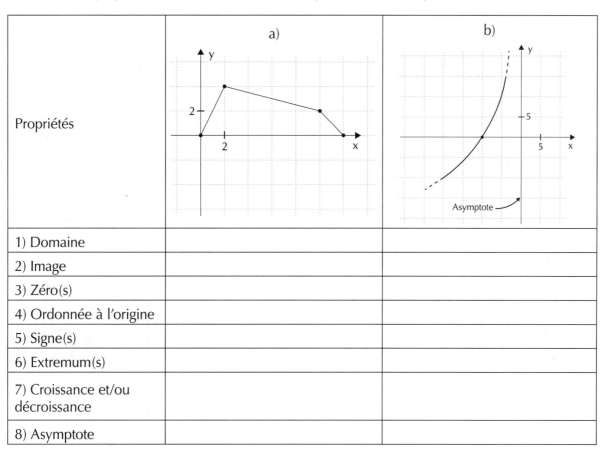

Propriétés	a)	b)
1) Domaine		
2) Image		
3) Zéro(s)		
4) Ordonnée à l'origine		
5) Signe(s)		
6) Extremum(s)		
7) Croissance et/ou décroissance		
8) Asymptote		

2. Le graphique ci-dessous représente une fonction exponentielle décrivant la croissance d'un montant (M) placé de 1 000 $ que l'on soumet à un taux d'intérêt annuel de 5 % pendant 6 ans. Détemine les propriétés demandées.

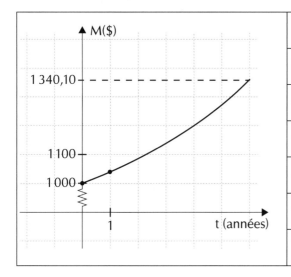

1) Domaine :	
2) Image :	
3) Ordonnée à l'origine :	
4) Zéro(s) :	
5) Signe(s) :	
6) Extremum(s) :	
7) Croissance et/ou décroissance :	

exercice 9 «««««««««««««««

Fonctions polynomiales du 2ᵉ degré

1. Détermine les caractéristiques des fonctions suivantes.

	a) $f(x) = 3(-0,5x)^2$	b) $f(x) = -4x^2$
1) Paramètre a		
2) Paramètre b		
3) Sommet		
4) Ordonnée à l'origine		
5) Axe de symétrie (équation)		
6) Extremum		
7) Zéro		
8) Croissance et décroissance		
9) Domaine		
10) Image		
11) Signe		

2. Trace la parabole représentative de la fonction $y = 2(2x)^2$:

Table de valeurs et calculs	

3. Détermine la valeur du paramètre a de la fonction polynomiale du 2ᵉ degré ($f(x) = ax^2$; $b = 1$) représentée par la table de valeurs ci-dessous. Complète la donnée manquante.

$$a = \underline{\hspace{2cm}}$$

x	-2	-1	0	1	2	3
$f(x)$	-16	-4	0	-4	-16	?

4. Détermine la valeur du paramètre a pour chacune des courbes ci-dessous, représentant des fonctions polynomiales du 2ᵉ degré ($f(x) = ax^2$; $b = 1$).

a) $a =$ _____

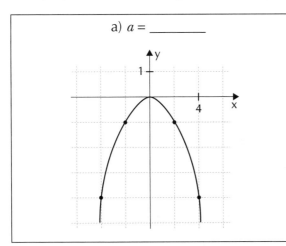

b) $a =$ _____

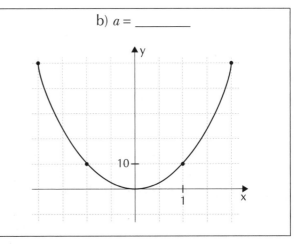

5. Représente l'ensemble solution des inéquations suivantes.

a) $y \leq -(10x)^2$

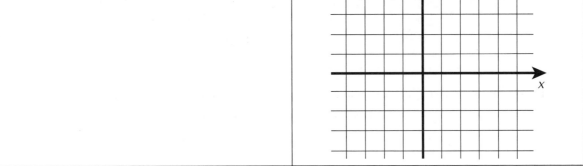

Table de valeurs et calculs

b) $y > x^2$

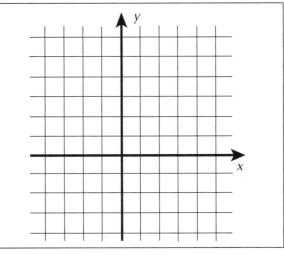

Table de valeurs et calculs

6. Pour gazonner une cour arrière de forme carrée, il est nécessaire de débourser 2,50 $ par mètre carré de surface.

a) Détermine une fonction polynomiale du 2e degré ($b = 1$) mettant en relation le montant total à débourser (M) et la mesure du côté (c) du carré formant la cour arrière ; identifie bien les unités de mesure.

b) Sachant que la mesure du côté du terrain ne peut être négative, trace un graphique pour des valeurs de c variant de 0 à 50 mètres.

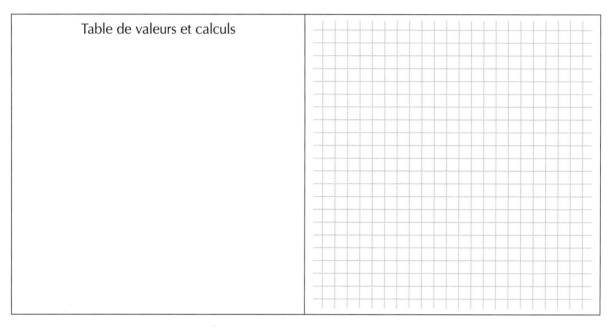

Table de valeurs et calculs

c) Détermine les caractéristiques suivantes de cette fonction.

1) Paramètre a	
2) Ordonnée à l'origine	
3) Extremums	
4) Croissance et décroissance	
5) Domaine	
6) Image	

d) Détermine le périmètre d'un terrain de forme carrée pour lequel la pose de gazon a coûté 1 322,50 $.

test

1. Un objet en mouvement possède une énergie cinétique (E_k) due à ce mouvement. Cette énergie est proportionnelle à la masse de l'objet (m), ainsi qu'au carré de sa vitesse (v), suivant ainsi la relation suivante :

$$E_k = \frac{1}{2}mv^2$$

où E_k se mesure en joules (J), m en kilogrammes (kg) et v en mètres par seconde (m/s).

a) Trace un graphique représentant cette relation pour une Smart dont la masse est de 750 kg, pour des vitesses allant de 0 à 30 m/s.

Table de valeurs	

b) Quelle est la valeur du paramètre a dans cette situation ?

c) Quelle est l'image de cette fonction ?

d) À quelle vitesse devrait rouler une motocyclette de 250 kg pour qu'elle possède la même énergie cinétique qu'une Smart roulant à 30 m/s ? Arrondis au centième près.

exercice 10 <<<<<<<<<<<<<<<<<

Fonction racine carrée

1. Détermine les caractéristiques des fonctions suivantes.

	a) $f(x) = 2\sqrt{5x}$	b) $f(x) = -\frac{2}{3}\sqrt{-\frac{9}{7}x}$
1) Paramètre a		
2) Paramètre b		
3) Sommet		
4) Ordonnée à l'origine		
5) Extremum		
6) Zéro		
7) Croissance et décroissance		
8) Domaine		
9) Image		
10) Signe		

	c) $f(x) = -\sqrt{0,5x}$	d) $f(x) = \sqrt{-x}$
1) Paramètre a		
2) Paramètre b		
3) Sommet		
4) Ordonnée à l'origine		
5) Extremum		
6) Zéro		
7) Croissance et décroissance		
8) Domaine		
9) Image		
10) Signe		

2. Compléter les tables de valeurs suivantes.

a) $y = 6\sqrt{0,5x}$	
x	y
-1	a
0	b
c	12
18	d
e	24

b) $y = 8\sqrt{-x}$	
x	y
-100	a
b	16
-1	c
d	0
2	e

3. Trace la courbe représentative de chacune des fonctions suivantes.

a) $y = 2\sqrt{x}$

Table de valeurs	

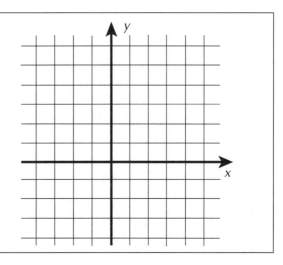

b) $y = -\sqrt{-x}$

Table de valeurs	

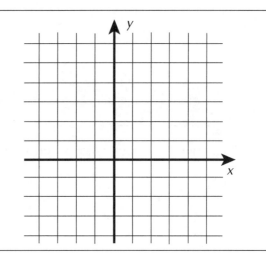

c) $y = -0,2\sqrt{4x}$

Table des valeurs	

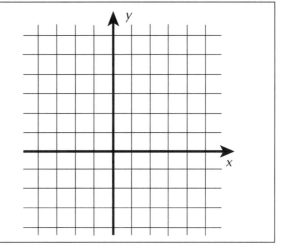

exercice 10 «««««««««««««

Fonction racine carrée

4. La période (T) d'un pendule correspond au temps requis par celui-ci pour effectuer un aller-retour complet. Cette période ne dépend que de la longueur du pendule, comme le démontre la relation suivante :

$$T = 2\pi\sqrt{\frac{L}{g}}$$

où T se mesure en secondes (s) et L en mètres (m). La lettre g représente une constante reliée à la planète sur laquelle le pendule est en opération. Sur Terre, elle vaut environ 10 m/s^2.

a) Trace un graphique de cette relation, en supposant que g = 10 m/s^2.

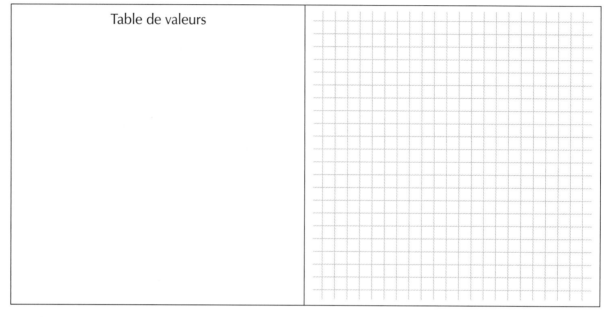

Table de valeurs

b) Détermine les caractéristiques suivantes de cette fonction.

1) Paramètre a	
2) Paramètre b	
3) Ordonnée à l'origine	
4) Croissance et décroissance	

c) Si le pendule du professeur Tournesol mesure 12 cm, combien de temps prend-il pour faire 10 allers-retours ? Arrondis au millième près.

d) Quelle est la longueur d'un pendule dont la période est égale à 8 secondes ? Arrondis au centième près.

test

1. Contrairement aux liquides, la viscosité des gaz augmente avec la température. Par exemple, la viscosité de l'air (μ) en fonction de la température (T) varie selon la relation suivante :

$$\mu = 14\sqrt{T}$$

où μ se mesure en centipoises (cP) et T en kelvins (K).

a) Trace un graphique représentant cette relation pour des températures variant de -73 °C (200 K) à 127 °C (400 K).

Table de valeurs	

b) Dans ce contexte, la fonction possède-t-elle à la fois un minimum et un maximum ? Précise.

c) La température maximale atteinte par un four est d'environ 500 °F, ce qui correspond à 260 °C (533 K). Quelle est la viscosité de l'air dans le four à cette température ? Arrondis au dixième près.

d) À quelle température l'air atteint-il une viscosité de 500 cP ? Arrondis à l'unité près.

exercice 11 «««««««««««««

Fonction exponentielle

1. Détermine les caractéristiques des fonctions exponentielles suivantes.

	a) $f(x) = 2(3)^{4x}$	b) $f(x) = -3\left(\frac{4}{7}\right)^{-x}$
1) Paramètre a		
2) Paramètre b		
3) Paramètre c		
4) Ordonnée à l'origine		
5) Croissance et décroissance		
6) Domaine		
7) Image		
8) Signe		

	c) $f(x) = (0,9)^{4x}$	d) $f(x) = 1000(2)^{x}$
1) Paramètre a		
2) Paramètre b		
3) Paramètre c		
4) Ordonnée à l'origine		
5) Croissance et décroissance		
6) Domaine		
7) Image		
8) Signe		

2. Représente graphiquement la fonction $y = 50\ 000(2)^{0,5x}$.

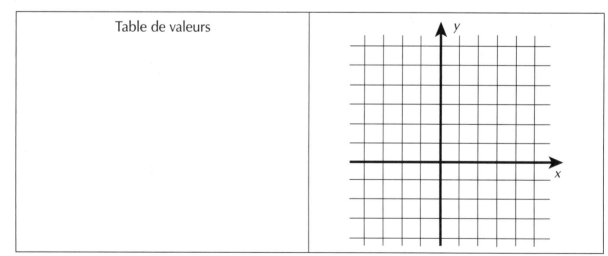

Table de valeurs

3. Dans un quartier résidentiel, la valeur d'une maison augmente de 2 % en moyenne par année. Donc, une maison valant x $ en 2008 vaudrait 1,02x $ en 2009.

a) Détermine une fonction exponentielle déterminant la valeur de la maison à partir de 2008, année pendant laquelle la maison valait 150 000 $; identifie bien les variables et les unités de mesure.

b) S'il s'avère nécessaire de vendre la maison en 2018, quel prix pourrait être offert par un éventuel acheteur ?

c) À ce rythme, en quelle année la maison vaudra-t-elle le double de sa valeur de 2008 ?

4. Une voiture se déprécie de 20 % par année, c'est-à-dire qu'elle vaut présentement 80 % (100 % – 20 % = 80 %) de ce qu'elle valait il y a une année.

a) Construis une fonction exponentielle déterminant la valeur (V) d'une voiture neuve de 20 000 $ achetée en 2010, en fonction du temps (t) ; identifie bien les unités de mesure. Arrondis au millième près.

b) Combien d'années précisément sont nécessaires pour que la valeur d'une voiture atteigne la moitié de sa valeur à neuf ? Arrondis au millième près.

c) Est-il possible que la valeur de cette voiture n'équivaille plus rien ? Explique.

d) À quel prix le propriétaire de la voiture peut-il espérer la vendre en 2020 ?

5. La population d'une bactérie, initialement estimée à 1 000 individus, double toutes les 30 minutes.

   a) Détermine une fonction exponentielle mettant en relation le nombre de bactéries (n) et le temps (t) en heures.

   b) Trace un graphique de cette fonction.

Table de valeurs	

   c) Détermine les caractéristiques suivantes de cette fonction.

1) Paramètre a	
2) Paramètre b	
3) Paramètre c	
4) Ordonnée à l'origine	
5) Croissance et décroissance	
6) Domaine	
7) Image	
8) Signe	

   d) Quelle population de bactéries sera atteinte 90 minutes après le début de la reproduction ?

   e) On désire stopper la reproduction des bactéries lorsque leur population aura atteint 100 000 individus. Quand cela sera-t-il possible ? Arrondis au millième près.

test

1. Déternime les caractéristiques et trace le graphique de la fonction $y = 3(0{,}25)^{-2x}$.

1) Paramètre a		9) Graphique
2) Paramètre b		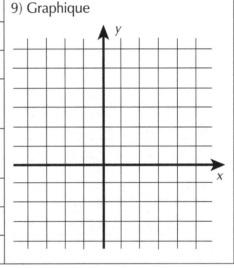
3) Paramètre c		
4) Ordonnée à l'origine		
5) Croissance et décroissance		
6) Domaine		
7) Image		
8) Signe		

2. Dans un réacteur, la masse (m) d'un réactif diminue de moitié à toutes les 20 minutes.

   a) Détermine une fonction mettant en relation la masse du réactif en grammes et le temps (t) en heures, si la masse initiale du réactif est de 20 grammes.

   b) Quelle masse du réactif restera-t-il après une demi-heure ? Arrondis au millième près.

   c) La masse du réactif sera négligeable lorsqu'elle atteindra 100 milligrammes. Combien de temps cela prendra-t-il ? Arrondis au millième près.

exercice 12 «««««««««««««

Fonction partie entière

1. Résous les opérations mathématiques suivantes.

   a) [15] = _____   b) [2,99] = _____   c) [-2,99] = _____   d) [-0,01] = _____

   e) [0,01] = _____   f) $\left[\dfrac{3}{4}\right]$ = _____   g) $\left[-\dfrac{8}{7}\right]$ = _____   h) [π] = _____

2. Détermine les caractéristiques des fonctions suivantes.

	a) f(x) = 2[3x]	b) f(x) = $-\dfrac{1}{2}$[x]
1) Paramètre a		
2) Paramètre b		
3) Hauteur entre les marches		
4) Longueur des marches		
5) Zéros		
6) Ordonnée à l'origine		
7) Croissance et décroissance		
8) Domaine		
9) Image		

	c) f(x) = -1500[-x]	d) f(x) = 1,5[-4x]
1) Paramètre a		
2) Paramètre b		
3) Hauteur entre les marches		
4) Longueur des marches		
5) Zéros		
6) Ordonnée à l'origine		
7) Croissance et décroissance		
8) Domaine		
9) Image		

3. Détermine les extremums de la fonction $y = [2x]$ pour des valeurs de x variant de 1 à 9,25.

4. Détermine la règle de chacune des fonctions partie entière illustrées ci-dessous.

a) f(x) = _____	
x	f(x)
]-3, -1,5]	-5
]-1,5, 0]	0
]0, 1,5]	5
]1,5, 3]	10

b) h(x) = _____

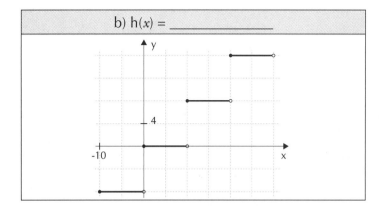

5. À l'aide des caractéristiques trouvées, trace le graphique de ces fonctions.

a) $y = [x]$

		Graphique
Paramètre *a*		
Paramètre *b*		
Hauteur entre les marches		
Longueur des marches		

b) $y = -0,1[-5x]$

		Graphique
Paramètre *a*		
Paramètre *b*		
Hauteur entre les marches		
Longueur des marches		

6. La compagnie régissant l'utilisation du téléphone cellulaire de Charles lui soumet un tarif de 0,10 $ pour chaque minute amorcée d'un appel.

a) Remplis une table de valeurs qui t'aidera à tracer un graphique mettant en relation le coût (C) d'un appel téléphonique et le temps (t) de cet appel en minutes.

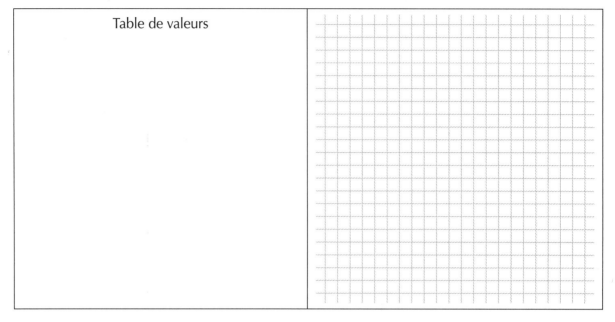

Table de valeurs

b) Détermine la règle de cette fonction ; identifie bien les unités de mesure de ses variables.

c) Détermine les caractéristiques suivantes de cette fonction.

1) Paramètre a	
2) Paramètre b	
3) Hauteur entre les marches	
4) Longueur des marches	
5) Zéro	
6) Ordonnée à l'origine	
7) Croissance et décroissance	
8) Domaine	
9) Image	

d) Quel sera le coût d'un appel d'une demi-heure ?

e) Quel est le montant de ta facture de téléphone si tu as fait 3 appels de 12 secondes, 5 minutes, et 3 minutes 2 secondes pendant le mois de septembre, sachant que les frais fixes mensuels sont de 10 $?

test

1. Janick travaille dans un magasin. Elle n'a pas de salaire horaire, c'est-à-dire qu'elle travaille à commission. En fait, elle reçoit 10 $ pour chaque tranche complète de 20 $ de marchandises vendues dans une semaine.

   a) Remplis une table de valeurs qui t'aidera à tracer un graphique de cette fonction.

Table de valeurs	

   b) Détermine la règle de cette fonction ; identifie bien les variables et leurs unités de mesure.

   c) Détermine le domaine et l'image de cette fonction pour des ventes pouvant aller jusqu'à 1 000 $ inclusivement.

   d) Combien d'argent a-t-elle gagné si elle vend pour 825 $ de marchandises dans la semaine ?

   e) Si Janick a vendu pour respectivement 240 $, 230 $ et 355 $ de marchandises les dimanche, vendredi et samedi d'une même semaine, combien d'argent a-t-elle gagné cette semaine-là ?

exercice 13 «««««««««««««

Fonction définie par parties

1. Jean, un skieur de randonnée, effectue une excursion dans une région montagneuse. Le départ se situe à 300 mètres d'altitude, tandis que le chalet situé à mi-parcours est à 800 mètres d'altitude. À 4 km/h, Jean prend 3 heures pour se rendre au chalet. Après une pause-dîner d'une heure, Jean effectue le trajet du retour vers le départ en 2 heures.

   a) Quelle est la distance entre le départ et le chalet ?

   b) À quelle vitesse moyenne Jean effectue-t-il le trajet du retour ?

   c) Trace le graphique de la distance (d) en kilomètres parcourue par Jean en fonction du temps (t) en heures.

   d) Détermine le domaine et l'image de cette fonction.

   e) Détermine les règles associées à chacune des trois parties de cette fonction.

Règle #1	Règle #2	Règle #3

2. Le graphique ci-dessous représente une fonction par parties déterminée par une voiture roulant entre deux feux de circulation sur le boulevard Champlain. La variable dépendante v représente la vitesse, tandis que la variable t représente le temps en secondes.

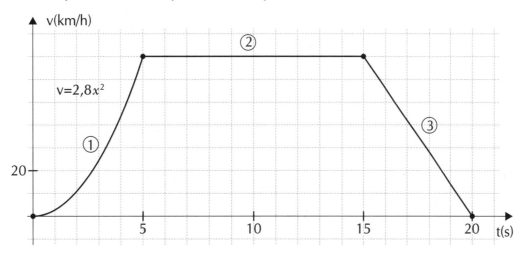

a) Détermine les règles associées aux sections 2 et 3 du graphique.

Règle #1	Règle #2

b) Détermine graphiquement le point de rencontre des deux règles.

c) Pendant combien de temps la voiture a-t-elle roulé à vitesse constante ? Au mètre près, quelle distance la voiture a-t-elle parcourue pendant ce temps ?

d) Quel est le domaine et l'image de cette fonction ?

e) Quel est le maximum de cette fonction ? Que représente-t-il ?

f) La fonction est-elle croissante ou décroissante dans la section 1 du graphique ? Que cela signifie-t-il ? Et dans la section 3 ?

exercice 13 «««««««««««««

Fonction définie par parties

3. Un conférencier parcourt les écoles primaires et secondaires dans le but de parler d'environnement. Pour atteindre un maximum de classes dans chaque école pour une même journée, le conférencier offre les tarifs suivants:

> 50 $ pour chacune des deux premières classes visitées
> 30 $ pour chacune des classes suivantes

a) Trace un graphique représentant la variation des revenus (R) du conférencier en fonction du nombre (n) de classes visitées dans une école, pour un maximum de 8 classes visitées.

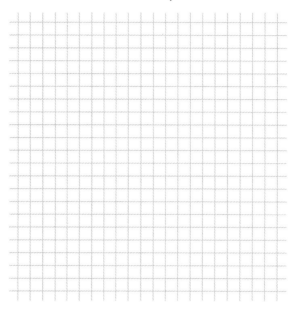

b) Détermine les deux règles associées à cette fonction par parties.

Règle #1	Règle #2

c) Détermine algébriquement le point de rencontre de ces deux règles.

d) Quel est le revenu maximal du conférencier dans une journée?

e) Quel est le revenu moyen du conférencier par classe s'il visite six classes dans une journée?

f) Quel serait le point de rencontre de la droite de la règle #2 avec l'axe des abscisses?

test

1. Un entraîneur de hockey désire offrir aux joueurs de son équipe un entraînement supplémentaire.

    a) À l'aide des informations ci-dessous, trace un graphique représentant l'évolution du rythme cardiaque moyen des joueurs (r) en fonction du temps (t) en secondes. Inscris les règles associées à chacune des sous-fonctions de la fonction globale définie par parties.

    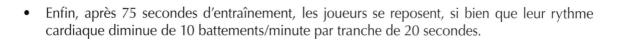

    - Au départ, pendant 25 secondes, l'entraîneur parle à ses joueurs, si bien que leur rythme cardiaque moyen demeure constant à 60 battements/minute;

    - Ensuite, l'entraînement commence, si bien que le rythme cardiaque des joueurs suit une fonction racine carrée (b = 1) dont le sommet est (0, 0);

    - Enfin, après 75 secondes d'entraînement, les joueurs se reposent, si bien que leur rythme cardiaque diminue de 10 battements/minute par tranche de 20 secondes.

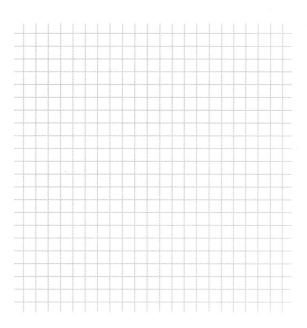

    b) Détermine le rythme cardiaque maximal atteint par les joueurs.

    c) Détermine la valeur de *t* lorsque le rythme cardiaque des joueurs atteint la valeur initiale, immédiatement après l'entraînement.

exercice 14 «««««««««««««

Étude de la droite

1. Transforme l'équation de ces droites sous la forme canonique.

   a) $2x + 3y - 1 = 0$

   b) $x = -2y + 1$

   c) $y + 4 = 0$

   d) $-x - y = 0$

2. Détermine la pente (m), l'ordonnée (b) à l'origine et l'abscisse (a) à l'origine des droites suivantes.

   a) $y = 2x + 5$

   b) $y = 3$

   c) $x + 3 = 4$

   d) $5x + 0{,}7y = 1{,}3$

3. Détermine l'équation canonique d'une droite passant par les points :

   a) $(1, 0)$ et $(-4, -3)$

   b) $(0, 0)$ et $\left(\dfrac{4}{3}, \dfrac{2}{3} \right)$

4. Détermine l'équation d'une droite de pente -1,5 passant par le point (1, 4).

5. S'il y a lieu, détermine le(s) point(s) de rencontre des paires de droites suivantes.

a) $y = -4x - 7$ et $y = x + 1$

b) $2x + 5y = 8$ et $x = 2y - 4$

c) $x - 2y = 8$ et $\frac{5}{2}x - 5y + 20 = 0$

d) $2x - 5y = 12$ et $y + 2,4 = 0,4x$

6. Détermine l'équation canonique d'une droite passant par le point (1, 1) et qui est perpendiculaire à la droite d'équation $y = 3x + 7$.

7. Détermine l'équation canonique de la droite passant par le point (-5, 0) et qui est parallèle à la droite d'équation $2x + 4y - 5 = 0$.

8. Les trois points (4, 5), (1, 3) et (-2, 1) appartiennent-ils à la même droite ? Pourquoi ?

9. Par définition, un trapèze est un quadrilatère possèdent au moins deux côtés parallèles. Les points suivants (-2, 3), (1, -4), (3, 1) et (-9, 0) forment-ils un trapèze ? Explique.

10. Prouve que le triangle formé par les points (0, 0), (4, 3) et (10, -5) est rectangle.

11. Soit un triangle formé par les points (-12, -1), (-8, 3) et (-4, -4) :

   a) Détermine l'équation canonique des trois droites formant les côtés de ce triangle.

   b) Détermine l'équation canonique de la droite formée par la hauteur issue du point (-8, 3) du triangle.

test

1. Détermine l'équation canonique, la pente (m), l'ordonnée (b) à l'origine et l'abscisse (a) à l'origine d'une droite passant par les points (-5, 2) et (3, -4).

2. S'il y a lieu, détermine le(s) point(s) de rencontre des paires de droites suivantes.

   a) $y = 0,5x + 2$ et $x + 2y + 2 = 0$ b) $x - 3 = 0$ et $-y - 1 = 6$

3. Un chemin de fer en ligne droite est représenté par l'équation $5x + 12y + 4 = 0$.

   a) Détermine l'équation d'une route de campagne croisant perpendiculairement le chemin de fer et passant par l'origine du plan cartésien.

   b) Détermine l'équation d'un sentier pédestre passant par le point (0, 5), parallèle à la route de campagne.

exercice 15 «««««««««««««

Distance entre deux points

1. Détermine la distance entre les paires de points suivantes. Arrondis au millième près.

   a) (2, 4) et (5, 10)

   b) (-2, -1) et (-4, 6)

   c) (0, 0) et (-4, -8)

   d) (0, -5) et $\left(\frac{1}{3}, -\frac{4}{7}\right)$

2. La distance entre les points $(x_1, 12)$ et (0, 4) est de 10. Quelles est la valeur de x_1 ?

3. Soit trois points A (4, 0), B (-2, 9) et C (0, y_3) :

   a) Détermine la distance entre les points A et B. Arrondis au centième près.

   b) En supposant que la distance entre les points A et C est égale à celle entre les points A et B, détermine la valeur de y_3. Arrondis au centième près.

   c) Détermine la distance entre les points B et C. Arrondis au millième près.

4. Dans un plan cartésien, une maison est située en (4, 4). Un restaurant A est situé en (-2, 3), tandis qu'un restaurant B est situé en (-1, 5). En supposant que le propriétaire de la maison désire aller manger dans le restaurant situé le plus près de chez lui, dans quel restaurant ira-t-il prendre son dîner?

5. Le centre d'un cercle est situé en (-2, 4). Sachant que le point (3, 1) appartient au cercle:

a) détermine le diamètre de ce cercle. Arrondis au centième près.

b) détermine la circonférence de ce cercle. Arrondis au centième près.

c) détermine l'aire d'un demi-cercle possédant le même diamètre que le cercle ci-dessus. Arrondis au dixième près.

6. Un losange possède quatre côtés congrus. Les quatre points suivants d'un quadrilatère sont consécutifs: (-3, 2), (-1, -2), (3, 0) et (1, 4).

a) Prouve qu'il s'agit d'un losange.

b) Sachant que l'aire d'un losange est égale au demi-produit de ses deux diagonales, calcule l'aire de ce losange.

7. Dans un plan cartésien, un triangle est rectangle en (0, -1). Sachant que les autres coordonnées du triangle sont (-3, 2) et (4, 3):

   a) détermine la longueur de l'hypoténuse de ce triangle. Arrondis au millième près.

   b) calcule le périmètre de ce triangle. Arrondis au centième près.

   c) calcule l'aire de ce triangle.

8. Dans un parc national, les visiteurs reçoivent une carte leur permettant de s'orienter. La carte est sous forme d'un plan cartésien où chaque unité vaut 200 mètres. La maison d'accueil est située en (0, 0), le site de camping, en (5, 8), et le quai où s'effectue la mise à l'eau des canots est situé en (9, 2). Détermine la distance réelle (en km) entre le site de camping et le quai. Arrondis au millième près ta réponse finale.

9. À Lac-Beauport, un terrain coûte environ 1,50 $/pied carré. Jean s'achète un terrain rectangulaire dont les sommets suivants sont consécutifs: (-2,-4), (1,-1), (3, -3), (0, -6). Chaque unité de ce plan cartésien vaut 60 pieds.

   a) Détermine la longueur d'une clôture que devra acheter Jean pour délimiter son terrain. Arrondis au dixième près ta réponse finale.

   b) Détermine le coût de ce terrain.

test

1. Détermine la distance entre les paires de points suivantes. Arrondis au millième près.

    a) $(0,25, 4)$ et $\left(1,5, \dfrac{7}{2}\right)$

    b) $(8, 3)$ et $(-1, -1)$

2. Un carré est inscrit dans un cercle. Une diagonale de ce carré croise le cercle aux points $(6, 4)$ et $(-2, -4)$.

    a) Calcule l'aire du cercle. Arrondis au dixième près ta réponse finale.

    b) Calcule le périmètre du carré.

3. Jean quitte Québec $(10 \text{ km}, 10 \text{ km})$ pour se rendre à Chicoutimi $(20 \text{ km}, 210 \text{ km})$. Ensuite, il tourne à droite à angle droit pour se rendre à Tadoussac $(170 \text{ km}, 202,5 \text{ km})$.

    a) Quelle distance Jean parcourt-il au total? Arrondis au dixième près.

    b) À vol d'oiseau, quelle est la distance entre Québec et Tadoussac? Arrondis au dixième près.

exercice 16 «««««««««««««««

Coordonnées d'un point de partage

1. Soit les points A(-2, 4) et B(4, 8).

   a) Détermine les coordonnées du point P qui partage le segment AB dans un rapport 1 : 4.

   b) Détermine les coordonnées du point Q qui partage le segment BA dans un rapport 6 : 2.

   c) Détermine les coordonnées du point R situé aux $\frac{2}{3}$ du segment AB, à partir du point A.

   d) Détermine les coordonnées du point S situé au $\frac{1}{4}$ du segment BA, à partir du point B.

   e) Détermine le point milieu M_1 du segment AB.

   f) Détermine le point milieu M_2 du segment reliant les points Q et R.

   g) Détermine le point milieu du segment reliant les points M_1 et M_2.

2. Jean se déplace d'un point A(1, 100) à un point B(2, 225).

   a) Quelles sont les coordonnées de Jean s'il se trouve à un point situé dans un rapport 2 : 5, à partir du point A ?

   b) Quelles sont les coordonnées de Jean s'il a effectué les $\frac{2}{5}$ de son trajet ?

3. Les diagonales d'un parallélogramme se coupent en leurs milieux respectifs. Prouve que le quadrilatère composé des points consécutifs (1, 3), (3, 7), (6, 5) et (4, 1) forme un parallélogramme.

4. Les membres de la famille Bouchard effectuent un voyage. Ils partent de Québec (200, 200) en direction d'Ottawa (-200, 0). Ils suivent une nouvelle route qui dessert les deux capitales en ligne droite. À mi-chemin (Mont-Laurier), les enfants ont faim. La famille peut s'arrêter prendre un dîner rapide dans une halte routière située dans un rapport 7 : 5 entre Mont-Laurier et Ottawa ; ils peuvent aussi manger dans un restaurant situé à 60 % de la distance entre Mont-Laurier et Ottawa, à partir de Mont-Laurier. Lequel de ces choix est le plus judicieux, sachant que les enfants ne pourront plus tenir très longtemps le ventre vide ?

5. Quelles sont les coordonnées du point d'intersection entre un segment AB et sa médiatrice si les coordonnées du point A et du point B sont respectivement (1, 1) et (-4, 2)?

6. L'Étape (2, 120) est située à mi-chemin entre Québec (-4, 20) et Chicoutimi.

   a) Quelles sont les coordonnées de Chicoutimi?

   b) Si le mont Apica (-10, 160) est situé aux $\frac{2}{5}$ de la distance entre L'Étape et Roberval (à partir de L'Étape), détermine les coordonnées de Roberval.

7. Soit deux points A(x_1, y_1) et B(-3, 0). Le point P(2, 5) coupe le segment AB dans un rapport 4 : 9. Quelles sont les valeurs de x_1 et de y_1?

8. Le segment AB est formé des points A(-2, -3) et B(6, 5). Le point (1, 0) partage le segment dans un rapport m : n, où m et n sont des entiers positifs. Quelles sont les valeurs minimales de m et de n?

test

1. Soit les points A(-3, -7) et B(2,25, 9). Détermine le point milieu des points P et Q si le point P partage le segment AB dans un rapport 2 : 3, et si le point Q est situé aux $\frac{2}{3}$ du segment AB, à partir du point A.

2. Le segment reliant deux points A et B d'un cercle passe par le centre (O) de ce cercle. Quelles sont les coordonnées de ce point O si celles des points A et B sont respectivement (6, 4) et (-2, 5)?

3. Soit le segment dont les extrémités sont formées par les points A(3, 3) et B(-3, -3). Si le point $\left(\frac{1}{2}, \frac{1}{2}\right)$ est situé au $\frac{a}{b}$ du segment BA à partir du point B, quelles sont les valeurs minimales de a et de b?

4. Un oiseau est perché sur un fil électrique entre un poteau A(40, 0) et un poteau B(80, 0). Si l'oiseau est perché à 40 % du segment AB à partir du point A, quelles sont les coordonnées de l'oiseau?

exercice 17 «««««««««««««

Rapports trigonométriques dans le triangle rectangle

1. Quelle est la valeur des relations trigonométriques demandées ? Arrondis à 4 décimales près, s'il y a lieu.

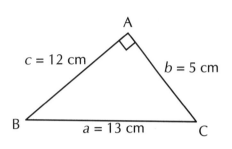

a) sin C =	
b) cos C =	
c) tan C =	
d) sin B =	
e) cos B =	
f) tan B =	

2. Détermine les mesures d'angles et de côtés manquantes. S'il y a lieu, arrondis les côtés au millièmes près et les mesures d'angles au dixième près.

a) 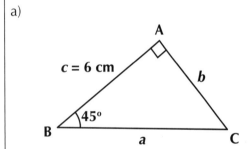	Calculs
b) 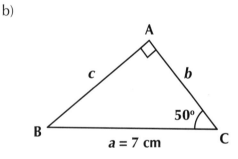	Calculs
c) 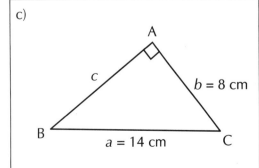	Calculs

3. La figure ABCD est-elle un carré ? Pourquoi ? Sinon, de quelle figure s'agit-il ?

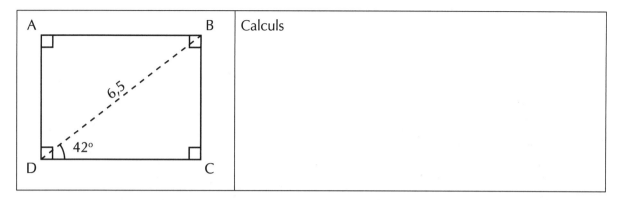

	Calculs

4. Une échelle de 10 mètres de longueur, installée avec un angle d'élévation de 63°, permet-elle d'avoir accès au toit d'une maison, accessible à 9,2 mètres de hauteur. Sinon, quel devrait être l'angle d'élévation ?

Schéma	Calculs

5. Pour faciliter l'accès à son restaurant, un restaurateur installe une rampe d'accès pour personnes handicapées avec un angle d'élévation de 10°. Si la porte d'entrée du restaurant est située à 1,1 m du sol :

a) Quelle devrait être la longueur de la rampe ? Arrondis au millième près.

b) Au niveau du sol, quelle est la distance entre la base de la rampe et les fondations du restaurant ? Arrondis au millième près.

Schéma	Calculs

exercice 17 «««««««««««««

Rapports trigonométriques dans le triangle rectangle

6. Dans le schéma ci-dessous, détermine la longueur du segment AB. Arrondis au centième près.

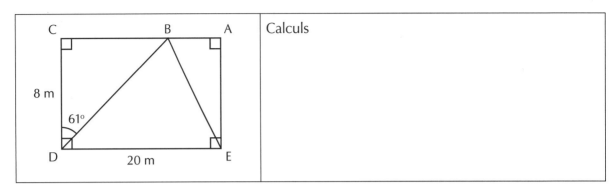

Calculs

7. Quelle est la mesure de l'aire d'un triangle équilatéral de 8 mètres de côté? Indice: trace une hauteur séparant le triangle équilatéral en deux triangles rectangles isométriques. Arrondis au centième près.

Schéma	Calculs

8. Roger (R) et Serge (S) observent une montgolfière (M) dans le ciel. Serge évalue à 100 mètres la distance entre la montgolfière et lui.

a) Quelle est l'altitude de la montgolfière? Arrondis au centième près.

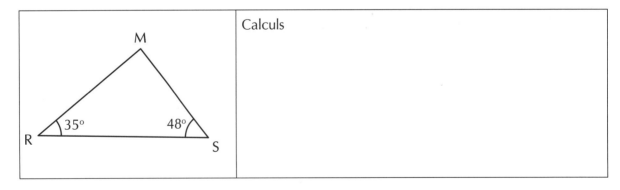

Calculs

b) Quelle est la distance entre Roger et la montgolfière? Arrondis au dixième près.

c) Quelle distance sépare Roger de Serge? Arrondis au mètre près.

test

1. Lorsqu'un point sur un cercle sous-tend son diamètre, l'angle opposé à ce diamètre mesure 90°. Quelle est la mesure de l'aire de ce cercle ? Arrondis ta réponse finale au dixième près.

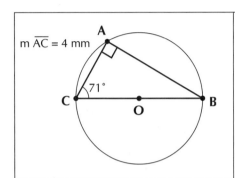

Calculs

2. Vu de côté, le pont de Kénogami ressemble à la structure ci-dessous. Quelle est la longueur du tablier de ce pont ? Arrondis au dixième près.

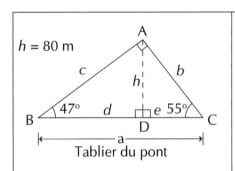

Calculs

3. Carole observe un ours dans un arbre. Apeurée quelque peu, elle décide de s'éloigner d'une distance de 10 mètres. Elle jette un coup d'œil à l'ours une dernière fois, alors que l'angle d'élévation est de 20°. Quelle distance séparait Carole et la base de l'arbre au départ, sachant que l'ours est à 17,5 mètres d'altitude ? Arrondis au centième près.

Schéma	Calculs

exercice 18 «««««««««««««

Relations métriques dans le triangle rectangle

1. Au sein de la figure suivante, détermine les mesures des segments AB, AC, AD et CD. Arrondis au millième près, s'il y a lieu.

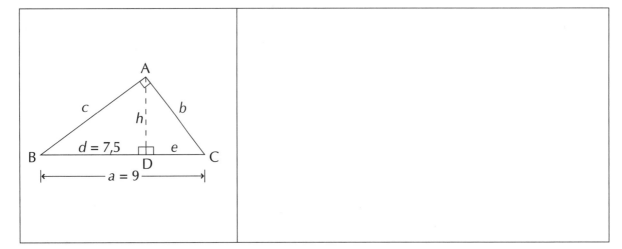

2. Au sein de la figure suivante, détermine les mesures des segments AD, BD, CD et BC.

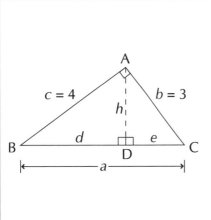

3. Au sein de la figure suivante, détermine les mesures des segments AB, AD, BD et CD. Arrondis au millième près, s'il y a lieu.

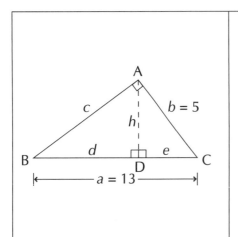

4. L'aire du triangle ABD ci-dessous est de 216 m². Détermine les mesures des segments AB, AC, BD et CD.

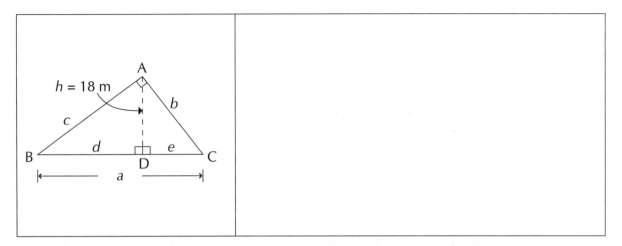

5. Soit le voilier suivant. Détermine la hauteur de son mât à partir de l'embarcation jusqu'au drapeau. Détermine aussi l'aire de chacune de ses voiles. Arrondis les réponses au centième près.

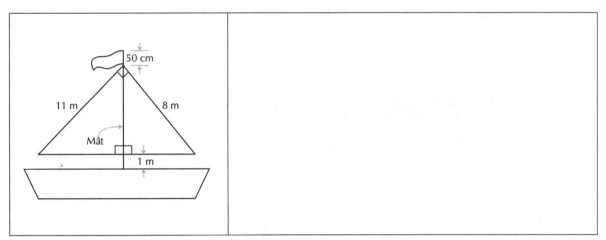

6. L'illustration ci-dessous monte la coupe latérale d'un toit asymétrique. Quelle est la longueur de la poutrelle verticale? Arrondis au millième près.

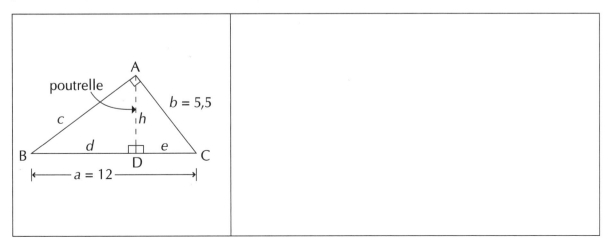

7. Soit le rectangle ABCD ci-dessous. Détermine les longueurs des segments BE et EF. Arrondis au centième près.

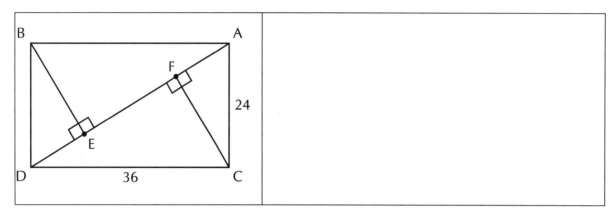

8. Détermine la longueur des deux tiges reliant les sommets opposés du quadrilatère formant le cerf-volant suivant. Arrondis au centième près, s'il y a lieu.

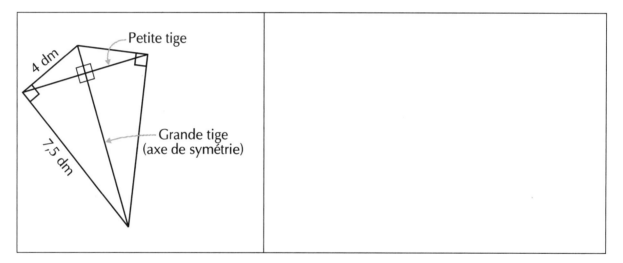

9. Deux voisins possèdent des terrains triangulaires adjacents. Détermine l'aire de chacun des terrains.

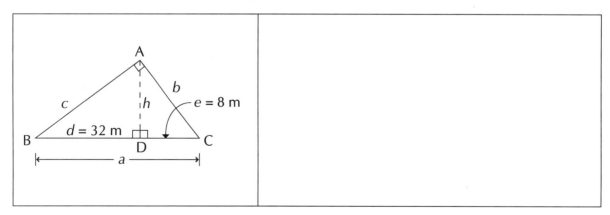

test

1. Dans la figure ci-dessous, détermine les longueurs des segments AB, AC, BC et CD. Arrondis au millième près.

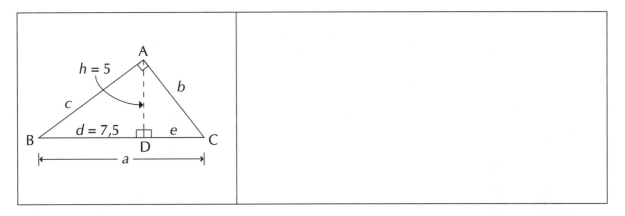

2. Lorsqu'un point sur un cercle sous-tend le diamètre de ce cercle, l'angle opposé à ce diamètre mesure 90°. Quelle est la mesure de la circonférence du cercle suivant? Arrondis au centième près.

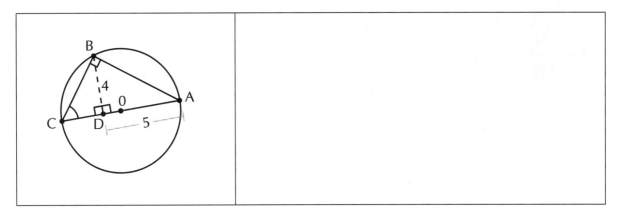

3. Soit le trapèze isocèle suivant. Détermine la longueur de la hauteur EG. Arrondis au millième près.

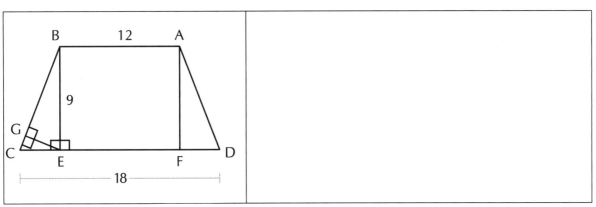

exercice 19 ««««««««««««««

Mesures de dispersion : écart moyen et écart type

1. Calcule la moyenne des distributions suivantes. Arrondis au millième près, s'il y a lieu.

a) 3, 4, 6, 6, 7, 8, 12, 13, 15, 16, 19, 20	
b) 1, -11, -16, -9, 0, -15, -10	

2. Calcule la moyenne des distributions suivantes. Arrondis au centième près, s'il y a lieu.

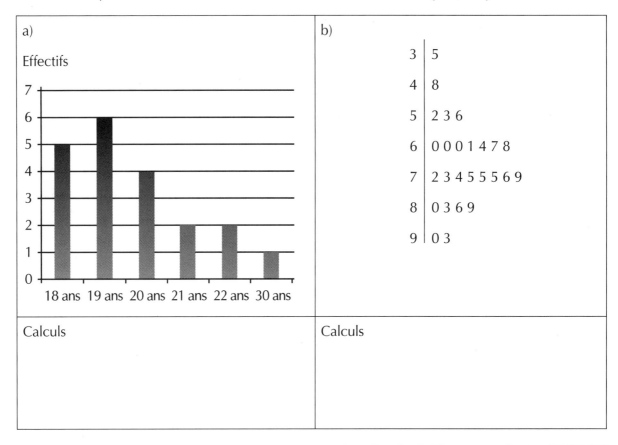

a)

Effectifs

Graphique à barres :
- 18 ans : 5
- 19 ans : 6
- 20 ans : 4
- 21 ans : 2
- 22 ans : 2
- 30 ans : 1

b)

3	5
4	8
5	2 3 6
6	0 0 0 1 4 7 8
7	2 3 4 5 5 5 6 9
8	0 3 6 9
9	0 3

Calculs

Calculs

c)

Fréquence	Nombre d'enfants
10	0
27	1
34	2
12	3
4	4
1	5
1	6

Calculs

3. Dans un club de bridge, on a demandé l'âge de chacun des membres du club. Les résultats sont compilés dans le tableau ci-dessous.

   a) Calcule l'âge moyen des membres.

   b) Complète les cases du tableau.

Âge (ans)	$x_i - \overline{x}$	$|x_i - \overline{x}|$	$(x_i - \overline{x})^2$
40			
49			
50			
52			
53			
59			
59			
60			
61			
62			
62			
65			
66			
67			
70			
72			
Somme			

   c) Détermine l'écart moyen et l'écart type de cette distribution. Arrondis au millième près.

Écart moyen	Écart type

4. Calcule l'écart type de la distribution du numéro 1 a) précédent.

exercice 19 «««««««««««««

Mesures de dispersion : écart moyen et écart type

5. On a demandé aux élèves d'une classe d'une école secondaire combien de frères et sœurs ils avaient, incluant les demi-frères et les demi-sœurs. Le tableau ci-dessous illustre les résultats obtenus.

Fréquence	Nombre de frères/sœurs
6	0
13	1
8	2
3	3
1	4
1	6
1	9

a) Calcule le nombre de frères/sœurs moyen que possèdent les élèves de cette classe. Arrondis au millième près.

b) Complète les cases vides du tableau ci-dessous.

Nombre de frères/sœurs	Fréquence (f)	$(x_i - \overline{x})^2$	$f \cdot |x_i - \overline{x}|$	$f \cdot (x_i - \overline{x})^2$
0	6			
1	13			
2	8			
3	3			
4	1			
6	1			
9	1			
Somme				

c) Détermine l'écart moyen et l'écart type de cette distribution. Arrondis au dixième près.

Écart moyen	Écart type

test

1. La distribution ci-dessous illustre les températures maximales en °C enregistrées à Québec dans la première semaine du mois de mars.

$$-5, -4, 0, 2, 3, -12, -8$$

a) Calcule la température maximale moyenne enregistrée lors de cette semaine. Arrondis au millième près.

b) Complète le tableau suivant et calculer l'écart type de la distribution. Arrondis l'écart type au millième près.

Température	$(x_i - \overline{x})^2$	Calcul de l'écart type
-5		
-4		
0		
2		
3		
-12		
-8		
Somme		

2. Le tableau démontre une distribution indiquant le nombre de cartes de crédit qu'ont en leur possession les citoyens québécois d'un quartier. Complète le tableau suivant et effectue le calcul de l'écart moyen. Arrondis la moyenne et l'écart moyen au millième près.

Nombre de cartes	Fréquence (f)	$(x_i - \overline{x})$	$f \cdot |x_i - \overline{x}|$
0	20		
1	100		
2	521		
3	54		
4	5		
Somme			

exercice 20 «««««««««««««

Corrélation linéaire

1. À l'aide des tables de valeurs ci-dessous, forme un nuage de points. Détermine le degré de corrélation linéaire, ainsi que le sens (positif ou négatif) de cette corrélation, en calculant le coefficient de corrélation linéaire.

a) Détermine la distance parcourue (d) en fonction du temps (t) pour une voiture.

t (min)	d (km)
0	0
15	25
30	50
45	75
60	100
75	125
90	150
105	175
120	200

Niveau de corrélation :	Coefficient de corrélation :
Sens de la corrélation :	

b) Détermine la masse d'une femme (M) en fonction du nombre de minutes d'exercices (t) effectuées par semaine.

t (min)	M (lbs)
30	150
60	145
90	141
120	134
150	130
180	124
160	128
50	144
130	132
170	127

Niveau de corrélation :	Coefficient de corrélation :
Sens de la corrélation :	

234

2. À l'aide des tables de valeurs ci-dessous, forme un nuage de points. Détermine le degré de corrélation linéaire, ainsi que le sens (positif ou négatif) de cette corrélation, en calculant le coefficient de corrélation linéaire.

a) Détermine la valeur (V) de la maison d'une famille en fonction du nombre d'enfants (n) dans cette famille.

n (enfants)	V ($)
1	500 000
2	300 000
2	200 000
2	250 000
2	400 000
2	450 000
3	200 000
3	300 000
3	400 000
4	450 000
4	300 000

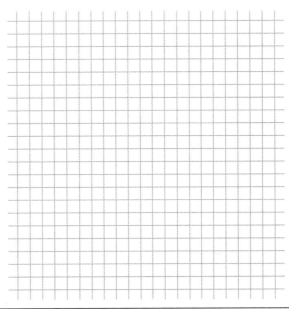

Niveau de corrélation :

Sens de la corrélation :

Coefficient de corrélation :

b) Détermine le résultat d'étape (R) d'un élève en fonction du temps d'études quotidien (t).

t (min)	R (%)
20	50
30	63
45	62
50	66
54	75
60	72
60	73
70	75
90	77
110	95
120	97

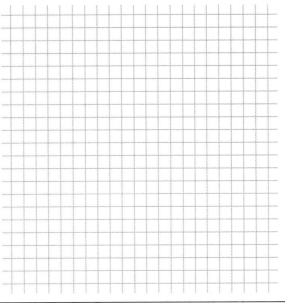

Niveau de corrélation :

Sens de la corrélation :

Coefficient de corrélation :

exercice 20 «««««««««««««««

Corrélation linéaire

3. À l'aide des tables de valeurs ci-dessous, forme un nuage de points. Détermine le degré de corrélation linéaire, ainsi que le sens (positif ou négatif) de cette corrélation, en calculant le coefficient de corrélation linéaire.

a) Détermine le handicap au golf (H) en fonction du nombre d'heures d'entraînement hebdomadaire (n).

n (heures)	H
3	23
2	28
8	9
1	36
10	0
6	14
5,5	15
1,5	30
4	21

Niveau de corrélation :	Coefficient de corrélation :
Sens de la corrélation :	

b) Détermine le nombre de personnes (n) franchissant quotidiennement les tourniquets du Village Vacances Valcartier en fonction de la température maximale atteinte (T) dans la journée.

T (°C)	n (personnes)
20	450
29	950
26	720
26	300
30	1 000
15	200
16	380
22	550
28	880
24	650
24	350
22	600

Niveau de corrélation :	Coefficient de corrélation :
Sens de la corrélation :	

test

1. À l'aide des tables de valeurs ci-dessous, forme un nuage de points. Détermine le degré de corrélation linéaire, ainsi que le sens (positif ou négatif) de cette corrélation, en calculant le coefficient de corrélation linéaire.

a) Détermine le salaire annuel (S) d'une personne en fonction du nombre d'années d'études complétées (n).

n (a)	S ($)
8	20 000
9	25 000
11	40 000
13	55 000
14	60 000
17	70 000
18	75 000
19	80 000

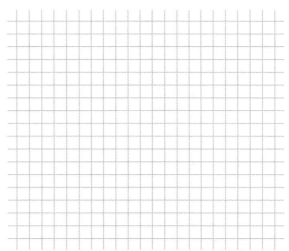

Niveau de corrélation :	Coefficient de corrélation :
Sens de la corrélation :	

b) Détermine le nombre de buts (n) d'un joueur de hockey en fonction du nombre de matchs manqués (m) en raison de blessures dans une année.

m (matchs)	n (buts)
82	0
45	31
24	35
0	44
15	40
5	45
12	20

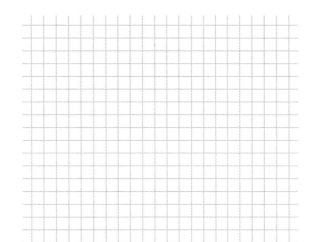

Niveau de corrélation :	Coefficient de corrélation :
Sens de la corrélation :	

exercice 21 «««««««««««««

Droite de régression

1. Après avoir ordonné les coordonnées en ordre croissant des abscisses (voir exercice 20, n° 1b), détermine la droite de régression représentative de ces coordonnées en utilisant :

a) la méthode de Mayer :

t (min)	M (lbs)

b) la méthode médiane-médiane :

c) D'après la droite de régression déterminée par la méthode médiane-médiane, quelle est la masse d'une femme n'effectuant pas d'exercice ?

d) D'après la droite de régression déterminée par la méthode de Mayer, quel temps une femme de 125 livres consacre-t-elle à l'exercice ?

2. Après avoir ordonné les coordonnées en ordre croissant des abscisses (voir exercice 20, n° 3b), détermine la droite de régression représentative de ces coordonnées en utilisant:

a) la méthode de Mayer:

T (°C)	n (personnes)

b) la méthode médiane-médiane:

c) D'après la droite de régression déterminée par la méthode médiane-médiane, si le site accueille 750 personnes en une journée, quelle est la température maximale atteinte en ce jour?

d) D'après la droite de régression déterminée par la méthode de Mayer, combien de gens seraient accueillis sur le site lors d'une journée où la température maximale atteint 33 °C?

3. Après avoir ordonné les coordonnées en ordre croissant des abscisses (voir exercice 20, n° 3a), détermine la droite de régression représentative de ces coordonnées en utilisant:

a) la méthode de Mayer:

n (heures)	H

b) la méthode médiane-médiane:

c) D'après la droite de régression déterminée par la méthode médiane-médiane, quel est le nombre d'heures d'entraînement hebdomadaire qu'un golfeur doit faire s'il veut atteindre un handicap de 5?

d) D'après la droite de régression déterminée par la méthode de Mayer, combien d'heures un golfeur ayant un handicap de 25 consacre-t-il par année à l'entraînement, sachant que la saison de golf dure 20 semaines?

test

1. Après avoir ordonné les coordonnées en ordre croissant des abscisses (voir test 20, n° 1a), détermine la droite de régression représentative de ces coordonnées en utilisant :

   a) la méthode de Mayer :

n (a)	S ($)

   b) la méthode médiane-médiane :

   c) Après avoir obtenu un doctorat en chimie, un étudiant a survécu à 8 années d'université, sans compter les 13 années d'études préalables à l'admission à l'université. Quel salaire peut-il espérer obtenir à sa sortie de l'université d'après la droite de régression déterminée :

   i. par la méthode de Mayer ?

   ii. par la méthode médiane-médiane ?

exercice 22 «««««««««««««

Corrélation non linéaire et notation factorielle

1. Soit les nuages de points suivants. Par quelle fonction chacun de ces nuages peut-il être représenté?

a) Asymptote : $y = 0$

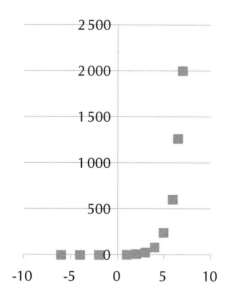

Fonction _____

b) Sommet : (0, 0)

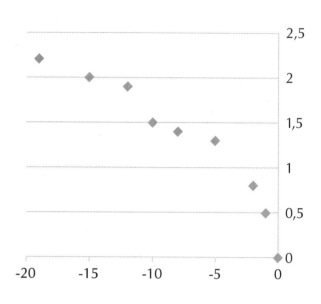

Fonction _____

c) Sommet : (0, 0)

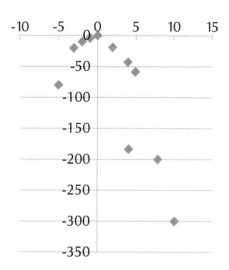

Fonction _____

d) Sommet : (0, 0)

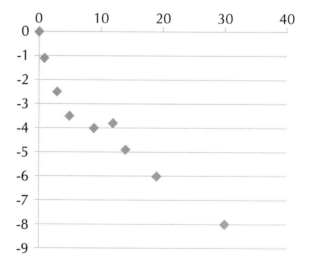

Fonction _____

2. Un parachutiste tombe en chute libre pendant les dix premières secondes suivant son saut de l'avion. Le tableau suivant représente la distance (d) parcourue par le parachutiste en fonction du temps (t) depuis le saut de l'avion.

t (s)	0	1	2	3	4	5	6	7	8	9	10
d (m)	0	4	22	45	79	130	180	250	320	400	500

Trace le graphique de la distance (d) en fonction du temps (t). De quelle fonction s'agit-il ? Il s'agit d'une fonction _____

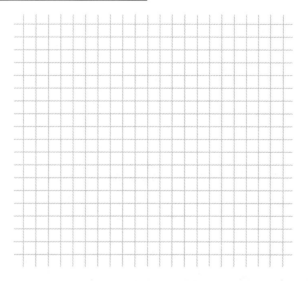

3. En 1990, Jean-Pierre a déposé un montant d'argent dans des actions à haut risque. Jean-Pierre a obtenu un rendement énorme de ces investissements, si l'on se fie au tableau suivant illustrant la valeur de son investissement (V), incluant les intérêts, en fonction du nombre (n) d'années écoulées depuis 1990.

n (années)	0	1	2	3	4	5	6	7
V ($)	1 000	1 300	1 700	2 200	2 900	3 900	5 000	6 500

Trace le graphique de la valeur de l'investissement en fonction du nombre d'années écoulées depuis 1990. De quelle fonction s'agit-il ? Il s'agit d'une fonction _____.

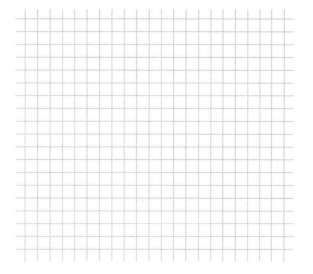

exercice 22 «««««««««««««

Corrélation non linéaire et notation factorielle

4. Calcule la valeur des expressions suivantes.

a) 2 ! =	b) 6 ! =	c) 8 ! =
d) 0 ! =	e) 4 ! =	f) 10 ! =

5. Calcule la valeur des chaînes d'opérations suivantes.

a) $\dfrac{6!}{3!} =$

b) $12! - 6! =$

c) $2! + 6! \bullet 3! =$

d) $3! - (4! - 8!) =$

e) $\dfrac{30!}{6!(30-6)!} =$

f) $3 \bullet 6! + 2 \bullet 1! - 0! =$

6. Pour un tirage de type 6/49, le nombre de combinaisons possibles (x) est déterminé par la formule suivante :

$$x = \frac{m!}{n!(m-n)!}$$

où m représente le nombre de boules dans le boulier, tandis que n représente le nombre de boules tirées. Combien y a-t-il de combinaisons possibles aux loteries suivantes :

a) loto 6/49 (tirage de 6 boules dans un boulier de 49 boules) ?

b) loto MAX (tirage de 7 boules dans un boulier de 49 boules) ?

c) le mise-tôt (tirage de 4 boules dans un boulier de 36 boules) ?

test

1. La valeur d'une action acquise par Caroline en janvier 2008 a augmenté assez subitement immédiatement après son acquisition. Ensuite, le rythme de son augmentation s'est estompé. Le tableau démontre la différence (D) entre la valeur à jour de l'action et sa valeur initiale, et ce, en fonction du nombre de mois suivant le moment de l'acquisition de l'action.

Mois	0	1	2	3	4	5	6	7
D ($)	0,30	0,43	0,52	0,60	0,68	0,75	0,80	0,84

Trace le graphique illustrant cette situation. De quelle fonction s'agit-il? Il s'agit d'une fonction
_____.

2. Calcule la valeur des expressions suivantes.

a) $2 \cdot \dfrac{4!}{1!} =$

b) $8! \div 3! =$

c) $0! \cdot 11! =$

d) $2! \cdot (5! - 100) =$

e) $\dfrac{36!}{6!(36-6)!} =$

f) $4! + 6! \div 0! =$

g) $(-2)! + 3 =$

h) $(6! - 4!) \div 6! =$

exercice 23 «««««««««««

Événements exclusifs et non mutuellement exclusifs / probabilité subjective

1. Détermine si les événements suivants sont exclusifs (E) ou non mutuellement exclusifs (NE).

   a) Obtenir un nombre pair et obtenir un nombre premier sur un dé à jouer : _____.

   b) Obtenir une carte de cœur et obtenir un 8 dans un jeu de cartes : _____.

   c) Obtenir un jour de la semaine possédant 6 lettres et obtenir un jour de la semaine qui commence par m : _____.

   d) Dans une soirée dansante, boire beaucoup de liquide et uriner : _____.

   e) Rencontrer une personne aux cheveux longs et rencontrer un homme : _____.

   f) Dans une classe, avoir entre 35 et 40 élèves et avoir un nombre d'élèves qui est un multiple de 11 : _____.

   g) Manger un légume et manger un aliment de couleur jaune : _____.

   h) Posséder une maison et ne pas avoir de paiements hypothécaires à faire : _____.

   i) Dans un jeu de cartes, piger un as de cœur et piger une carte noire : _____.

   j) Gagner moins de 20 000 $ par année et posséder une BMW : _____.

2. S'il y a lieu, détermine les éléments communs associés à cette paire d'événements.

   a) Sur une paire de dés, obtenir deux chiffres semblables et obtenir une somme impaire :

   _____.

   b) Dans un jeu de cartes, obtenir une figure supérieure à la dame et obtenir une carte noire :

   _____.

   c) Dans une urne contenant des jetons de Bingo, piger un jeton contenant la lettre « I » et piger un jeton qui est supérieur ou égal à 30 :

   _____.

   d) Sur un dé, obtenir un nombre multiple de 2 et obtenir un nombre multiple de 3 :

   _____.

   e) Dans un jeu de cartes, obtenir un nombre pair, obtenir un nombre plus petit que 3 et obtenir une carte rouge :

   _____.

3. Toutes les questions suivantes se rapportent à un jeu de cartes standard. L'as compte pour 1, les valets, dames et rois comptent respectivement pour 11, 12 et 13. Parmi les deux événements, quelle est la probabilité qu'au moins un des deux se réalise ?

a) Obtenir un multiple de 3 **ou** obtenir un carreau :

b) Obtenir un nombre plus grand que 8 **ou** obtenir un nombre premier, sachant que 1 n'est pas premier :

c) Obtenir un 8 ou un 9 **ou** obtenir une carte rouge :

d) Obtenir une figure **ou** obtenir un nombre supérieur à 10 :

e) Obtenir une carte rouge **ou** obtenir une carte de pique ou de trèfle :

f) Obtenir un 8 de trèfle **ou** obtenir une carte rouge :

g) Obtenir un nombre impair **ou** obtenir un nombre plus petit que 1 :

h) Obtenir un valet, une dame ou un roi **ou** obtenir un as :

exercice 23 «««««««««««««

Événements exclusifs et non mutuellement exclusifs / probabilité subjective

4. En 2010, une équipe de baseball possède une moyenne de 550, c'est-à-dire qu'elle gagne en moyenne 550 parties sur 1 000. D'après cette statistique, quelle est la probabilité (en pourcentage) qu'elle gagne :

   a) les deux prochaines parties ?

   b) aucune des deux prochaines parties ?

   c) seulement une des deux prochaines parties ?

   d) au moins une des deux prochaines parties ?

5. En Angola, on estime qu'en 2009, le taux de mortalité infantile a atteint une valeur incroyable de 180 ‰ (180 pour 1 000), c'est-à-dire que sur 1 000 enfants nés vivants, 180 sont morts avant d'avoir atteint l'âge de 1 an. Le 1er janvier 2010, si un village compte 250 enfants âgés de 1 à 2 ans, combien d'enfants sont morts dans ce village en 2009 avant d'avoir atteint l'âge de 1 an ?

6. Le cheval Brown Dress a gagné 55 de ses 125 dernières courses. Quelle est la probabilité qu'il finisse deuxième ou pire lors de la prochaine course ?

7. En saison régulière (2009-2010), Alexander Ovechkin a marqué 50 buts en 72 matchs. En supposant que cette statistique soit valable pour les matchs des séries éliminatoires, quelle est la probabilité (en pourcentage) qu'Alexander Ovechkin ne marque pas lors des deux premiers matchs des séries éliminatoires ?

test

1. Détermine si les deux événements suivants sont exclusifs ou non mutuellement exclusifs. S'ils sont non mutuellement exclusifs, détermine les éléments communs à cette paire d'événements.

   a) Avec deux dés, obtenir deux chiffres différents et obtenir un total de 2.

   b) Regarder une femme et regarder une personne avec une pomme d'Adam.

   c) Dans un jeu de cartes, obtenir une carte rouge et obtenir un multiple de 6.

2. Au blackjack, tu peux obtenir un blackjack si l'un des deux événements suivants survient : la première carte tirée est une figure ou la première carte pigée est un as.

   a) Ces deux événements sont-ils exclusifs ? _____

   b) Quelle est la probabilité qu'au moins un des deux événements se produise ?

3. En 2006, on estimait que 40 millions de personnes vivaient avec le VIH. Si la population mondiale comptait 6,9 milliards de personnes ;

   a) quelle est la probabilité en pourcentage que la prochaine personne que vous rencontrerez ait le VIH ?

   b) quelle est la probabilité en pourcentage que les 20 prochaines personnes que vous rencontrerez n'aient pas le VIH ?

exercice 24 «««««««««««««««

Probabilité conditionnelle

1. Une étude sur le tabagisme a été effectuée auprès d'une école secondaire d'une commission scolaire. On posait la question suivante aux élèves : Avez-vous déjà essayé de fumer une cigarette ? Le tableau suivant montre les résultats obtenus :

	Pourcentage des élèves qui ont essayé la cigarette	
	Garçons	Filles
1re secondaire	35 %	30 %
2e secondaire	45 %	43 %
3e secondaire	50 %	53 %

a) Quelle est la probabilité qu'un garçon ait déjà essayé la cigarette, sachant qu'il est en 2e secondaire ? _____

b) Quelle est la probabilité qu'une fille n'ait jamais essayé la cigarette, sachant qu'elle est en 3e secondaire ? _____

c) En 1re secondaire, sachant qu'il y a autant de filles que de garçons, quelle est la probabilité qu'un ou une élève n'ait jamais essayé la cigarette ? _____

2. De petits cadeaux sont tirés au hasard parmi six invités à une fête d'amis : une caméra numérique, deux boîtes de chocolats et trois certificats-cadeaux. Construis un arbre des probabilités pour les deux premiers tirages et réponds aux questions suivantes.

a) Quelle est la probabilité que la caméra soit pigée au deuxième tirage, sachant qu'une boîte de chocolats a été pigée lors du premier tirage ? _____

b) Quelle est la probabilité qu'un certificat-cadeau ne soit pas pigé au deuxième tirage, si un autre certificat-cadeau a été pigé précédemment ? _____

3. Le jeu de YUM est composé de 5 dés numérotés de 1 à 6 qu'on lance à 3 reprises. Vingt points sont accordés pour une longue suite, c'est-à-dire les chiffres 1 - 2 - 3 - 4 - 5 ou 2 - 3 - 4 - 5 - 6. Au premier lancer, un joueur obtient les chiffres 2 - 3 - 4 - 4 - 5. Au deuxième lancer, le joueur décide de relancer l'un des dés montrant le chiffre 4.

a) Quelle est la probabilité qu'il obtienne la longue suite sur le deuxième lancer? _____

b) Quelle est la probabilité qu'il n'obtienne pas la longue suite au troisième lancer, sachant qu'il a obtenu un 2 sur le deuxième lancer? _____

c) À l'aide d'un arbre des probabilités, détermine la probabilité qu'il obtienne une longue suite après le deuxième ou le troisième lancer.

Arbre	Calculs

4. Tu regardes à la télévision le tirage de la Loto 6/49. Comme le dit le nom de la loterie, on tire 6 boules dans un boulier contenant 49 boules. Tu as choisi les numéros 3 - 10 - 13 - 36 - 40 - 45.

a) Quelle est la probabilité que la quatrième boule tirée soit le 10, sachant qu'elle n'a pas été pigée précédemment?

b) Quelle est la probabilité que la boule 10 ne soit pas tirée lors de la cinquième pige, sachant qu'elle n'a pas été tirée dans les piges précédentes?

c) Quelle est la probabilité que la boule 10 soit tirée à la troisième pige, sachant qu'elle a été tirée à la deuxième pige?

5. Les jetons de bingo sont identifiés par les lettres du nom du jeu : B (1 à 15), I (16 à 30), N (31 à 45), G (46 à 60) et O (61 à 75). Il vous manque un seul jeton pour gagner, soit le O-63. Jusqu'à maintenant, tous ces jetons ont été pigés : B-3, B-8, B-13, I-21, I-23, I-27, I-29, N-34, N-37, G-55, G-56, G-58, G-59, O-62, O-73, O-75.

a) Quelle est la probabilité que le O-63 soit pigé au prochain tour ?

b) Quelle est la probabilité que le jeton suivant possède la lettre O ?

c) Rendu à la 30ᵉ pige, quelle est la probabilité que le O-63 soit pigé, sachant qu'il n'a pas été pigé dans les piges précédentes ?

6. On effectue sans remise deux piges dans un sac contenant 5 billes rouges, 6 billes vertes et 7 billes bleues. À l'aide d'un arbre des probabilités, réponds aux questions suivantes.

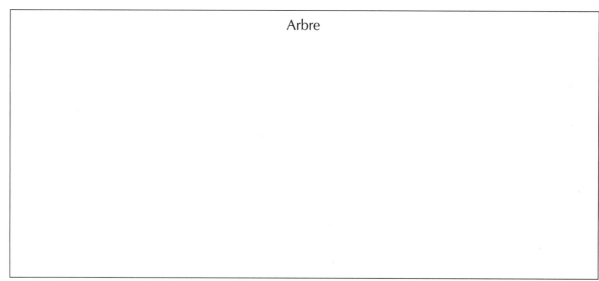

Arbre

a) Quelle est la probabilité d'obtenir une bille bleue ou rouge à la deuxième pige, sachant qu'une bille bleue a été pigée à la première pige ?

b) Quelle est la probabilité d'obtenir une bille verte à la deuxième pige, sachant qu'une bille verte ou rouge a été pigée précédemment ?

test

1. En 2007, Statistique Canada met en évidence le grand nombre de personnes souffrant d'arthrite au Québec et en Ontario, les deux provinces les plus populeuses du Canada. Le tableau suivant est éloquent à ce sujet.

2007	Nombre de gens atteints d'arthrite	
	Québec	Ontario
Hommes	268 029	675 384
Femmes	468 125	1 086 983

   Population du Québec en 2007 : 7 687 100
   Population de l'Ontario en 2007 : 12 794 700

   a) Sachant qu'une personne vient du Québec, quelle est la probabilité (en pourcentage) qu'elle soit atteinte d'arthrite ?

   b) Sachant qu'une personne est une femme de l'Ontario ou du Québec, et qu'on suppose que la population du Québec et de l'Ontario est à moitié masculine et féminine, quelle est la probabilité (en pourcentage) que cette femme ne soit pas atteinte d'arthrite ?

2. Sur une roulette de casino, certains chiffres sont sur une case rouge (32, 19, 21, etc.), d'autres sont sur une case noire (15, 4, 2, etc.), tandis que le 0 est sur une case verte. Quelle est la probabilité que le chiffre obtenu soit un chiffre pair, sachant que la bille est tombée sur une case noire ?

	Calculs

exercice 25 «««««««««««««

Concept d'équité

1. Une roue chanceuse possède 1 montant de 1 000 $, 1 montant de 500 $, 2 montants de 250 $, 8 montants de 100 $, 10 montants de 50 $ et 50 montants de 10 $.

   a) Quelles sont les « chances pour » d'obtenir un montant de moins de 50 $?

   b) Quelles sont les « chances contre » d'obtenir un montant d'au moins 250 $?

   c) Quelle est la probabilité de gagner le montant minimal ?

   d) Détermine l'espérance mathématique de cette roue chanceuse.

2. Sandra, une adolescente, est monitrice au camp d'été La joie au rendez-vous. Des groupes mixtes de moniteurs et de monitrices comprenant au total quatre personnes sont formés au hasard. À l'aide d'un arbre des probabilités, calcule les « chances pour » que Sandra soit accompagnée d'un garçon et de deux filles, en supposant que la probabilité d'être accompagnée d'un garçon ou d'une fille est la même.

Arbre	Calculs

3. Dans une foire, tu veux organiser un jeu de hasard. L'organisation de la foire prévoit que 200 joueurs participeront à ton jeu. Elle désire que tu fasses des profits totaux de 300 $.

   Le jeu est simple. Le joueur lance deux dés. Si le total des dés est égal à 7, le joueur remporte 1 $. Si le total des dés est égal à 11, le joueur remporte 6 $. Quelle mise initiale devra être imposée aux joueurs pour encaisser les profits recommandés ?

4. Ce tableau élaboré par Statistique Canada montre l'âge au décès des femmes du Québec en 2007.

Âge au décès (ans)	Médiane (ans)	Effectif
0-9	4,5	38
10-19	14,5	66
20-29	24,5	180
30-39	34,5	210
40-49	44,5	875
50-59	54,5	1 923
60-69	64,5	3 198
70-79	74,5	5 943
80-89	84,5	9 870
90-119	104,5	6 005

   a) Quelles étaient les « chances pour » qu'une femme meure à un âge de 80 ans ou plus ?

   b) Quelle était l'espérance de vie en 2007 ?

5. Jade, une petite fille de 8 ans, veut faire jouer un jeu de hasard aux piétons passant en face de la maison de ses parents. Le jeu est simple : si le joueur tire un as, il gagne 3,25 $; s'il tire une autre carte, il perd sa mise.

   a) Quelles sont les « chances contre » que le joueur tire un as ?

   b) Si les parents de Jade désirent qu'elle ne soutire aucun revenu de ce jeu, quelle mise Jade devrait-elle imposer aux joueurs ?

6. Un dé à jouer est usé, de telle sorte que la probabilité d'obtenir chacun des nombres n'est pas équivalente, ce que démontre le tableau suivant.

Chiffre	1	2	3	4	5	6
Probabilité	0,18	$\frac{1}{6}$	$\frac{1}{3}$	14,5 %	12 %	0,055

   a) Détermine la moyenne des résultats obtenus avec ce dé s'il a été lancé plus de 1 000 fois. Arrondis au centième près.

   b) Sachant le dé usé, Charles décide de l'utiliser pour soutirer un peu d'argent à ses collègues de bureau. Il décide d'offrir 10 $ à quiconque obtient un 6 lors du lancer de ce dé. Quelle mise minimale devra-t-il imposer pour s'assurer de faire un peu de profit ?

   c) Si Charles décide de conserver la mise calculée précédemment et qu'il décide d'offrir 10 $ à quiconque obtient un 3, quelle quantité d'argent risque-t-il de perdre si 50 joueurs participent au jeu ?

test

1. On tire une carte dans un jeu de cartes standard incluant les deux « jokers ». Détermine les « chances pour », les « chances contre » et la probabilité de l'événement suivant : obtenir une carte rouge de meilleure valeur que le 10, mais pas un « joker » (l'as est considéré comme ayant une valeur supérieure à toutes les autres cartes).

« Chances pour »	« Chances contre »	Probabilité

2. Un commerçant suggère un jeu à ses clients. S'il obtient un 6 sur un dé à jouer, il offre un rabais de 1 $; s'il obtient un 1, il obtient 0,50 $ de rabais.

a) Quelles sont les « chances pour » que chaque client obtienne un rabais ?

b) Quelle quantité d'argent doit-il s'attendre à remettre dans une journée où environ 500 personnes entreront dans son commerce ?

3. À l'émission *Le bon prix*, une roue est composée de multiples de 0,05 $ variant de 0,05 $ à 1,00 $. Le participant gagne 5 000 $ s'il arrive sur le montant de 0,05 $ ou de 0,15 $; il gagne 10 000 $ s'il arrive sur le montant de 1,00 $.

a) Quelles sont les « chances contre » qu'un participant ne gagne aucun montant d'argent ?

b) Calcule l'espérance mathématique en dollars de cette roue.

Test final

1. Un ornithologue examine ses statistiques d'observation des 10 dernières années. Il a observé le cardinal à tête noire en 1999 et en 2002, tandis qu'il a observé le mergule nain en 1998, 2005 et 2006. Estime la probabilité qu'il observe l'une et/ou l'autre de ces deux espèces en cette nouvelle année.

2. La plupart du temps, le prix d'une tomate au kilogramme varie en fonction de la quantité de tomates achetée. Plus la quantité de tomates achetée est élevée, plus le prix au kilogramme de la tomate sera faible. En te promenant dans un marché public, tu prends note des différents prix offerts en fonction de la masse totale de divers contenants de tomates de différentes masses.

Masse (kg)	0,5	1	2	5	8	10	20
Coût ($)	3	4	6	10	11	12,50	18

Trace le graphique du coût d'un contenant de tomates en fonction de sa masse. De quelle fonction s'agit-il ? Il s'agit d'une fonction _____.

3. Le 1er janvier, à partir d'un restaurant (départ), deux voitures démarrent pour se rendre à une maison sur la rue des Lilas. La première voiture emprunte la route 175 et y roule pendant 30 minutes à 70 km/h avant d'emprunter la rue des Lilas. La deuxième emprunte la route 132 et y roule pendant 30 minutes à 90 km/h avant d'emprunter la rue des Lilas.

   a) Détermine la valeur de l'angle entre la route 175 et la rue des Lilas. Arrondis au centième près.

   b) La rue Guy est une route secondaire permettant d'accéder à la maison plus rapidement. Puisqu'elle n'est pas ouverte l'hiver, nos deux voitures ne peuvent pas l'emprunter. Quelle est la longueur de cette rue? Arrondis au centième près.

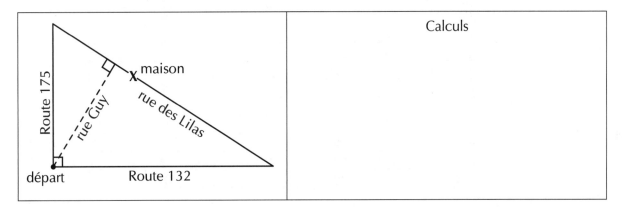

Calculs

4. Détermine le résultat de la chaîne d'opérations suivante :

$$\frac{25!}{6!(25-6)!} \cdot 10^6 =$$

5. Pour savoir si la puissance au bâton du joueur de baseball Moises Alou a été constante, on désire mettre en relation le nombre de coups de circuit (CC) qu'il a frappés en fonction du nombre de ses présences au bâton (AB) pour chacune des années où il a joué.

Années	AB (présences au bâton)	CC (coups de circuit)
1992	341	9
1993	482	18
1994	422	22
1995	344	14
1996	540	21
1997	538	23
1998	584	38
2000	454	30
2001	513	27
2002	484	15
2003	565	22
2004	601	39
2005	427	19
2006	345	22
2007	328	13
2008	49	0

a) Détermine le coefficient de corrélation de cette relation linéaire.

b) À l'aide de la méthode de Mayer, détermine l'équation de la droite la plus représentative de cette situation.

c) Combien de coups de circuit Moises Alou aurait-il frappés s'il n'avait obtenu que 250 présences au bâton dans une saison, en raison de blessures?

d) En excluant l'année 2008, calcule le nombre moyen de présences au bâton ($\overline{AB}$) de Moises Alou au cours de sa carrière.

e) Après avoir complété le tableau suivant, calcule l'écart type et l'écart moyen de cette distribution.

Années	AB (présences au bâton)	$|AB_i - \overline{AB}|$	$(AB_i - \overline{AB})^2$
1992	341		
1993	482		
1994	422		
1995	344		
1996	540		
1997	538		
1998	584		
2000	454		
2001	513		
2002	484		
2003	565		
2004	601		
2005	427		
2006	345		
2007	328		
Somme			

Écart moyen	Écart type

6. Soit deux droites dont les équations sont : $2x + 3y - 4 = 0$ et $\frac{x}{3} + y = 1$.

a) Détermine la pente et l'ordonnée à l'origine de ces deux droites.

$2x + 3y - 4 = 0$	$\frac{x}{3} + y = 1$

b) Détermine la distance entre le point (5, 5) et l'abscisse à l'origine de la droite d'équation $2x + 3y - 4 = 0$. Arrondis au millième près.

c) Quel est le point de rencontre de ces deux droites?

d) Détermine les coordonnées du point situé aux $\frac{5}{6}$ de la distance entre le point de rencontre des deux droites et l'abscisse à l'origine de la droite d'équation $\frac{x}{3} + y = 1$, à partir du point de rencontre.

e) Détermine l'équation sous la forme générale d'une droite passant par le point (11, 16) et perpendiculaire à la droite d'équation $\frac{x}{3} + y = 1$.

7. Une roulette est composée des nombres de 0 à 36. Un joueur gage 5 $ que la bille de la roulette tombera sur l'un des chiffres suivants: 1, 2, 4 ou 5. Si l'on désire que le jeu soit équitable, quel montant d'argent devrait être à l'enjeu?

8. Dans un boulier, il y a 4 chiffres et 3 X.

a) Quelles sont les « chances pour » que la première pige soit un X?

b) Quelle est la probabilité que les deux piges suivantes soient des chiffres, sachant qu'un X avait été tiré précédemment (sans remise)?

...

9. Ta grand-mère te dit : « S'il te reste une carte à jouer dans les mains, il ne peut s'agir simultané-ment d'un nombre pair et d'un multiple de 5. »

a) A-t-elle raison ? Sinon, quelles cartes satisfont les deux conditions ?

b) Les événements « avoir une carte dont le nombre est pair » et « avoir une carte dont le nombre est un multiple de 5 » sont donc _____.

10. Factorise au maximum les polynômes suivants.

a) $4x^2 - 3x + 0{,}5625$	b) $5x^2 + 9x - 20x - 36$

11. Simplifie l'expression algébrique suivante.

$$\frac{x^2 - 4xy + 4y^2}{4(x - 2y)^4} + \frac{x^2 + 3xy - 2xy - 6y^2}{(x - 2y)^3} =$$

12. La fonction ci-dessous met en relation l'aire (A) d'un demi-cercle et son diamètre (d) :

$$d = \sqrt{\frac{8A}{\pi}}$$

a) Quel est le diamètre d'un demi-cercle dont l'aire est de 58 dm² ? Arrondis au centième près.

b) Trace un graphique de cette fonction.

Table de valeurs	
	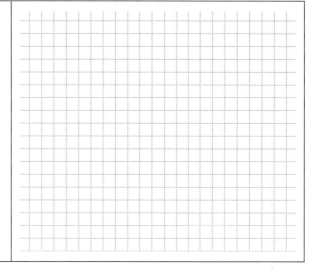

13. Dans une crèmerie, un grand cornet de crème glacée molle coûte 50 % de plus qu'un petit cornet. L'achat de 5 grands cornets et de 2 petits cornets a coûté 19,00 $. Quel est le coût de chacun des deux formats de cornet ?

14. Résous l'équation et l'inéquation suivantes.

a) $-(-2\sqrt{5x}) = 8$	b) $-3\sqrt{x} \geq -\dfrac{22}{3}$

15. Immédiatement après avoir atteint l'âge légal de 12 ans, une personne amorce sa 13e année d'existence. L'âge réel d'une personne est comptabilisé en tenant compte du nombre d'années d'existence, mais également du nombre de mois, jours, etc.

a) Remplis une table de valeurs qui t'aidera à tracer un graphique mettant en relation la xe année d'existence (variable dépendante) et l'âge réel (a) d'une personne entre 0 et 5 ans.

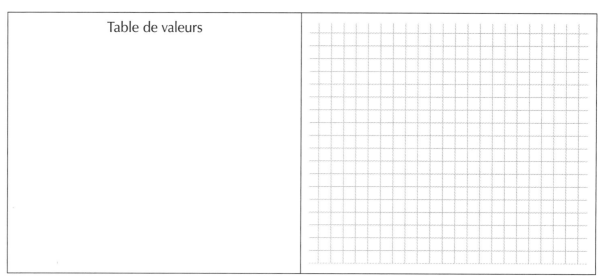

Table de valeurs

b) Détermine la règle de cette fonction ; identifie bien les unités de mesure de ses variables.

16. Quelle est l'expression algébrique simplifiée représentant la mesure en centimètres de la cathète d'un triangle rectangle dont l'hypoténuse mesure $(0,2x + 0,3)$ mètres et dont l'autre cathète mesure $(10x + 25)$ centimètres ?

17. Dans une réaction chimique, la masse d'un constituant A diminue de 40 % à toutes les heures. Au départ, 50 mg du constituant A sont présents dans le réacteur. On désire arrêter la réaction lorsqu'il ne restera plus que 1 % de la masse initiale du constituant A dans le réacteur.

    a) Détermine une relation établissant la variation de la masse (m) en milligrammes du constituant A en fonction du temps (t) en heures.

    b) Après combien de temps la réaction sera-t-elle arrêtée ? Arrondis au millième près.

    c) À mi-chemin entre le début et la fin de la réaction, la masse du constituant A sera-t-elle à mi-chemin entre sa masse initiale et sa masse finale ? Pourquoi ? Sinon, quelle sera cette masse ?

    d) Détermine les caractéristiques suivantes de cette fonction.

1) Domaine	
2) Image	
3) Signe	
4) Croissance et décroissance	

18. Simplifier l'expression suivante, sachant que l'expression finale ne doit pas contenir d'exposants négatifs.

$$\frac{\sqrt{4a^2b^4}}{8ab^6} \bullet \frac{b^{-3}}{a^{-1}} \bullet (a^2)^2 \bullet a =$$

19. Carole doit payer 120 $ pour une salle dans laquelle elle veut faire une fête de famille. Elle veut demander aux familles une cotisation pour payer les frais de location de la salle : 3 $ par adulte et 1 $ par enfant. Soit x le nombre d'adultes et y le nombre d'enfants participant à cette fête, combien d'enfants et d'adultes Carole doit-elle inviter si elle désire au moins rentabiliser le prix de la salle ?

Table de valeurs et calculs	

20. Roger veut lancer une roche, sur laquelle est inscrit un message par-dessus une muraille de 12 mètres de hauteur. La trajectoire suit la relation suivante : $y = -0,25x^2$

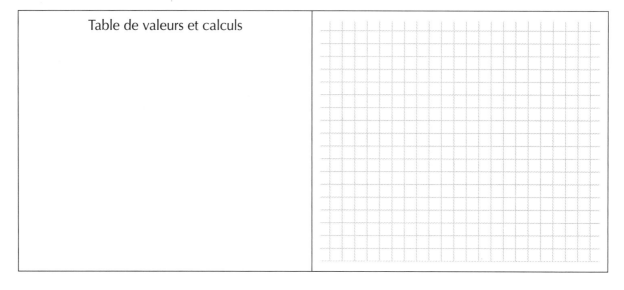

a) Détermine la distance entre la muraille et Roger. Arrondis au centième près.

b) Détermine les caractéristiques demandées de cette fonction.

1) Domaine	
2) Image	
3) Signe	
4) Croissance et décroissance	
5) Axe de symétrie (équation)	

c) Détermine la distance de la roche par rapport au mur lorsqu'elle est à une altitude de plus de 10 mètres par rapport au sol. Arrondis au centième près.

21. Dans une entrée d'autoroute, une voiture accélère constamment de telle sorte qu'après 6 secondes, elle a déjà parcouru 100 mètres. La voiture poursuit son chemin à vitesse constante (120 km/h). Le plan cartésien ci-dessous met en relation la distance parcourue par la voiture en fonction du temps.

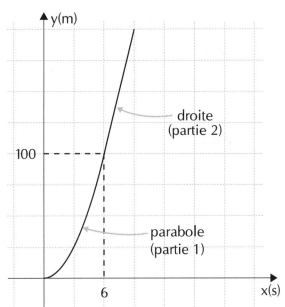

a) Détermine les caractéristiques suivantes de cette fonction.

1) Domaine	
2) Image	
3) Signe	
4) Croissance et décroissance	
5) Zéro	
6) Extremums	
7) Ordonnée à l'origine	

b) Détermine la règle de chacune des parties de la fonction.

Partie 1 ($b = 1$)	Partie 2

c) Quelle distance la voiture a-t-elle parcourue après :

i) 3 secondes ?	ii) 1 minute ?

ANGLAIS

| Cynthia Genovesi |

»»»»»»»»»»» table des matières

index de l'aide-mémoire »»»»»»»»»»»»»»

Tu trouveras dans cet aide-mémoire un résumé des notions que tu étudies dans ta classe d'anglais de 4ᵉ secondaire.

Review of Secondary 3 English

Afin de pouvoir avancer dans une matière et de bien assimiler de nouveaux concepts, il est primordial d'avoir de bonnes bases solides. Dans la première section de ce livre, tu feras une révision des concepts importants qui te permettront de progresser cette année. Il faut imaginer les apprentissages que tu fais non pas comme une ligne droite, mais plutôt comme une roue. Tu retournes périodiquement à certains concepts et tu en ajoutes aux fondations que tu possèdes déjà pour bâtir de bonnes bases en anglais. C'est pourquoi les mêmes thèmes reviennent souvent, mais à des degrés de difficulté différents. Tu devras aussi faire référence aux acquis appris depuis le début du secondaire.

A) Perfect Progressive Tenses

1) Present Perfect Progressive

a) **Quand employer ce temps de verbe ?**

On emploie ce temps de verbe lorsqu'on parle d'une action qui a débuté dans le passé et qui continue dans le présent.

Exemple : *I have been working on my scrapbook since I was eight years old.*

b) **Comment former ce temps de verbe ?**

Il est très simple de former ce temps de verbe. Il suffit de conjuguer le verbe « avoir », *to have*, au présent selon le pronom utilisé et ensuite d'ajouter le participe passé du verbe « être », *been*, suivi d'un verbe se terminant par *–ing*.

Note : Il est important de bien connaître le verbe « avoir » au présent.

c) **Quelles expressions sont associées à ce temps de verbe ?**

for, since, all week, for the past year, since I was born…

d) **Voici des exemples de ce temps de verbe.**

You have been asking me the same question since class started!
She has been harassing me all week.
We have been donating food all year.

2) Past Perfect Progressive

a) **Quand employer ce temps de verbe ?**

On emploie ce temps de verbe lorsqu'on parle d'une action dont le début est situé dans le passé et qui a commencé avant le début d'une autre action dans le passé. Pour différencier les deux actions, celle qui a commencé en premier emploie le *past perfect progressive*. Celle qui continue après celle-ci emploie le passé simple. Il est important de retenir qu'au moment de lire la phrase, les deux actions sont terminées.

Exemple : *Daniel had been waiting so long for his date to show up that he left the restaurant.*

La première action de Daniel dans la ligne du temps est d'attendre. Elle est au *past perfect progressive* (*had been waiting*). Sa deuxième action est de partir du restaurant. Elle est au passé simple (*left*).

b) **Comment former ce temps de verbe ?**

Il est très simple de former ce temps de verbe. Il suffit de conjuguer le verbe « avoir », *to have*, au passé et ensuite d'ajouter le participe passé du verbe « être », *been*, suivi d'un verbe se terminant par *–ing*.

Note : Il est important de bien connaître le verbe « avoir » au passé.

c) **Quelles expressions sont associées à ce temps de verbe ?**

because, for, since…

d) **Voici des exemples de ce temps de verbe.**

Because Jim had been lying to Julie, she left him.
The client had been waiting for over an hour when someone finally helped her.
Susie had been searching for Mr. Right until she met Jax this year.

3) Future Perfect Progressive

a) **Pourquoi employer ce temps de verbe?**

On emploie ce temps de verbe pour situer le début d'une action dans le futur qui continuera alors qu'une autre action débutera elle aussi dans le futur.

Exemple: *By the time my husband's mother gets home from work, I will have been cleaning the house for at least an hour.*

La première action dans la ligne du temps est de nettoyer la maison. Elle est au *future perfect progressive (will have been cleaning)*. La deuxième action est le retour de la mère du mari. Elle est au présent *(gets)*.

b) **Comment former ce verbe?**

Il est très simple de former ce temps de verbe. Il suffit de conjuguer le verbe « avoir », *to have*, au futur et ensuite d'ajouter le participe passé du verbe « être », *been*, suivi d'un verbe se terminant par *–ing*.

Note: Il est important de bien connaître le verbe « avoir » au futur.

c) **Quelles expressions sont associées à ce temps de verbe?**

when, by the time, by noon, by next month…

d) **Voici des exemples de ce temps de verbe.**

I will have been writing for three years by the time I finish my novel.
By Sunday, Sheila will have been living in Spain for a whole month!

B) Avoiding Tense Change, Sentence Fragments and Run-on Sentences

Bien souvent, les élèves, lorsqu'ils construisent des phrases, font trois types d'erreurs importantes.

1) Tense Change

Souvent, dans leurs compositions, les élèves commencent à écrire en employant un temps de verbe, puis ils le changent en plein milieu de leur texte. Et même, dans certains cas, ils les alternent! Cela peut devenir extrêmement mélangeant pour le lecteur, qui a ainsi du mal à se situer dans le texte.

Bien sûr, il est correct d'employer le passé si on raconte quelque chose qui s'est déroulé dans le passé, ou d'employer le futur si on raconte quelque chose qui se déroulera dans le futur. Il est important, dans ce cas, de bien situer le lecteur en employant des indicateurs de temps, comme *last night, next year, two minutes ago…*

Dans les exercices, tu pourras reconnaître de telles erreurs et apprendre à les corriger. Ta compréhension de ce genre d'erreur sera meilleure lorsque tu te seras exercé à les éviter.

2) Sentence Fragments

On parle de *sentence fragments* quand une phrase est séparée en deux par un point final qui s'avère inutile. La phrase en italique est un exemple en français de *sentence fragment*: « Le parc offre beaucoup d'attractions. *Comme des glissades, des balançoires, une table de pique-nique…* » Cette dernière phrase est incomplète puisqu'elle ne contient pas de verbe.

* Tu dois faire attention à *because*. Souvent, les élèves commencent des phrases avec ce mot, mais il leur manque un verbe. Dans d'autres cas, il leur manque un sujet.

Voici des exemples de *sentence fragments* :

- Joe was really mean. *Creating a problem like this.*
- I received so many nice gifts. *Like a new winter coat.*
- You really mean so much to me. *Because you've helped me through so many issues.*
- Too many teens die of bike injuries. *Which is why helmets are obligatory.*

3) Run-on Sentences

Ce genre d'erreur arrive alors qu'on devrait utiliser un point final, une virgule ou une conjonction de coordination dans une phrase, mais qu'il n'y en a pas. Ce type de phrases devient ainsi trop long à lire. En réalité, ces phrases contiennent des phrases syntaxiques qui devraient être séparées. La phrase suivante est une *run-on sentence* en français dans laquelle, par exemple, on pourrait inclure trois éléments de ponctuation : « Ma mère est fatiguée elle a travaillé douze heures en ligne elle voudrait aller se coucher. »

Voici des exemples de *run-on sentences* :

- *You did this to me last week you told me that you would change.*
- *You cannot keep doing this hiding from the truth.*
- *The song was so annoying it was stuck in my head all weekend.*
- *Supper was delicious we all ate until we were stuffed.*

C) Compound and Collective Nouns

1) Compound Nouns

Ce sont des noms communs qui sont formés en liant au moins deux mots ensemble. En français, on parle de mots-valises.

a) Comment les former ?

i) En liant un adjectif et un nom commun :

Exemple : *green+house = greenhouse*

ii) En liant un nom commun et un nom commun :

Exemple : *police+man = policeman*

b) Quels en sont les différents genres ?

i) Deux mots liés ensemble

Exemple : *blackboard*

ii) Deux mots unis par une espace

Exemple : *soccer field*

2) Collective Nouns

Ce sont des noms qui désignent un ensemble de personnes, de concepts, de choses ou d'animaux.

a) Animals

Animal	Group	Animal	Group
ants	colony	hamsters	horde
donkeys	herd	hippopotamus	bloat
baboons	tribe	horses	herd
beavers	family	kangaroos	mob
bees	hive	mouses	nest
bats	colony	mosquitoes	swarm

aide-mémoire «««««««««««««««

Animal	Group	Animal	Group
bears	sleuth	pigs	herd
cats	clowder	rats	colony
cattle	herd	sheeps	drove
chickens	flock	tigers	streak
chimpanzees	cartload	turkeys	rafter/flock
crows	murder	worms	bed
dogs	pack	zebras	dazzle
all fish	school	all birds	flock
elephants	herd	goats	mob
frogs	bundle	geese	gaggle
giraffes	journey	gorillas	band

b) **Things**

Thing	Group	Thing	Group
bananas	bunch	peas	pod
bread	batch	poetry, prose	anthology
cars	fleet	ships	fleet
cards	deck	shoes (two)	pair
computers	network	stairs	flight
flowers	bouquet	stars	galaxy
grapes	bunch, cluster	things	bunch
information	wealth	trucks	convoy
islands	archipelago	trees	forest
keys	set	trash	heap
money	wad	mountains	range

c) **People**

Person	Group	Person	Group
actors	cast	people	crowd, mob, congregation, audience
athletes	team	police	posse
dancers	troup	prisoners	gang
directors	board	singers	choir
employees	staff	students	class

Person	Group	Person	Group
experts	panel	worshippers (religious)	congregation
judges	bench	musicians	orchestra
listeners	audience	natives	tribe

d) Expressing Certainty, Frequency and Quantity

Certainty		Frequency		Quantity	
Sure	Unsure	Often	Not often	A lot	A little
- obviously - for sure - clearly - certainly - definitely - undoubtedly - I am sure - of course - I am certain - I think - it is confirmed - no doubt about it	- probably - maybe - perhaps - I doubt it - I don't know - I think so - it is doubtful	- all the time - always - most of the time - usually - daily - monthly - annually - regularly - weekly	- sometimes - never - occasionally - once - seldom - rarely	- much - many - lots of - several - all - two, three, four… - a couple of - most - plenty of - a number of	- not much - not many - very little - a small amount - few - some - no - none - zero - one

More on Phrasal Verbs

Tu trouveras dans le tableau suivant une liste des *phrasal verbs* les plus courants. Il s'agit de la suite de ceux que tu as appris l'an dernier. Au total, il en existe plus de 250. Pour t'aider, ils seront accompagnés d'une définition en français ainsi que d'un exemple.

Note : Parfois, un *phrasal verb* peut avoir plusieurs sens ; afin de mettre l'accent sur les usages les plus courants, ils ne sont cependant pas tous présentés. Ne te décourage pas ! Avec le temps, tu sauras les maîtriser, les reconnaître, les comprendre, les utiliser et, surtout, en apprendre d'autres !

* Dans certains cas, nous allons revisiter certains *phrasal verbs* vus l'an dernier. Par contre, nous en explorerons d'autres sens et usages possibles.

Phrasal Verb	Definition	Example
Act like	Agir comme.	*Jonathan is acting like everything is normal. After what he did, he should be begging for mercy.*
Back off	Donner de l'espace à quelqu'un ; le laisser seul.	*Louis, back off! I don't need your help. Leave me alone.*

aide-mémoire «««««««««««««

Phrasal Verb	Definition	Example
Back up	Faire la sauvegarde d'un document électronique dans un autre endroit que la sauvegarde initiale, au cas où un problème surviendrait.	*Corey made sure he backed up all his files. He did not want to repeat that incident that happened on his first day at the job.*
Be off	Quand un aliment n'est plus bon, devient périmé.	*Mark's wife made him lasagne. When he ate it, he made a weird face and started screaming, "The cheese is off! I can't eat this, it's horrible!" He then ran to the bathroom to rinse his mouth.*
Beat up	Se battre; donner ou recevoir des coups de pied ou de poing.	*Austin got into a fight and got beat up pretty badly. He is now in the hospital.*
Blow up	Gonfler (par exemple, un ballon). Exploser.	*Elizabeth Grace wanted to make sure her daughter had a memorable birthday party. She blew up one hundred pink princess balloons. Wesley did not know that turning on his propane tank one hour before sparking a match might cause his entire deck to blow up.*
Bring back	Ramener quelqu'un ou rapporter quelque chose.	*Every week, Ronald brings back empty containers for his mom to fill with delicious food. Ophelia is such a great cook!*
Bring on	Être la cause de quelque chose.	*Walking without proper warm clothes in the middle of February has brought on Shanae's cold. Fashion is not everything!*
Brush up	Améliorer notre capacité à faire quelque chose.	*I need to brush up on my Latin, since I will be taking a Latin literature course at the university.*
Butt in	Interrompre la conversation entre deux personnes sans y être invité; se faufiler dans une file sans en avoir le droit.	*Violet is so annoying. Whenever I talk to Isabella, she butts in and wants to know what we are talking about.*

Phrasal Verb	Definition	Example
Butter up	Flatter quelqu'un dans le sens du poil dans le but d'obtenir une faveur.	*Jeff keeps buttering me up these days. He wants me to agree to go to his sister's wedding with him, even though I can't stand his sister. I just hope he stops asking but I enjoy all the extra attention!*
Cash in	Vendre quelque chose pour obtenir de l'argent.	*Vincent cashed in his savings bonds and booked a trip to Cuba. He worked so hard for that money. I hope the trip was worth it.*
Catch on	Qui devient populaire (se dit surtout d'une mode ou d'un comportement).	*Those weird eighties headbands they sell at the mall are really starting to catch on. Neon colours never do go out of style! Alison bought eleven!*
Check out	Processus d'emprunt (par exemple, à la bibliothèque ou au club vidéo).	*Mike checked out The Catcher in the Rye from the library. It's his favourite book. He's read that book more times that he can count!*
Chicken out	Perdre le courage de faire quelque chose.	*Xavier was planning on asking Rose to the graduation ball. But, just before doing it, he chickened out. Seeing this opportunity, his best friend Sean jumped in and asked her.*
Clam up	Devenir très silencieux très vite.	*Doris always loves to talk and joke around. However, whenever her husband walks in, she clams up and stops talking. He has some kind of power over her.*
Come out	Apparaître.	*Sharon loves springtime, when all of her favourite orchids and roses come out.*
Come up with	Avoir une idée.	*Cynthia's husband is the nicest. He comes up with fun and interesting meal ideas and takes such good care of his family.*

aide-mémoire «««««««««««««««

Phrasal Verb	Definition	Example
Cross out	Barrer d'un trait; biffer (par exemple, un mot).	The teacher crossed out all the errors on his test.
Drop in	Visiter quelqu'un sans le lui annoncer d'avance, par surprise.	*Jean likes being alone. She hates it when her sister Wilhelmina drops in for a cup of coffee without telling her.*
Fall for	Tomber amoureux d'une personne, d'un animal, d'une chose.	*The second I laid my eyes on your beautiful green eyes, I knew I'd fallen for you.*
Fall through	Quand quelque chose de planifié n'arrive pas.	*I really wanted to go to the amusement park with my friends Daxon and Tamara-Lynn, but our plans fell through because of the weather.*
Figure out	Comprendre.	*I've never been able to figure out Nigel. One minute he is in a good mood, the next he's starting a fight with everyone.*
Feel up to	Se sentir d'attaque pour faire quelque chose.	*Mildred is quite tired after this morning's visit to the doctor. She does not feel up to playing canasta with her friends as she had planned.*
Fill in	Donner des informations à quelqu'un.	*John, could you fill me in on this business deal, please?*
Fill out	Remplir un document en y ajoutant des renseignements.	*Debra spent her lunch hour filling out an application for a part-time job.*
Follow up	Faire un suivi à la suite d'une discussion.	*Veronica will follow up on Karina's request. She will see if the electrical component can be ordered online.*
Get by	Survivre à des situations difficiles.	*Alison is having a hard time getting by on her small salary. She might move in with a roommate.*
Get rid of	Se débarrasser de quelque chose.	*Christian wishes he could convince his wife to get rid of at least half of her shoe collection. She has 293 pairs!*

Phrasal Verb	Definition	Example
Give up	Arrêter de faire quelque chose qu'on fait depuis longtemps.	Jacob finally decided to give up smoking. We had been trying to convince him for years.
Go on	Est dit de quelque chose qui se passe en ce moment.	How long has this situation with Kyle been going on?
Go through with	Accomplir quelque chose que l'on avait prévu de faire.	Prudence finally decided that it was time to go through with this procedure. She is glad she did.
Hit it off	Bien s'entendre avec quelqu'un.	Raymond and Samantha really seem to have hit it off! They can't stop looking at each other.
Kick out	Expulser quelqu'un d'un endroit.	Emerson that his teacher kicked him out of class.
Lie down	S'étendre; se coucher.	Deanna was so tired that she decided to lay down on her comfy bed.
Lay off	Mettre à pied.	Nelson's boss had to lay off eight people yesterday because of the bad economy.
Leave out	Mettre de côté; oublier.	My friends went to the movie theatre last night, but they decided to leave me out. I was never invited.
Look like	Ressembler à.	Felix really looks like his dad.
Make fun of	Rire de quelqu'un (méchamment).	Cadie is mean. She likes to make fun of Bruce just because he is different.
Make up	Se réconcilier après une dispute.	After weeks of fighting, James and Becca decided it was time to make up. They are willing to forgive and forget and start over.
Mark down	Diminuer le prix d'un article.	Adele was so happy! Her favourite green jeans had been marked down by 50 per cent!

Phrasal Verb	Definition	Example
Mark up	Augmenter le prix d'un article.	*Molly is furious and wants to speak with the manager. The prices of almost all the items have been marked up with no warning.*
Nod off	Cogner des clous.	*Brandy has been so tired lately. She is even nodding off in class.*
Pitch in	Aider.	*Stuart decided to pitch in and help his dad around the farm.*
Pull off	Parvenir à faire quelque chose.	*Michelle managed to pull off Tansy and Henry's wedding for less than five hundred dollars.*
Put off	Mettre de côté; annuler.	*Janice will put off the party until next week since no one could come this weekend.*
Put up with	Être capable de tolérer.	*I honestly don't know how Octavia can put up with her sister Myra's whining. It is so annoying. She needs to grow up.*
Sink in	Lorsqu'on se met à prendre conscience de quelque chose.	*I was so sad. It's been days since Shane and I broke up, but reality is finally starting to sink in. I miss him.*
Slip up	Commettre une erreur lors d'une conversation.	*Hyacinth was very careful when talking to her mother. She had to make sure to not slip up and tell her about her mom's surprise party.*
Stand for	Représente (par exemple, « T.I.C. » représente « Technologies de l'information et des communications »). Accepter un comportement (souvent négatif).	*The abbreviation ltd. stands for limited.* *I will not sit here and watch while you stand for an unjust cause.*
Stand out	Lorsque quelque chose est différent, détonne.	*Lorraine always seems to stand out in a crowd. I think it's her unfashionable taste in clothes.*

Phrasal Verb	Definition	Example
Stand up	Se lever; se tenir debout.	*Clara stood up in the middle of class for no apparent reason.*
Stick up for	Donner son appui à une cause, à quelqu'un.	*Gerald really sticks up for his classmates who get bullied. He believes that no one deserves to be a target for bullies.*
Take after	Tenir de quelqu'un pour son apparence ou un trait de personnalité.	*Matteo takes after his father in every way: the way he looks, the way he talks, his good humour and likeability. They are so alike.*
Take care of	Prendre soin de quelqu'un.	*Mark takes such good care of me. He is so kind and caring.*
Take down	Prendre des notes.	*Students, make sure you take down the assignment and its due date. You will not get a second chance.*
Take over	Prendre quelque chose en main.	*I don't like working with Effie. She always tries to take over the whole project.*
Throw out	Jeter aux poubelles. Expulser d'un lieu.	*Elenore always throws out papers that are on my desk without asking me first. It drives me crazy.* *I threw him out of my room because he wouldn't stop annoying me.*
Tick off	Déranger quelqu'un.	*The waiter has a rude attitude and it is ticking me off. I will complain to the manager at once.*
Track down	Retracer.	*Were you able to track down the suspect's location?*
Try on	Essayer des vêtements.	*Louise has literally tried on every piece of clothing in that store. There is nothing left for her to try on.*

Phrasal Verb	Definition	Example
Turn around	Se retourner. Changer complètement.	*The orchestra conductor turned around to face the happy audience.* *Felix has changed so much these past few weeks. He is so pleasant. I am so happy he turned himself around.*
Turn down	Refuser une offre.	*I was so surprised when Kadey turned down Nelson's marriage proposal.*
Turn into	Devenir quelque chose; se transformer.	*Bruce has turned into a fine gentleman. His parents must be very proud.*
Wait for	Attendre quelqu'un.	*Ramona waited for Edwin all night, but he never came.*
Wear out	Qui devient inutilisable avec le temps.	*Orson's jeans always wear out at the knees. Every pair he owns has at least one hole.*
Write down	Inscrire des notes sur un papier.	*Class, write down these definitions in your notebooks, please.*
Wrap up	Terminer quelque chose.	*I wish the teacher could wrap up the lesson so we can go home.*

More on Idioms

Certaines expressions idiomatiques sont couramment utilisées en anglais. Dans cette section, nous allons nous concentrer sur celles qui sont les plus communément employées, lues et entendues. Avec le temps, tu pourras en ajouter d'autres à ton dictionnaire personnel. Pour le moment, en voici de nouvelles!

Idiom	Definition	Example
A bee in your bonnet	Est dit d'une personne qui est fâchée, offusquée rapidement.	*Gilly always walks around like she has a bee in her bonnet. She is always mad about something.*
A blessing in disguise	Est dit d'une situation qui au début semble mauvaise, mais se termine bien.	*Not getting into the science program was truly a blessing in disguise for Alysia. She discovered that she wanted to be an actress.*

Idiom	Definition	Example
A dime a dozen	Quelque chose qui n'est pas cher; on peut en acheter beaucoup sans trop dépenser.	*Bad advice is a dime of dozen. Everybody has some to give yet no one wants it.*
A feeding frenzy	Une attaque dirigée contre quelqu'un, surtout par les médias.	*The politician met a feeding frenzy of reporters when news broke that he had hidden bank accounts in another country.*
A flash in the pan	Un événement qui n'aura aucune importance à long terme.	*That singer Nicko Minachey is only a flash in the pan. He is the flavour of the week. People will soon get tired of him.*
A hot potato	Est dit d'un sujet dont personne ne semble vouloir discuter.	*Education funding seems to be a hot potato with this government. No one seems to want to deal with this difficult issue.*
A house divided against itself cannot stand	Un ensemble de personnes qui ne pensent pas de la même manière ne peuvent pas s'unir.	*The teachers at the school can't agree on how to evaluate their students. The principal said they had to find common ground since a house divided against itself cannot stand.*
A penny for your thoughts	Expression utilisée lorsqu'on veut demander à quelqu'un à quoi il pense.	*Kylie, a penny for your thoughts? What are you thinking about? What is making you so sad?*
A rolling stone gathers no moss	Les gens qui sont constamment en mouvement ont toujours de bonnes idées et sont pleins d'initiative; ceux qui ne «roulent» pas stagnent et ne font rien.	*My great-grandfather Jasper Jett was active up until the day he died. He told me that a rolling stone gathers no moss and that he would never stop working hard.*
A taste of your own medicine	Lorsqu'on inflige à l'autre le même traitement qu'il nous a infligé dans le passé.	*Gladys was so mean to me last week. So, when she asked me to help her yesterday, I said no. It might have been harsh, but someone had to give her a taste of her own medicine.*

aide-mémoire «««««««««««««

Idiom	Definition	Example
A toss-up	Est dit d'une situation où il y a 50 % des chances qu'un événement se produise et 50 % des chances qu'un autre événement se produise; les chances sont égales.	*Whether or not Daniel and Claire will get married this Saturday is a toss-up. She still has not forgiven him and it could go either way. The guests are wondering if there is time to return their gifts.*
Actions speak louder than words	Nos gestes sont plus significatifs que nos paroles.	*Fletcher apologized to his mother for forgetting to do his chores. She handed him a mop and bucket and replied, "Actions speak louder than words. Now, clean up."*
A whale of a time	Avoir beaucoup de plaisir.	*Jessa had a whale of a time at her prom. It was great!*
Armed to the teeth	Être lourdement armé.	*When the police officers arrived on the scene, they were armed to the teeth with weapons to defend themselves against the suspect.*
As easy as pie	Qui est très facile.	*After following the simple directions on the bottle of detergent, Joshua realized that doing laundry was as easy as pie.*
At the end of your rope	Ne plus être capable de supporter une situation.	*Macie only had four weeks to pass her math course, but she still could not understand algebra. She was at the end of her rope.*
Back to square one	De retour à la case départ.	*Diane was so excited about finding her dream house. When she found out it had already been sold, she was back to square one. She'll have to start the process all over again.*
Back-seat driver	Quelqu'un qui aime donner des conseils sur des sujets à propos desquels il ne s'y connaît peut-être même pas.	*Blanche is such a back-seat driver when it comes to giving her kids advice. She has an opinion about everything, especially topics she knows nothing about.*

Idiom	Definition	Example
Between a rock and a hard place	Être forcé de choisir entre deux options indésirables.	Warren does not understand that I am between a rock and a hard place. If I go to San Fransisco, my mother will be mad at me for leaving her home alone. If I stay home, Warren will be mad at me for not going with him. It is so hard to please everyone. I wish I could just do what I want for once.
Blood is thicker than water	Les liens sanguins (familiaux) sont plus forts que les liens d'amitié.	Natacha quickly found out that blood is thicker than water. In her time of need, her mother was there for her. Her best friend could not even be bothered to come to her aid.
Big Easy	La Nouvelle-Orléans.	Mark had a great time visiting the Big Easy for Mardi Gras. He enjoyed the tastes, the sights and the people. He'll never forget his time in the historic city.
Blow off steam	Prendre le temps de décompresser après un incident.	Theodora, I suggest you go to your room to blow off some steam before we try talking about this again, calmly.
Catch some Z's	Dormir.	After a busy day working at the bank, Angie decided to catch some Z's on the couch before supper.
Chew the fat	Passer le temps en parlant de tout et de rien.	Russell and Wyatt spent most of the evening chewing the fat. They thoroughly enjoyed talking about old times.
Cock-and-bull story	Une histoire absurde.	Don't ask Olive what she did last night. She'll just give you a cock-and-bull story about how she met the cutest guy. She likes to invent things and exaggerate details.
Come hell or high water	Quoi qu'il arrive, ce qui était planifié sera fait.	Come hell or high water, nothing will stop me. I will ask Geneva out on a date.

aide-mémoire ««««««««««««««

Idiom	Definition	Example
Cooking with gas	Être efficace.	*You precooked the sausages before putting them on the barbeque? That will save us lots of time. Now you're cooking with gas!*
Crocodile tears	Larmes de crocodile.	*I don't trust Mirella. Her apology does not seem sincere. She is crying crocodile tears.*
Deep pockets	Avoir beaucoup d'argent.	*The government does not have deep pockets when it comes to road repairs. They have not invested much money into fixing them up.*
Different strokes for different folks	Chacun ses goûts.	*Joseph really likes to watch scary movies. Zora, his wife, only likes romantic movies. It takes different strokes for different folks. No one is similar.*
Dressed to the nines	Être très bien habillé pour une occasion spéciale.	*Christine and Brian were dressed to the nines when they got married in Cuba. They looked gorgeous.*
Drop in the bucket	Une goutte d'eau dans l'océan.	*Sometimes, I really feel like my actions are nothing but a drop in the bucket. Does the world care if I recycle?*
Early bird	Quelqu'un qui arrive toujours très tôt lors d'une occasion.	*Samara is such an early bird. She always shows up for parties way before they start. It makes things awkward sometimes.*
Forest for the trees	Est dit de quelqu'un qui ne voit que les détails et non la situation dans son ensemble.	*Bruno can be so limited in his thinking. He can not see the forest for the trees. He does not see the big picture. He focuses on the details.*
From the get-go	Dès le début.	*From the get-go, Juniper and Deegan fell in love. They knew right from the beginning of their relationship that they loved each other very much!*

Idiom	Definition	Example
Grey area	Zone grise.	*That whole concept is a grey area for me. I don't know what is right or wrong. I can't form an opinion.*
Gung-ho	Être enthousiaste ou excité à l'idée de faire quelque chose.	*At first, Stella was gung-ho about selling her own jam. However, once she realized how messy it was, she decided to give up her project.*
Haste makes waste	Quand on se dépêche, on risque de gâcher la tâche qu'on fait.	*Amalia never takes the time to follow a recipe when she bakes cakes. She usually has to throw them away and start again. Her mom always reminds her that haste makes waste, but she never listens.*
Hat trick	Quand on réussit quelque chose trois fois de suite.	*Ashby was so proud of himself. He scored three goals in five minutes in last night's game. He'd never accomplished a hat trick like that before.*
Hocus-pocus	Un tour de magie fait par un magicien.	*The magician did his hocus-pocus and my watch disappeared. He couldn't find it at the end of the show. I was so mad.*
Home sweet home	Terme affectueux employé pour parler de sa maison, de son chez-soi.	*Cameron really enjoyed travelling across Europe this summer, but he really missed his bed, his family and his dog. He could not wait to be home sweet home.*
How do you like them apples?	Cette expression est utilisée lorsqu'on veut exprimer le fait qu'on est surpris.	*Clementine has decided to take yodelling lessons. How do you like them apples?*
In a nutshell	En résumé.	*In a nutshell, Jasmine and Drake had an amazing time on their honeymoon.*
It takes two to tango	Il faut deux personnes pour créer une situation de conflit.	*Randy and Martha are always fighting. He accuses her of being too critical, but she reminds him that it takes two to tango. Nobody's perfect.*

Idiom	Definition	Example
Like a deer in the headlights	Être si surpris qu'on ne peut pas penser ou même bouger.	*After Olivia told Michael that she was pregnant, he did not move. He looked like a deer in the headlights.*
No dice	Un refus à une demande.	*I was so sad. I asked Melinda on a date. She told me, "No dice."*
Off the cuff	Est dit de quelque chose qui est fait sans préparation.	*Emma gave an interview off the cuff to the local reporter. Even though she wasn't prepared, it went very well!*
Once in a blue moon	Quelque chose qui n'arrive pas souvent.	*Once in a blue moon, Winifred and her husband Jarvis go to their favourite restaurant for their favourite comfort food, like shepherd's pie. They don't like to waste money eating out, so this only happens a few times a year.*
Out of whack	Est dit de quelque chose qui est brisé, qui ne fonctionne plus.	*I have to get my lawn mower to the repairman. The blades are out of whack. They don't even cut anymore.*
Paint yourself into a corner	Se mettre dans une situation de laquelle il est difficile de se sortir.	*Eliot really painted himself into a corner by admitting to Caitlin how he feels, especially since he is dating Caitlin's sister.*
Practice makes perfect	À force de faire quelque chose, on devient très bon.	*Octavia plays piano every day. Her instructor always reminds her that practice makes perfect.*
Scratch the surface	Gratter la surface; commencer à découvrir quelque chose.	*You think you've settled this problem between us? I have news for you. You've barely scratched the surface. There is so much more we need to fix.*
Spare time	Temps libre.	*In her spare time, Katerina volunteers at homeless shelters and feeds the hungry.*

Idiom	Definition	Example
Take it with a grain of salt	Prendre quelque chose avec un grain de sel.	*Whenever she speaks, I take it with a grain of salt. If I didn't, we'd always be fighting.*
The early bird gets the worm	L'avenir appartient à ceux qui se lèvent tôt.	*Wilma always starts her day before 8 a.m. She believes that the early bird gets the worm.*
The shoe is on the other foot	Est dit d'une personne qui vit quelque chose qu'elle a déjà fait vivre à quelqu'un d'autre.	*When I was sad because my relationship with Daisy had ended, you laughed at me. Now that you've broken up with Tess, the shoe is on the other foot!*
Time flies	Le temps file à toute allure.	*Whenever I am with you, Colin, time flies so quickly! We have so much fun!*
To be two-faced	Visage à deux faces.	*Ryan is so two-faced. First, he tells me he loves me. Then, he tells Kathleen he loves her!*
To bite someone's head off	Répondre de façon négative et démesurée à quelqu'un qui nous parle.	*You don't want to ask Azure how her date with Darren went. She'll bite your head off. She is in a bad mood!*
To bite your tongue	Il est mieux de se taire que de dire quelque chose qu'on pourrait regretter.	*Eliza should really learn to bite her tongue rather than say everything that is on her mind. She hurts people and doesn't understand why no one wants to be her friend.*
To do a bang-up job	Faire un excellent travail.	*Cierra really did a bang-up job directing the school play. It was amazing!*
To break a leg	Expression pour souhaiter «bonne chance» à quelqu'un.	*Stella, break a leg at your math test! I know you will do just fine. You've been studying so hard and working very hard at it.*
To buy a lemon	Acheter un produit qui est défectueux, un citron.	*Ever since Doreen bought that lemon of a car, she has had nothing but trouble. She has wasted so much money on that car!*

aide-mémoire «««««««««««««««

Idiom	Definition	Example
To chow down	Manger.	*Just as I was about to chow down, the darn phone rang. My sister had just broken up with her boyfriend and she was crying. I guess I'll have to reheat my supper.*
To crack someone up	Faire rire quelqu'un.	*Brandon always knew how to crack me up. He could always make me laugh and put a smile on my face, even in the worst of times.*
To eat crow	Quand on fait une erreur et qu'on avoue ses torts.	*Linda, eat crow! You should recognize the fact that you've made an error and apologize.*
To fall back on	Pouvoir compter sur quelque chose quand ça ne va pas.	*Thankfully, Trenton can fall back on teaching the piano now that he's been fired from the circus.*
To feel blue	Ne pas se sentir bien; être déprimé.	*Lila has been feeling blue ever since she broke off her engagement with Evan.*
To have a ball	Avoir beaucoup de plaisir.	*Roberta had a ball on her cruise! She can't wait to go back for another great time.*
To have ants in your pants	Remuer sans arrêt; grouiller.	*Zack is fidgeting like he has ants in his pants. He can't stop moving!*
To have egg on your face	Avoir l'air d'un imbécile devant les autres.	*Evangeline, if I present your business plan to the boss, I'll have egg on my face. It is full of errors that need to be fixed. If we present it now, we will look like fools.*
To have other fish to fry	Avoir d'autres choses à faire.	*Listen Betsy, I am so busy right now, I don't have time to answer your question. I have other fish to fry.*
To have something on the tip of your tongue	Avoir quelque chose sur le bout de la langue.	*Victor is trying to remember the name of that actress. You know, the one who plays in that movie? It's on the tip of his tongue.*

Idiom	Definition	Example
To hit the hay	Aller se coucher.	*Ingrid had a long day at her soccer tournament, She decided to hit the hay early and go to sleep.*
To jump the gun	Faire quelque chose avant le temps, prématurément.	*Ferris wants to get married this summer. I told him I don't want to jump the gun. We are so young. We have plenty of time.*
To keep tabs on	Surveiller quelqu'un ou quelque chose, l'avoir à l'œil.	*Yoshi the Shih Tzu keeps tabs on everyone at the dinner table. She gobbles up every crumb that hits the floor.*
To kill time	Passer le temps.	*Kira likes to kill time by having a nice cappuccino and reading the paper.*
To lend someone a hand	Donner un coup de main.	*Hadley loves to lend a hand at the local community centre by renovating the building for free.*
To make a scene	Faire une scène devant quelqu'un et agir d'une façon qui rend les autres inconfortables.	*I hate shopping with Stephanie. Every time we go to a store, she makes such a scene. She takes everything as an insult. She thinks everyone is out to get her.*
To not know beans about	Ne rien connaître à un sujet.	*It drives me nuts how Shirley-Ann pretends to know everything about everything, while in reality, she doesn't know beans about anything.*
To put your pants on one leg at a time	Est dit de quelqu'un qui est comme tous les autres, qui n'a rien de spécial.	*Everyone is crazy about that singer Dustin Lemur. I can't see why. He puts his pants on one leg at a time, just like you and me.*
To see eye to eye	Voir les choses de la même façon que quelqu'un d'autre; être sur la même longueur d'onde.	*Charlotte and I will never see eye to eye on any issue. We are so different from each other on so many fundamental levels. Our relationship is doomed.*

aide-mémoire »»»»»»»»»»»»»

Idiom	Definition	Example
To shift gears	Changer de plan.	*I really wish that you hadn't shifted gears on this issue. First, you were willing to support me for the charity marathon. Now, you aren't.*
To split hairs	Perdre son temps à se disputer avec quelqu'un pour des détails.	*Willa, you are splitting hairs. It doesn't matter whether the icing on the cake is turquoise or sky blue. This is such a minor detail.*
To take the cake	Est dit de quelque chose qui est soit très bon, soit très mauvais.	*Not only did Natasha lie to me about being at the party, but now I find out that she went with Palmer behind my back. Well, that takes the cake!*
To throw a monkey wrench	Causer des problèmes à quelqu'un en dérangeant ses plans.	*I know Alysia wants to help, but any time she gets involved, she manages to throw a monkey wrench into my plans.*
To wrap up	Conclure ; terminer.	*Do you guy think you could wrap up your conversation? I want to go home.*
Tongue-in-cheek	Lorsqu'on fait une blague qui ne doit pas être prise au sérieux, qu'on est ironique.	*Don't ever make a tongue-in-cheek comment around Ginny. You will never hear the end of it. She is incapable of understanding a joke.*
Wallflower	Quelqu'un de très gêné ou discret qui ne se dévoile pas aux autres.	*Gladys has become such a wallflower now that she is dating Fletcher. It's almost as though she is scared to be herself anymore.*
Water under the bridge	Est dit d'un conflit oublié avec le temps.	*Zander and Ezra's fight is water under the bridge. It belongs in the past. They've decided to move forward.*
Wet behind the ears	Très jeune ou inexpérimenté.	*I don't think that Daniel is experienced enough to take over his father's company. He is still wet behind the ears. He's too young.*

Idiom	Definition	Example
With bells on	Prêt à participer à quelque chose de façon très positive.	*When Jadzia asked Brynlee if she wanted to go shopping on Saturday morning, she told her she'd be ready at nine o'clock, with bells on!*
You are what you eat	On est ce que l'on mange.	*When Constance feels crummy and sick, her father reminds her that you are what you eat. If you eat healthily, you'll feel great!*
You can't take it with you	Il vaut mieux profiter de la vie alors qu'on est vivant puisqu'on ne peut rien apporter avec soi lorsqu'on meurt.	*I wish my grandmother would stop spoiling me. She always tells me that she can't take her money with her when she dies. She'd rather see me enjoy her gifts while she is alive.*
You can't teach an old dog new tricks	Il est très difficile de changer les habitudes de quelqu'un.	*Winifred wishes that her husband would eat healthier foods. He tells her that she will never be able to change him, since you can't teach an old dog new tricks.*

Clause Types: Simple, Complex, Compound and Compound-Complex Sentences

Il existe en anglais quatre types de *clauses*. Il est important de bien en comprendre les différences, car, ainsi, il sera plus facile de construire des phrases correctes.

1) Difference between a phrase and a clause

    a) Phrase : Groupe de mots qui ne contient pas de sujet ou de verbe.

    b) Clause : Groupe de mots qui contient un sujet et un verbe.

2) Simple, Compound, Complex, Compound-Complex

    a) Simple : *Clause* qui contient une idée complète ; un sujet et un verbe. C'est une *clause* indépendante.

       Exemple : *I like potatoes.*

    b) Compound : Phrase graphique qui contient deux *clauses* simples qui sont jointes par un point-virgule ou une conjonction de coordination (*and, or, so, but…*).

       Exemple : *I like potatoes, <u>but</u> I also like turnips.*

    c) Complex : Phrase graphique qui contient une *clause* indépendante jointe à, au moins, une *clause* dépendante à l'aide d'une conjonction de subordination (*after, if, while, though…*).

       Exemple : *<u>After</u> I finish my housework, I will cook some potatoes.*

d) Compound-Complex : Phrase graphique qui contient au moins deux *clauses* indépendantes et une *clause* dépendante.

Exemple : *I asked my mother to buy potatoes, but my mother—who is allergic to them—decided not to.*

Sentence Patterns

Voici les cinq modèles de phrases les plus courants. C'est en décortiquant leurs éléments que tu pourras bien les construire.

1) Subject + Verb (SV)

   Exemple : *Birds are tweeting.*

2) Subject + Verb + Direct Object (SVDO)

   Exemple : *Birds are tweeting a song.*

3) Subject + Verb + Complement (SVC)

   Exemple : *Birds are tweeting beautifully.*

4) Subject + Verb + Direct Object + Indirect Object (SVDOIO)

   Exemple : *Birds are tweeting a song to us.*

5) Subject + Verb + Direct Object + Complement (SVDOC)

   Exemple : *Birds are tweeting a song perfectly.*

Adverbials

Dans cette section, tu trouveras des expressions utiles qui nous aident à déterminer des informations importantes dans la phrase, telles que le lieux, le temps, la fréquence, etc. Ces expressions fournissent les réponses à nos questions ; elles fonctionnent comme des adverbes. Grâce à la liste suivante, tu sauras les employer correctement dans tes propres phrases, car tu parviendras maintenant à les reconnaître.

1) Why? (REASON)

   Exemple : *I did this **because I love you.***

2) When? (TIME)

   Exemple : *We met **last night.***

3) How? (MEANS)

   Exemple : *I chopped the veggies **with the help of the food processor.***

4) Where? (PLACE)

   Exemple : *We met **behind the market.***

5) How much? (QUANTITY)

   Exemple : *Can I buy **eight pounds of lobster?***

6) How often? (FREQUENCY)

   Exemple : *He hides in his room **every day.***

7) How long? (LENGTH)

   Exemple : *This movie lasts **more than five hours.***

Types of Adjectives

Cette section se veut une révision des types d'adjectifs déjà appris et une introduction à de nouveaux. Puisque tu les connais sans doute, il s'agira simplement de leur donner un nom et de fournir des explications supplémentaires.

Type	Explanation	Example	In a sentence
Demonstrative	These adjectives are used to point to objects, to designate them.	*that, these, those, this*	*Those shoes are ugly.*
Common (descriptive)	These adjectives do not require a capital letter. Most adjectives fall in this category. The adjectives are varied.	*big, funny, old, new, shallow, dark*	*My dirty blue shoes are really disgusting!*
Proper	These adjectives are formed from a proper noun.	*Italian, Shakespearian, Canadian, Peruvian, Catholic*	*I love this Chinese restaurant. The food is so authentic!*
Interrogative	These adjectives modify nouns used in questions.	*which, what*	*Which is your favourite restaurant? What do you want me to do?*
Quantitative	These adjectives express the quantity of something.	*many, five, little, any*	*I have little patience left.*
Possessive	These adjectives indicate possession.	*my, your, his, her*	*My mother is here.*
Compound	These adjectives are formed when two words are put together using a hyphen to function as adjectives	*two-foot, six-page, ugly-looking*	*The densely-populated city was full of hooligans.*

aide-mémoire «««««««««««««

The Response Process

Quand tu lis un texte, il est important de suivre les conseils suivants, qui proviennent du ministère de l'Éducation. Cette technique te sera utile lors de l'examen du Ministère.
Source : http://www.mels.gouv.qc.ca/sections/programmeFormation/secondaire2/medias/en/5b_QEP_SELA.pdf

1. Explore the Text

What did you learn? What did you find interesting/important?
What is the author trying to say?
Who is the intended audience? How can you tell?
What is the relationship between the characters/speakers? What details in the text support your ideas?

2. Make a Connection to the Text

Have you ever experienced something like this?
Which character do you find the most interesting/important? Why?
What is your opinion about what happened in the text?
How would you or a friend react in this type of situation?
Do you know anyone who acted in a similar way?
How does the new information change the way you think about...?

3. Generalize Beyond the Text

Do we see similar situations/problems in our community?
How do other cultures deal with similar issues?
How should people act in this type of situation?
How could you make people in your school/community more aware of this problem?
What are the general elements of the problem?

Text Types

Il existe trois types de textes en anglais. Il est important de bien en connaître les différences et de pratiquer la lecture de chacun à l'aide du *Response Process*.

A) Popular Texts: Everyday texts like emails, comic strips, posters, letters...

B) Information-Based Texts: Advertisements, dictionaries, text books, broadcasts, instructions, non-fiction texts...

C) Literary Texts: Novels, books, poems, short stories, plays, biographies...

The Writing Process

Il te sera plus facile de bien comprendre ce processus complexe dans la section d'exercices du cahier d'activités.

1. Underline the perfect progressive verb (past, present, future) in the following sentences. On the grid below, write the verbs in the correct column.

   a) Rosetta has been studying Latin for the past three years. She hopes it will be useful to her one day.

   b) We had been asking Abriella to come over for over a week, but she never returned our calls.

   c) Bernice and Conrad have been creating such a mountain out of a molehill with this situation.

   d) Scott will have been dating Paula for 30 years come December.

   e) Lucille had been demanding a raise from her boss for over a year by the time he gave her one.

   f) Donna will have been living in Jamaica for 10 years by the time I visit her this summer.

   g) Althea has been working at the Acme Company for six months.

   h) For the past year, I have been reading science fiction novels. I think I've discovered a new passion.

   i) Judy had been waiting for over an hour for her client to show up when she decided to leave.

   j) Cricket will have been working on her thesis for over two years by the time she is done with it.

Past Perfect Progressive	Present Perfect Progressive	Future Perfect Progressive
-had been asking -had been demanding -had been waiting	-has been studying -have been creating -has been working -have been reading	-will have been dating -will have been living -will have been working

2. Indicate whether or not the following sentences are run-on sentences. Write RUN-ON after each sentence if it is, then rewrite the sentence on the line beside it. If it is not a run-on sentence, write CORRECT.

   a) Rose and Timothy are getting married this Saturday, it will be a beautiful event, they are such nice people. _____

   b) Gilbert can't wait to leave for Cuba. His bags are packed. _____

   c) Finch, who is a master at judo, has a competition this weekend. _____

   _____

   d) Raven and Kessa are planning on going to the mall, they love it there!_____

   _____

3. Match the compound nouns from the word bank to the right clue in the grid below.

daytime	earphone	firefly	guidebook
deadline	earring	flashlight	guideline
dishwasher	earthworm	football	gunfire
doorbell	earwig	footnote	gunpowder
drive-in	eyelid	footprint	haircut
driveway	eyewitness	fruitcake	hairdresser
drugstore	feedback	godfather	half-brother
drumstick	fingernail	goldfish	handshake
dry cleaner	fingerprint	grasshopper	handwriting
eardrum	firearm	greenhouse	headquarters

Clues	Compound Noun	Clues	Compound Noun
The main office of a company		Sport played with a brown, oblong ball	
During the day		Type of insect that produces light at night	
A person who witnesses an event		Trace left on the ground, produced by your feet	
A place of business that cleans clothes		Skin that covers your eyes	
A type of fish		Button you press that announces your presence with a ringing sound	
The result of pulling the trigger of a gun		Protective finger covering that can be trimmed or painted	
Someone who cuts and styles hair		Someone who acts like a mentor (male)	
Male sibling who shares one parent with you		Green insect that jumps high	
The clue a person's finger leaves behind		Trim	
Jewellery worn on your ear		Rule or recommendation	
Paved entrance where you park your car at home		Book or recommendations, often for travel	
Appliance that washes the dishes		A reference note written at the end of a document	

Clues	Compound Noun	Clues	Compound Noun
Wriggly animal used as fishing bait		Comments (positive or negative)	
Powder needed to fire a gun		Type of gun. F __ R __ A __ M	
Type of cake, loaded with dried fruit, eaten at Christmas		Outdoor place where people watch movies in their cars	
Type of insect that has pinchers attached to its abdomen		Chicken leg or stick used to a play a percussion instrument	
Date or time when something is due		Device placed in or on the ear for listening to music or sounds	
Gesture used to greet someone or to conclude a deal		Object that allows you to see in the dark	
Room used to grow plants. Usually humid.		Writing in pen or pencil	
Part of the inner ear		Place of business that sells, among other things, medication	

4. Indicate whether or not the following sentences are sentence fragments. Write FRAGMENT after each sentence if it is a fragment, then rewrite the sentence on the line beside it. If it is not a fragment, write COMPLETE.

a) Lucia would love for her boyfriend of nine years to propose. Maybe this weekend. _____

_____

b) Aaron, help me with the groceries. It is pouring rain outside! _____

c) Sapphire, I need your expertise. To write this letter. _____

5. What group do these animals belong to? Use a dictionary to complete the grid below.

Animal	Group
bear	
bat	
all cats	
hamster	

exercise 1 «««««««««««««««««

Animal	Group
ant	
chicken	
goose	
horse	
crow	
sheep	
cattle	
rat	
donkey	
beaver	
gorilla	
mosquito	
zebra	
baboon	
goat	

test

1. Classify the following terms in the right categories.

no	I think	all	several	of course
never	occasionally	regularly	it is doubtful	few
definitely	clearly	once	a couple of	most of the time
very little	a number of	not many	a small amount	for sure
usually	most	sometimes	I think so	I am certain
probably	daily	seldom	many	obviously
none	weekly	undoubtedly	not much	some
it is confirmed	always	much	maybe	zero
monthly	I don't know	plenty of	lots of	perhaps
annually	rarely	certainly	one	I doubt it
I am sure	two, three, four…	all the time	no doubt about it	

Certainty		Frequency		Quantity	
Sure	Unsure	Often	Not often	A lot	A little

exercise 2 «««««««««««««««

More on Phrasal Verbs

1. Complete the following sentences with the appropriate phrasal verbs. Consult the list below. Sometimes, you might need to conjugate the verb.

> come up with
> be off
> stand up
> butter up
> write down
> cross out

a) Emma decided that she needed to _____ all the questions on the test that she did not know how to answer.

b) Caitlin knows just how to _____ me _____ to try to persuade me to let her borrow the car this weekend. The worst part is that I always give in to that daughter of mine.

c) Alix, you need to _____ for yourself and fight for what you believe in. You are a strong person. You will get through this.

d) Eliot _____ an excellent idea. He decided that he would put some money aside for college and become a doctor. The road will be paved with difficulties and hard work. However, if anybody can do it, it's him!

e) Kurt will come home and take a shower, get all his things ready and then he will _____ to the library to give his speech about the importance of reading to young children.

f) Roberta, please _____ tonight's homework instead of fooling around and talking with your friends.

2. Complete the following sentences with the appropriate phrasal verbs. Consult the list below. Sometimes, you might need to conjugate the verb.

> tick off
> lie down
> fall through
> leave out
> throw out
> slip up
> try on

a) Daisy has _____ me _____ for the last time. She always finds a way to make me angry when I am in a good mood. I think that I need to find a new girlfriend!

b) I think it is safe to say that Lilac had _____ all the dresses in this store. I feel so bad

for the poor lady who works there. She has made her take out all the dresses in the whole department.

What makes me feel even worse is that Lilac did not even buy one there.

c) Sienna _____ last night. She was supposed to keep Finch's birthday party a surprise,

but she let the cat out of the bag at supper.

d) Paula, would you mind if I went to _____ for a while? I am so very tired from my day

and would like to rest a bit if you want me to make it through this dinner party.

e) I know you did not want to _____ him _____ of the plans, but Cyril feels as though you've

pushed him aside and don't want to know his opinion. This is his wedding too after all.

f) Whenever Sheila makes plans, they always _____. I've learned not to take note of

anything she plans since she always finds some excuse to cancel it.

g) People _____ so many things that should be recycled. It is so sad to see our planet

become so polluted.

3. Complete the following sentences with the appropriate phrasal verbs. Consult the list below. Sometimes,
   you might need to conjugate the verb.

wait for
check out
cash in
turn around
put up with
brush up

a) Brian was tired of sitting around and _____ things to change. He decided that it was

time to take matters into his own hands and act.

b) We played charades at my friend's house last night and I couldn't guess any clues! I'd better

_____ on my miming skills.

c) Whenever I speak with Sharmaine, she always brings me down. I've decided that I don't have to

_____ all her nonsense and negativity.

d) Once Mazie learned that she had won the lottery, she raced to the headquarters and

_____ her ticket. She never thought that she would ever have the winning ticket. It

was a dream come true!

e) _____ this _____ , Fay! I just found our old elementary school pictures. You looked so ridiculous in that fluorescent green skirt!

f) Mallory, you still have a second chance at passing your year. You can still _____ this situation _____ and graduate.

test

1. Complete the following sentences with the appropriate phrasal verbs. Consult the list below. Sometimes, you might need to conjugate the verb. Do not consult your notes.

pitch in
stick up for
catch on
wear out
mark down
give up

a) Iliana _____ very quickly that Lloyd had been cheating on her. She found photos and

text messages from another girl on his phone. He really regretted what he had done.

b) Agnes is in Secondary 5. However, she always tries to protect the Secondary 1 students. They

constantly get teased by the older kids. This year, she decided to run for school president and

_____ the rights of the younger students.

c) Zachary used my bike all summer while I was gone. Now, the tires and brakes are all

_____.

d) One thing that I admire about Mark is that he never _____ on anything he does in his

life. He is so driven and focused. He is the strongest person I know.

e) Since the store will soon be closing, all of the prices have been _____. This means

huge savings for me. I bought enough shampoo to last me all year!

f) I think it is about time that Charisse starts _____ around here. It is her house, too,

after all.

exercise 3 «««««««««««««««

More on Phrasal Verbs

1. Complete the following sentences with the appropriate phrasal verbs. Consult the list below. Sometimes, you might need to conjugate the verb.

take down
follow up
lay off
beat up
go through with
make fun of

a) I'm really upset with Peggy. As soon as she saw my new glasses, she started _____ me. She can be so inconsiderate and mean sometimes.

b) Dean will be suspended from school tomorrow because he _____ another student at lunchtime. There is zero tolerance for violence in our school.

c) I wish Sherry would _____ one of her plans for once. She often tells people she will do things, but never actually gets around to doing them. On most day, she justs sits at home and does nothing.

d) The nuclear power plant in my hometown just closed. Many people were _____. It is so sad, especially since it is so close to Christmas.

e) My doctor called me to _____ on our last visit. He told me he was disappointed that I was not taking better care of myself and that he was worried about me.

f) The city decided that my new swimming pool is dangerous since it does not have a fence. I plan on fighting it in court. I know the laws and bylaws. I don't plan on _____ it _____ any time soon.

2. Complete the following sentences with the appropriate phrasal verbs. Consult the list below. Sometimes, you might need to conjugate the verb.

kick out
figure out
take over
chicken out
act like
fall for

a) I sure hope you don't _____ on me at the last minute like you usually do, Eugene. I know shaving our heads is scary, but when you think about the amazing cause we are doing it for, it's all worth it.

b) The minute I met Mona, I knew that she was the girl of my dreams. I feel like my life finally makes sense. I have completely and utterly _____ her. I love that woman.

c) Why do you _____ you don't know me when we've been friends since daycare? I know you have cooler friends now, but don't forget who's always been by your side. You've changed so much, I don't know if I want to be your friend anymore.

d) Hayley actually got _____ of her math class for being rude to the teacher. When her parents find out, she will be in serious trouble.

e) Our local pharmacy has been _____ by a large chain. Hopefully, all the employees will be able to keep their jobs.

f) Edwina decided that she needed time away from Edward to _____ things _____. If their relationship was going to work, she had to do some serious soul-searching to find out what she wanted.

3. Complete the following sentences with the appropriate phrasal verbs. Consult the list below. Sometimes, you might need to conjugate the verb.

track down
stand for
put off
hit it off
mark up
back up

a) Claudia accidently _____ into the garage door. She was sure that it was open and did not see that it was closed.

b) The clothing store at the mall always seems to _____ its prices just before it has a sale. In reality, the sale doesn't bring the price down at all. This is a very dishonest practice.

c) Tina and Jonas have really _____. Harley did a really good job when she set them up to go on a date together.

d) Madelyn really loves this organization and everything it _____. She really has a soft spot in her heart for literacy organizations.

e) Rosa was adopted when she was just a baby. Now that she is 16 years old, she wants to _____ her birth parents to learn more about her roots.

f) Cindy keeps _____ cleaning her closet. However, she will have to get to it soon. She won't be able to close the closet doors at this rate.

test

1. Complete the following sentences with the appropriate phrasal verbs. Consult the list below. Sometimes, you might need to conjugate the verb. Do not consult your notes.

butt in
look like
bring on
back off
blow up
clam up

a) Don't you just hate it when Ruby _____ on our conversations? I hate when people

think that they have the right to know everything.

b) Whenever Kasper and I have an argument, he suddenly gets quiet and _____.

c) Pearl instantly _____ at me when I asked her how her new job was going. I guess it

isn't going very well.

d) Mariella, it _____ you'll finally get your wish! Dwayne is moving back home!

e) I am ready to hit the gym and lose the weight! _____ the pain!

f) Ryan, _____! I am tired of hearing all your accusations.

>>>>>>>>>>>>>>>>>> exercise 4

1. Complete the following sentences with the appropriate phrasal verbs. Consult the list below. Sometimes, you might need to conjugate the verb.

> sink in
> wrap up
> drop in
> come out
> turn into
> feel up to

a) I think it is finally _____ Aurelia's head that next week, she and Ruben will finally be married! They are the happiest couple I know and they will have a lifetime of happiness ahead of them.

b) Xander was _____ his speech when he noticed that some people were starting to yawn. He has to admit to himself that it was indeed, incredibly boring. He needs to work on his public speaking skills. Perhaps his speech was a little too long.

c) Ronald just _____ for a quick visit. I just wish he'd called first. I would have invented an excuse for him not to come. He's so boring! He's so awkward and we have nothing in common. The house is a mess and I have a million things to do today.

d) Victoria will be tired by the time she comes home from work. I hope she'll _____ helping me paint the bathroom. If not, I guess I'll do it on my own, although I would really appreciate her help.

e) Carolynn has definitely _____ a beautiful and intelligent young lady. I am very proud of her. She will lead a very happy and fulfilling life.

f) Adriana, just _____ and say it. What is bothering you? Beating around the bush will not allow me to help you.

2. Complete the following sentences with the appropriate phrasal verbs. Consult the list below. Sometimes, you might need to conjugate the verb.

> bring back
> pull off
> get rid of
> get on
> make up
> take care of

a) My husband really knows how to _____ me. He spoils me on a daily basis. He always goes out of his way to pamper me. I am one lucky woman.

b) I wish that they would _____ my favourite show, *Surviving High School*. I used to watch it religiously and loved following the lives of all the characters. Now what am I going to watch on Monday nights?

c) How Gregory managed to _____ this party without my knowledge is completely beyond me. He can be very secretive when he wants to!

d) I have been cleaning out my basement. My goal is to _____ all the useless things in there. I will try to give away as many items as I can to charity and will recycle the rest. I will only throw away the items that cannot be recycled or given away.

e) _____ the bus, Ember! Otherwise, it will leave without you!

f) How can I possibly _____ for what I did to you, Samantha? I swear, the vase slipped out of my fingers.

3. Complete the following sentences with the appropriate phrasal verbs. Consult the list below. Sometimes, you might need to conjugate the verb.

> fill out
> take after
> stand out
> nod off
> turn over
> get by

a) Excuse me, ma'am. Can you please have a seat to _____ the application? All our new patients must provide us with this essential information.

b) Camille and Sebastian may not have much money, but they will certainly find a way to _____ and make it through the winter. They may not have much money but they always find a way to be happy together.

c) After supper, Miller was so tired that he _____ on the couch. I made sure not to make too much noise while I was doing the dishes so I wouldn't wake him.

d) Whenever Franklin sleeps on his back, I get him to _____. This way, he won't snore as much.

e) Sharee-Lee really _____ in a crowd. There is something about her that is very peculiar. For example, just the way she talks to people can be quite strange.

f) Matteo really _____ his wonderful father. They both share great looks, a loving personality and a great character.

test

1. In your own words, write your definition of the following phrasal verbs. Then, use them in a sentence. Do not consult your notes.

Phrasal Verb	Definition	Use in a sentence
act like		
back off		
back up		
be off		
beat up		
blow up		
bring back		
bring on		
brush up		
butt in		
butter up		
cash in		
catch on		
check out		
chicken out		
clam up		
come out		
come up with		
cross out		
drop in		
fall for		

exercise 5 «««««««««««««««

More on Phrasal Verbs and Review

1. In your own words, write your definition of the following phrasal verbs. Then, use them in a sentence.

Phrasal Verb	Explanation	Use in a sentence
fall through		
figure out		
feel up to		
fill in		
fill out		
follow up		
get by		
get rid of		
give up		
go on		
go through with		
hit it off		
kick out		
lay down		
lay off		
leave out		
look like		
make fun of		
make up		
mark down		
mark up		
nod off		

2. In your own words, write your definition of the following phrasal verbs. Then, use them in a sentence.

Phrasal Verb	Explanation	Use in a sentence
pitch in		
pull off		
put off		
put up with		
sink in		
slip up		
stand for		
stand out		
stand up		
stick up for		
take after		
take care of		
take down		
take over		
throw out		
tick off		
track down		
try on		
turn around		
turn down		
turn into		
wait for		
wear out		
write down		
wrap up		

exercise 5 «««««««««««

3. It's time to get creative! Create a short story using the following 5 phrasal verbs. You must use all five phrasal verbs. Use your imagination! Be funny! Underline the phrasal verbs in your story.

    1. fill in

    2. cross out

    3. chicken out

    4. butter up

    5. give up

test

1. It's time to get creative! Create a short story using the following 5 phrasal verbs. You must use all five phrasal verbs. Use your imagination! Be funny! Underline the phrasal verbs in your story. Do not consult your notes.

    1. wait for

    2. write down

    3. lay down

    4. nod off

    5. figure out

_____

_____

_____

_____

_____

_____

_____

_____

_____

_____

_____

_____

exercise 6 «««««««««««««««««

More on Idioms

1. Fill in the blanks with the correct idioms from the list below. You might have to reword the idiom to fit the context of the sentence.

> a bee in your bonnet
> back to square one
> Big Easy
> deep pockets
> it takes two to tango
> time flies
> to have a ball

a) Honestly, Nita, you're acting as though you have _____. You

keep yelling at me for no good reason. I am getting tired of your behaviour.

b) My team and I keep changing the topic of our group English assignment. We are _____

_____ and we haven't made any progress.

c) These past few months with Samuel have been amazing. The expression is true, _____

_____ when you are having a good time.

d) This summer, we are planning on taking a trip to New Orleans. I have always wanted to visit the _____

_____ to drink some chicory coffee and eat some delicious beignets.

I also can't wait to take a swamp tour!

e) Cyrus and Zaina have a rocky relationship. They are constantly fighting about everything. Cyrus thinks

Zaina is a troublemaker, but he has a short temper. _____.

f) Because Heather's father runs a successful business, he has very _____

_____. However, he uses his money for good causes and he never flaunts his fortune.

g) This whole weekend has been a dream come true! I am really _____

_____ at dance camp. I am thoroughly enjoying myself!

2. Fill in the blanks with the correct idioms from the list below. You might have to reword the idiom to fit the context of the sentence.

> actions speak louder than words
> chew the fat
> hat trick
> to be two-faced
> to jump the gun
> to wrap up

a) Freesia loves her garden. In fact, her garden has been voted the best garden in her town for the past two years. She hopes to perform a _____ by winning for a third time. That would be amazing!

b) I am really tired of my son Paul's attitude. He keeps telling me that he will pay more attention in class. However, I am still getting emails from his teacher informing me that he is very lazy in class. He wants me to believe him, but I've told him that _____.

c) Whenever my guy friends come over, we play some football and then, just sit down, joke, talk about nothing and _____.

d) Agatha, I think you need to _____ your interview with the fireman. You have enough content for a great news report.

e) Cordelia, you can really be _____. You tell me one thing and then you run to Winifred to tell her something else. I am tired of your nonsense. Quite frankly, I am tired of you.

f) Sammy might have _____ when he booked the honeymoon. Now, he's not sure if Phoebe will say yes when he proposes to her.

3. Fill in the blanks with the correct idioms from the list below. You might have to reword the idiom to fit the context of the sentence.

> a feeding frenzy
> a penny for your thoughts
> between a rock and a hard place
> drop in the bucket
> gung-ho
> to break a leg
> to make a scene

a) As soon as the hockey player entered the press conference, there was a _____. Everyone wanted to know if the steroid allegations were true or not.

b) Every time I go out with Charlotte, she manages _____. There is always something wrong, according to her and she always wants to speak to the manager.

c) You really intend to lose a lot of weight on this diet! I have never seen you so enthusiastic and _____ about anything like this before.

exercise 6 «««««««««««««««

More on Idioms

d) I recycle, I use public transportation and I grow my own vegetables. Despite all this, I feel my environmental actions are only a _____.

e) Breena really feels as though she is _____. She is faced with two choices and she dislikes them both. She'll have to pick the lesser of two evils.

f) I wished Ivan good luck and I told him _____. He has a big show tonight at the auditorium.

g) I wish I could understand what is going on with you, Kayla. You seem so distant. _____ _____ ? Tell me what is on your mind.

test

1. Fill in the blanks with the correct idioms from the list below. You might have to reword the idiom to fit the context of the sentence. Do not consult your notes.

> as easy as pie
> to lend someone a hand
> wallflower
> you are what you eat
> you can't take it with you
> you can't teach an old dog new tricks

a) Putting this bookcase together should be quite simple. In fact, I believe it will be _____ _____!

b) Greenlee, can you help me please? I would really appreciate it if you could _____ _____. I have all these papers to sort by tomorrow morning for my oral presentation.

c) It is so important to eat good food. The better you eat, the better you feel. The expression is quite true: _____.

d) Before meeting Eric, Elise was such a _____. She never spoke to anyone. Now, she is very outgoing.

e) I would love it if Dennis would start cooking supper. He's home at least an hour before me. He says he can't learn a new skill at the age of 60 and that _____ _____. I think he just doesn't want to help me out at suppertime.

f) You better enjoy your life now. When you die, _____ _____!

exercise 7 «««««««««««««

More on Idioms

1. Fill in the blanks with the correct idioms from the list below. You might have to reword the idiom to fit the context of the sentence.

> a flash in the pan
> back-seat driver
> once in a blue moon
> haste makes waste
> the early bird gets the worm
> to have other fish to fry
> with bells on

a) That hot new singer is nothing but a _____. He's famous now, but he won't be for long.

b) Grace can't wait for Isabelle's party. She will be there _____!

c) Franklin always taught his kids that _____. If you take your time, you won't need to start over again.

d) Once in a _____ , Liam and Jones hit the discotheque to try out their new moves!

e) Lilly is a real _____. She is always telling me how to drive, yet I've never seen her behind the wheel.

f) I want to get to the movie theatre early to get good seats. You know what they say: _____ _____.

g) I can't help you with your silly problems right now. I _____.

2. Fill in the blanks with the correct idioms from the list below. You might have to reword the idiom to fit the context of the sentence.

> a hot potato
> a toss-up
> cooking with gas
> how do you like them apples?
> practice makes perfect
> to have ants in your pants
> to split hairs

a) Chrissy has been working on her cello solo for two months. It sounds great, but she wants it to be even better. She told me that _____ and that she will keep at it until she is satisfied.

b) Rebecca and Herbert are having a baby. _____?

c) Bullying is such a _____. Some blame the parents, while others blame the schools.

d) Who will win the Euro Cup this year? It's a _____. Some say Italy and others, Portugal. We shall see in time!

e) Ella-Rose, what is wrong with you? You haven't stopped moving around since you got home. Do you have _____?

f) It seems as though we are _____. We aren't looking at the big issue, we're just fighting over details.

g) You sorted out all your papers before doing your taxes? Excellent! Now you are _____!

3. Fill in the blanks with the correct idioms from the list below. You might have to reword the idiom to fit the context of the sentence.

> a house divided against itself cannot stand
> a taste of your own medicine
> different strokes for different folks
> hocus-pocus
> water under the bridge

a) Come on people, this team has got to stick together. We may not be the best soccer team in the division, but let's at least be on the same side. If we keep arguing, we'll fail. Always remember that _____.

b) Hugh likes contemporary jazz. I like hard rock. We are very different. As they say: _____.

c) Dixon and Tucker had a big fight last year, but are willing to forget about it. It's now ancient history or _____.

d) My best friend loves magic shows, but I never can get into that _____. I know it's fake.

e) Last year, Rhonda was not there for me when I needed her. The next time she needs help, I'll give her _____. Let's see how she likes it.

test

1. Fill in the blanks with the correct idioms from the list below. You might have to reword the idiom to fit the context of the sentence. Do not consult your notes.

> a rolling stone gathers no moss
> a whale of a time
> cock-and-bull story
> in a nutshell
> to do a bang-up job
> to buy a lemon
> tongue-in-cheek

a) I hope you know that the comment I made was _____. I was

not being serious. I am so sorry if I have offended you.

b) Joseph and Ralph had _____ at the baseball game. They really

enjoyed themselves!

c) I really liked the message conveyed in that movie. _____, the

moral of the story is not to judge a book by its cover.

d) Marie really liked the car at the used car dealership, but it turns out that she _____

_____. It never starts up in the wintertime. Then, the other day, she lost her front wheel!

e) My motto is _____. If you never go out and explore the world, you might miss important

opportunities.

f) Christabella, you _____! The painting is amazing!

g) I can never get the truth out of Frances. She always has some _____

_____ to tell me.

1. Fill in the blanks with the correct idioms from the list below. You might have to reword the idiom to fit the context of the sentence.

> a dime a dozen
> blood is thicker than water
> crocodile tears
> home sweet home
> to bite your tongue
> to keep tabs on
> wet behind the ears

a) I think my new doctor is a little _____. He looks way too young and has no experience. I hope he knows what he is doing.

b) Shareena should _____ instead of saying everything that is on her mind.

c) Listen, I know that right now, all that matters are your friends. But friends come and go. However, family is always there. Just remember that _____.

d) Neville has been suspicious of his girlfriend Amalia's behaviour. He is sure that she is cheating on him. He started _____ on his girlfriend. He checks up on her every hour.

e) Juliette, why do you want to buy those shirts? They are _____. No one wants them.

f) Tasha, listen to me. Stop crying your _____. We all know you are not sorry for what you have done.

g) Sure, travelling is fun, but nothing beats _____. I just love my house and how comfortable it makes me feel.

2. Fill in the blanks with the correct idioms from the list below. You might have to reword the idiom to fit the context of the sentence.

> armed to the teeth
> at the end of your rope
> blow off steam
> catch some Z's
> early bird
> no dice
> to eat crow

exercise 8 «««««««««««««

More on Idioms

a) Leela and David thought that they would be able to get tickets for the big game, but _____ _____! They are sold out.

b) I don't understand why Meadow doesn't just _____ and admit that she was wrong. It would make it easier for us to move forward.

c) My co-worker is such an _____. Before coming to the office, he always goes to the gym to work out.

d) Alisa, you should _____ and do something relaxing. If you are too stressed, you won't be able to make it through this year.

e) Milton is _____ and is ready to give up. He feels as though he can't cope with all the things happening to him these days.

f) The soldiers were _____ with weapons when they first appeared in the war-torn city.

g) I think I need to _____. I stayed up late working on my school paper.

3. Fill in the blanks with the correct idioms from the list below. You might have to reword the idiom to fit the context of the sentence.

> forest for the trees
> from the get-go
> grey area
> like a deer in the headlights
> off the cuff
> out of whack
> paint yourself into a corner

a) This is a _____. It is hard to say who is right and who is wrong.

b) _____, Sarah and Kathleen hit it off. They have been best friends for 12 years!

c) Myles, you can't see the_____. You are getting caught up on small, unimportant details.

d) My legs are _____. I ran too much yesterday. They don't seem to be working properly.

e) Gracie, try not to _____. Don't put yourself in a situation that

will be hard to resolve.

f) When Kathy told Zack that they were expecting triplets, he looked like a _____

_____. He was definitely shocked!

g) That remark was totally _____ and unprepared.

test

1. Fill in the blanks with the correct idioms from the list below. You might have to reword the idiom to fit the context of the sentence. Do not consult your notes.

> scratch the surface
> spare time
> the shoe is on the other foot
> to bite someone's head off
> to chow down
> to crack someone up
> to fall back on
> to throw a monkey wrench

a) This issue is very complex, and I have only begun to _____.

   I am discouraged since I have worked so hard and barely solved anything.

b) Teagan and Ramone have their business degrees _____ in

   case their acting careers do not work out.

c) I am so hungry! I want _____ on that entire tuna casserole!

d) In my _____, I like to knit blankets.

e) Last week, Viveca was laughing at me because I had to work the night shift. _____

   _____ now, and I am laughing at her!

f) Kaitlin always finds a way _____ me _____. She is so funny.

g) I've given up on having a conversation with Bea in the morning before she's had her first cup of coffee.

   She always _____ my _____!

h) Everything was going well until Maddy Lynn _____ and made

   us change all our plans.

1. In your own words, write your definition of the following idioms. Then, use them in a sentence.

Idiom	Definition	Use in a sentence
a bee in your bonnet		
a blessing in disguise		
a dime a dozen		
a feeding frenzy		
a flash in the pan		
a hot potato		
a house divided against itself cannot stand		
a penny for your thoughts		
a rolling stone gathers no moss		
a taste of your own medicine		
a toss-up		
actions speak louder than words		
a whale of a time		
armed to the teeth		
as easy as pie		
at the end of your rope		
back to square one		
back-seat driver		

exercise 9 «««««««««««««

More on Idioms and Review

Idiom	Definition	Use in a sentence
between a rock and a hard place		
blood is thicker than water		
Big Easy		

2. In your own words, write your definition of the following idioms. Then, use them in a sentence.

Idiom	Definition	Use in a sentence
chew the fat		
cock-and-bull story		
come hell or high water		
cooking with gas		
crocodile tears		
deep pockets		
different strokes for different folks		
dressed to the nines		
drop in the bucket		
early bird		
forest for the trees		
from the get-go		
grey area		
gung-ho		
haste makes waste		

330

Idiom	Definition	Use in a sentence
hat trick		
hocus pocus		
home sweet home		
how do you like them apples?		
in a nutshell		
it takes two to tango		

3. In your own words, write your definition of the following idioms. Then, use them in a sentence.

Idiom	Definition	Use in a sentence
like a deer in the headlights		
no dice		
off the cuff		
once in a blue moon		
out of whack		
paint yourself into a corner		
practice makes perfect		
scratch the surface		
spare time		
take it with a grain of salt		
the early bird gets the worm		
the shoe is on the other foot		
time flies		
to be two-faced		

exercise 9 «««««««««««««

More on Idioms and Review

Idiom	Definition	Use in a sentence
to bite someone's head off		
to bite your tongue		
to do a bang-up job		
to break a leg		
to buy a lemon		
to chow down		
to crack someone up		
to eat crow		
to fall back on		

test

1. In your own words, write your definition of the following idioms. Then, use them in a sentence. Do not consult your notes.

Idiom	Definition	Use in a sentence
to feel blue		
to have a ball		
to have ants in your pants		
to have egg on your face		
to have other fish to fry		
to have something on the tip of your tongue		
to hit the hay		
to jump the gun		
to keep tabs on		
to kill time		
to lend someone a hand		
to make a scene		
to not know beans about		
to put your pants on one leg at a time		
to see eye to eye		
to shift gears		

Idiom	Definition	Use in a sentence
to split hairs		
to take the cake		
to throw a monkey wrench		
to wrap up		
tongue-in-cheek		
wallflower		

1. At the end of each sentence, indicate the clause type.

   - Simple (S)

   - Complex (CX)

   - Compound (CD)

   - Compound-Complex (CC)

a) Beatrice and Hannah like apples, bananas and oranges. _____

b) Ingrid loves to ride her mountain bike, but she hates having to use a speed bike. _____

c) I will help you with your project if you agree to go out with me on Sunday night. _____

d) Elinor and Cecilia decided to go to the movies, but their friend Casey, who hates going out, decided to stay in. _____

e) You should stop going to tanning salons; they are dangerous for your skin. _____

f) Francesco and Francesca have a son named Frank! _____

g) I want to go to Cuba, but unless I find my passport, I won't go. _____

h) After Harper finishes making supper, we will devour it! _____

i) Ava and Fred are happily married. _____

j) Olivia likes to cook and she hates to clean. _____

k) Although I like you, I can't see myself dating you. _____

l) The exercise is done and it was very easy! _____

2. At the end of each sentence, indicate the clause type.

   - Simple (S)

   - Complex (CX)

   - Compound (CD)

   - Compound-Complex (CC)

a) My brother, who is a gifted violinist, is getting married to a wonderful young pianist named Giselle.

_____

Clause Types and Sentence Patterns

b) Anne-Marie and Patrice are expecting their first baby in July! _____

c) Cleo never goes on dating sites and is struggling to find that special someone to spend the rest of her life with. _____

d) My husband Mark is an amazing father and he is also the love of my life. _____

e) We are going strawberry picking on Saturday! _____

f) My son Matteo is three years old and he is such a great artist. _____

g) I am planning to go to Ontario this year and I will visit Upper Canada Village. _____

h) I know triplets; Lark, Leslie and Lola. _____

i) This song is amazing and my friend loves it, too! _____

j) After you do all the chores, I will take you out for supper. _____

k) I wonder if my sandwich is ready. _____

l) I just can't get that song out of my head, so I think I will buy the CD. _____

m) Rory is such a fun-loving girl and Yasmine is so negative all the time. _____

3. Identify the sentence patterns in the sentences below.

   1) Subject + Verb (SV)

   2) Subject + Verb + Direct Object (SVDO)

   3) Subject + Verb + Complement (SVC)

   4) Subject + Verb + Direct Object + Indirect Object (SVDOIO)

   5) Subject + Verb + Direct Object + Complement (SVDOC)

a) I loved watching Saturday morning cartoons when I was growing up in the 1980s.

   _____

b) Rita bought a car! _____

c) You are the most beautiful bride I have ever seen! _____

d) We like egg salad. _____

e) The students are working on their exams quietly. _____

f) The students are working quietly. _____

g) She sings in the choir. _____

h) Felix is baking sumptuous, decadent and enticing cupcakes. _____

i) I think Marco has fallen for Christina and her good looks. _____

j) The milk is boiling. _____

k) Jim Bob needs to buy some milk on the way home for his kids. _____

l) The rain falls gently. _____

m) Luca and Gabriel will not be joining us for supper tonight. _____

test

1. Fill in the following grid. For each clause type, give a definition and two examples. Do not use your notes.

	Clause Type	Definition	Examples
1.			
2.			
3.			
4.			

2. Fill in the following grid. For each sentence pattern, give a definition and two examples. Do not use your notes.

	Sentence Pattern	Definition	Examples
1.			
2.			
3.			
4.			
5.			

3. What is the difference between a phrase and a clause? _____

_____

_____

4. Give an example for each. _____

_____

_____

exercise 11 «««««««««««««

Adverbials

1. Underline all the adverbials in the sentences below. Then, classify them in the appropriate categories on page 76.

   a) The boy is hiding behind the bush.

   b) The bus ride lasts 20 minutes.

   c) The dish was made with the help of my trusty cookbook.

   d) My casserole will be in the oven for the next two hours.

   e) He stole the food because he was very hungry.

   f) Zina and Lex bought six pounds of prosciutto for the party.

   g) We will go to your place when we have a chance.

   h) Rosalind will be in Scotland for two weeks.

   i) I eat my favourite cereal every morning.

   j) Maxine and Gareth bought their house on my street because they like the area.

   k) The movie plays at midnight.

   l) We will get there by bus.

   m) Gina lives behind the cinema.

   n) I lost 10 pounds!

2. Underline all the adverbials in the sentences below. Then, classify them in the appropriate categories on page 76.

   a) Rain or shine, that old lady comes to buy bagels at my shop every day.

   b) Akeehla and Aaliyah are sisters who have lunch together every Sunday.

   c) I am late because I missed my bus.

   d) I completed the assignment with the help of my class notes.

   e) Annalisa went to the dance last night.

   f) It was held in the old barn.

g) Many people came.

h) Most people stayed for at least four hours.

i) They intend to do this again next year.

j) The tickets cost three dollars each.

k) We shall go to Paris.

l) We will go in the month of April.

m) The tickets are $1000.

n) The only way we can afford this trip is if we save money.

3. Underline all the adverbials in the sentences below. Then, classify them in the appropriate categories on page 76.

   a) I did this because I wanted to show you how much I love you.

   b) I got here by driving my car.

   c) She got it done with a little help from her friends.

   d) Dixie and Luanne have been trying to break the record for almost three weeks now! I hope they manage to!

   e) Wendy and Peter go to the gym together every day.

   f) We'll go next month.

   g) I do my groceries every Thursday.

   h) I like to shop at Extra G.

   i) Cathy loves to go to Florida.

   j) She goes every chance she gets.

   k) She gets there by bus.

   l) The tickets cost $10 each.

   m) I will meet you in St. Louis.

   n) The chicken is over there.

test

1. Classify the adverbials (pages 74-75) in the appropriate categories. Do not use your notes.

Why	When	How	Where	How much	How often	How long

1. Underline the adjectives in the following sentences. Then, classify them on page 78. Some sentences may have more than one.

   a) The two-storey building will be built tonight.

   b) You are beautiful.

   c) Many people attended the ceremony.

   d) Her dress created a stir.

   e) I am the queen of Swedish meatballs!

   f) Which movie do you want to see?

   g) Those are very dirty socks!

   h) Three little monkeys were jumping on the bed.

   i) Which is the best restaurant?

   j) Yours are better than mine.

   k) Catholic and Protestant citizens have joined together.

   l) Happy people work here.

   m) The tantalizing menu offers many delicious items.

   n) This store closed last year.

2. Underline the adjectives in the following sentences. Then, classify them on page 78. Some sentences may have more than one.

   a) The two-foot sandwich was filling!

   b) My Greek girlfriend's name is Voula.

   c) Yours is gone.

   d) Many people left the desolate country.

   e) Canadian bacon is better than traditional bacon, some say.

   f) What is the cause of this issue?

   g) My grape-flavoured ice pop is delicious and sweet.

h) My fantastic husband made me some tasty Cajun rice.

i) Which car costs less?

j) These bananas are unripe.

k) Little is known about the alleged murder.

l) The gifted troupe is putting together a complex Shakespearean play.

m) My new house is in the town of Vaudreuil-Dorion.

n) Why did you move there?

3. Classify the adjectives you underlined on pages 77-78 in the following categories.

Demonstrative	
Common (descriptive)	
Proper	
Interrogative	
Quantitative	
Possessive	
Compound	

test

1. Complete the following grid, by filling in as much information as possible and by giving as many examples as possible. Do not consult your notes.

Type	Explanation	Example	Used in a Sentence

exercise 13 «««««««««««««««

1. Go back to the beginning of the book and reread the information pertaining to the response process. Read the following text and apply the response process to it. The more you make a habit of doing this, the more you will connect with the text and truly understand it. Write down your observations on a sheet of paper.

The following is an excerpt from *Anne of Green Gables* (1908), by Lucy Maud Montgomery, Chapter 14.

CHAPTER XIV

Anne's Confession

On the Monday evening before the picnic Marilla came down from her room with a troubled face.

"Anne," she said to that small personage, who was shelling peas by the spotless table and singing, "Nelly of the Hazel Dell" with a vigor and expression that did credit to Diana's teaching, "did you see anything of my amethyst brooch? I thought I stuck it in my pincushion when I came home from church yesterday evening, but I can't find it anywhere."

"I – I saw it this afternoon when you were away at the Aid Society," said Anne, a little slowly. "I was passing your door when I saw it on the cushion, so I went in to look at it."

"Did you touch it?" said Marilla sternly.

"Y-e-e-s," admitted Anne, "I took it up and I pinned it on my breast just to see how it would look."

"You had no business to do anything of the sort. It's very wrong in a little girl to meddle. You shouldn't have gone into my room in the first place and you shouldn't have touched a brooch that didn't belong to you in the second. Where did you put it?"

"Oh, I put it back on the bureau. I hadn't it on a minute. Truly, I didn't mean to meddle, Marilla. I didn't think about its being wrong to go in and try on the brooch; but I see now that it was and I'll never do it again. That's one good thing about me. I never do the same naughty thing twice."

"You didn't put it back," said Marilla. "That brooch isn't anywhere on the bureau. You've taken it out or something, Anne."

"I did put it back," said Anne quickly – pertly, Marilla thought. "I don't just remember whether I stuck it on the pincushion or laid it in the china tray. But I'm perfectly certain I put it back."

"I'll go and have another look," said Marilla, determining to be just. "If you put that brooch back it's there still. If it isn't I'll know you didn't, that's all!"

Marilla went to her room and made a thorough search, not only over the bureau but in every other place she thought the brooch might possibly be. It was not to be found and she returned to the kitchen.

"Anne, the brooch is gone. By your own admission you were the last person to handle it. Now, what have you done with it? Tell me the truth at once. Did you take it out and lose it?"

"No, I didn't," said Anne solemnly, meeting Marilla's angry gaze squarely. "I never took the brooch out of your room and that is the truth, if I was to be led to the block for it – although I'm not very certain what a block is. So there, Marilla."

Anne's "so there" was only intended to emphasize her assertion, but Marilla took it as a display of defiance.

"I believe you are telling me a falsehood, Anne," she said sharply. "I know you are. There now, don't say anything more unless you are prepared to tell the whole truth. Go to your room and stay there until you are ready to confess."

"Will I take the peas with me?" said Anne meekly.

"No, I'll finish shelling them myself. Do as I bid you."

When Anne had gone Marilla went about her evening tasks in a very disturbed state of mind. She was worried about her valuable brooch. What if Anne had lost it? And how wicked of the child to deny having taken it, when anybody could see she must have! With such an innocent face, too!

- If you want to know what happened next, be sure to pick up a copy of the wonderful series of *Anne of Green Gables*.

1. Explore the Text

What did you learn from the text?
What did you have trouble understanding?
What strategies did you use to understand?
What did you find interesting/important?
What is the author trying to say?
Who is the intended audience? How can you tell?
What is the relationship between the characters/speakers? What details in the text support your ideas?

2. Make a Connection to the Text

Have you ever experienced something like this?
Which character do you find the most interesting/important? Why?
What is your opinion about what happened in the text?
How would you or a friend react in this type of situation?
Do you know anyone who acted in a similar way?
How does the new information change the way you think about…?

3. Generalize Beyond the Text

Do we see similar situations/problems in our community?
How do other cultures deal with similar issues?
How should people act in this type of situation?
How could you make people in your school/community more aware of this problem?
What are the general elements of the problem?

test

1. Go back to the beginning of the book and reread the information pertaining to the response process. Read the following text and apply the response process to it. The more you make a habit of doing this, the more you will connect with the text and truly understand it. Write down your observations on a sheet of paper.

The following is a short story by Hans Christian Andersen (1891).

A Flea, a Grasshopper, and a Leap-frog once wanted to see which could jump highest; and they invited the whole world, and everybody else besides who chose to come to see the festival. Three famous jumpers were they, as everyone would say, when they all met together in the room.

"I will give my daughter to him who jumps highest," exclaimed the King; "for it is not so amusing where there is no prize to jump for."

The Flea was the first to step forward. He had exquisite manners, and bowed to the company on all sides; for he had noble blood, and was, moreover, accustomed to the society of man alone; and that makes a great difference.

Then came the Grasshopper. He was considerably heavier, but he was well-mannered, and wore a green uniform, which he had by right of birth; he said, moreover, that he belonged to a very ancient Egyptian family, and that in the house where he then was, he was thought much of. The fact was, he had been just brought out of the fields, and put in a pasteboard house, three stories high, all made of court-cards, with the colored side inwards; and doors and windows cut out of the body of the Queen of Hearts. "I sing so well," said he, "that sixteen native grasshoppers who have chirped from infancy, and yet got no house built of cards to live in, grew thinner than they were before for sheer vexation when they heard me."

It was thus that the Flea and the Grasshopper gave an account of themselves, and thought they were quite good enough to marry a Princess.

The Leap-frog said nothing; but people gave it as their opinion, that he therefore thought the more; and when the housedog snuffed at him with his nose, he confessed the Leap-frog was of good family. The old councillor, who had had three orders given him to make him hold his tongue, asserted that the Leap-frog was a prophet; for that one could see on his back, if there would be a severe or mild winter, and that was what one could not see even on the back of the man who writes the almanac.

"I say nothing, it is true," exclaimed the King; "but I have my own opinion, notwithstanding."

Now the trial was to take place. The Flea jumped so high that nobody could see where he went to; so they all asserted he had not jumped at all; and that was dishonorable. The Grasshopper jumped only half as high; but he leaped into the King's face, who said that was ill-mannered.

The Leap-frog stood still for a long time lost in thought; it was believed at last he would not jump at all. "I only hope he is not unwell," said the house-dog; when, pop! he made a jump all on one side into the lap of the Princess, who was sitting on a little golden stool close by.

Hereupon the King said, "There is nothing above my daughter; therefore to bound up to her is the highest jump that can be made; but for this, one must possess understanding, and the Leap-frog has shown that he has understanding. He is brave and intellectual."

And so he won the Princess.

"It's all the same to me," said the Flea. "She may have the old Leap-frog, for all I care. I jumped the highest; but in this world merit seldom meets its reward. A fine exterior is what people look at now-a-days."

The Flea then went into foreign service, where, it is said, he was killed. The Grasshopper sat without on a green bank, and reflected on worldly things; and he said too, "Yes, a fine exterior is everything—a fine exterior is what people care about." And then he began chirping his peculiar melancholy song, from which we have taken this history; and which may, very possibly, be all untrue, although it does stand here printed in black and white.

1. Explore the Text

What did you learn from the text?
What did you have trouble understanding?
What strategies did you use to understand?
What did you find interesting/important?
What is the author trying to say?
Who is the intended audience? How can you tell?
What is the relationship between the characters/speakers? What details in the text support your ideas?

2. Make a Connection to the Text

Have you ever experienced something like this?
Which character do you find the most interesting/important? Why?
What is your opinion about what happened in the text?
How would you or a friend react in this type of situation?
Do you know anyone who acted in a similar way?
How does the new information change the way you think about...?

3. Generalize Beyond the Text

Do we see similar situations/problems in our community?
How do other cultures deal with similar issues?
How should people act in this type of situation?
How could you make people in your school/community more aware of this problem?
What are the general elements of the problem?

exercise 14 «««««««««««««««««

Exploring Literary Texts

1. Go back to the beginning of the book and reread the information pertaining to the response process. Read the following text and apply the response process to it. The more you make a habit of doing this, the more you will connect with the text and truly understand it. Write down your observations on a sheet of paper.

The following is an excerpt from *Alice's Adventures in Wonderland,* by Lewis Carroll (1865).

CHAPTER 1 - Down the Rabbit-Hole

Alice was beginning to get very tired of sitting by her sister on the bank, and of having nothing to do: once or twice she had peeped into the book her sister was reading, but it had no pictures or conversations in it, 'and what is the use of a book,' thought Alice 'without pictures or conversation?'

So she was considering in her own mind (as well as she could, for the hot day made her feel very sleepy and stupid), whether the pleasure of making a daisy-chain would be worth the trouble of getting up and picking the daisies, when suddenly a White Rabbit with pink eyes ran close by her.

There was nothing so VERY remarkable in that; nor did Alice think it so VERY much out of the way to hear the Rabbit say to itself, 'Oh dear! Oh dear! I shall be late!' (when she thought it over afterwards, it occurred to her that she ought to have wondered at this, but at the time it all seemed quite natural); but when the Rabbit actually TOOK A WATCH OUT OF ITS WAISTCOAT-POCKET, and looked at it, and then hurried on, Alice started to her feet, for it flashed across her mind that she had never before seen a rabbit with either a waistcoat-pocket, or a watch to take out of it, and burning with curiosity, she ran across the field after it, and fortunately was just in time to see it pop down a large rabbit-hole under the hedge.

In another moment down went Alice after it, never once considering how in the world she was to get out again.

The rabbit-hole went straight on like a tunnel for some way, and then dipped suddenly down, so suddenly that Alice had not a moment to think about stopping herself before she found herself falling down a very deep well.

Either the well was very deep, or she fell very slowly, for she had plenty of time as she went down to look about her and to wonder what was going to happen next. First, she tried to look down and make out what she was coming to, but it was too dark to see anything; then she looked at the sides of the well, and noticed that they were filled with cupboards and book-shelves; here and there she saw maps and pictures hung upon pegs. She took down a jar from one of the shelves as she passed; it was labelled 'ORANGE MARMALADE', but to her great disappointment it was empty: she did not like to drop the jar for fear of killing somebody, so managed to put it into one of the cupboards as she fell past it.

'Well!' thought Alice to herself, 'after such a fall as this, I shall think nothing of tumbling down stairs! How brave they'll all think me at home! Why, I wouldn't say anything about it, even if I fell off the top of the house!' (Which was very likely true.)

Down, down, down. Would the fall NEVER come to an end! 'I wonder how many miles I've fallen by this time?' she said aloud. 'I must be getting somewhere near the centre of the earth. Let me see: that would be four thousand miles down, I think—' (for, you see, Alice had learnt several things of this sort in her lessons in the schoolroom, and though this was not a VERY good opportunity for showing off her knowledge, as there was no one to listen to her, still it was good practice to say it over) '—yes, that's about the right distance—but then I wonder what Latitude or Longitude I've got to?' (Alice had no idea what Latitude was, or Longitude either, but thought they were nice grand words to say.)

Presently she began again. 'I wonder if I shall fall right THROUGH the earth! How funny it'll seem to come out among the people that walk with their heads downward! The Antipathies, I think—' (she was rather glad there WAS no one listening, this time, as it didn't sound at all the right word) '—but I shall have to ask them what the name of the country is, you know. Please, Ma'am, is this New Zealand or Australia?' (and she tried to curtsey as she spoke—fancy CURTSEYING as you're falling through the air! Do you think you could manage it?) 'And what an ignorant little girl she'll think me for asking! No, it'll never do to ask: perhaps I shall see it written up somewhere.'

Down, down, down. There was nothing else to do, so Alice soon began talking again. 'Dinah'll miss me very much to-night, I should think!' (Dinah was the cat.) 'I hope they'll remember her saucer of milk at tea-time. Dinah my dear! I wish you were down here with me! There are no mice in the air, I'm afraid, but you might catch a bat, and that's very like a mouse, you know. But do cats eat bats, I wonder?' And here Alice began to get rather sleepy, and went on saying to herself, in a dreamy sort of way, 'Do cats eat bats? Do cats eat bats?' and sometimes, 'Do bats eat cats?' for, you see, as she couldn't answer either question, it didn't much matter which way she put it. She felt that she was dozing off, and had just begun to dream that she was walking hand in hand with Dinah, and saying to her very earnestly, 'Now, Dinah, tell me the truth: did you ever eat a bat?' when suddenly, thump! thump! down she came upon a heap of sticks and dry leaves, and the fall was over.

Alice was not a bit hurt, and she jumped up on to her feet in a moment: she looked up, but it was all dark overhead; before her was another long passage, and the White Rabbit was still in sight, hurrying down it. There was not a moment to be lost: away went Alice like the wind, and was just in time to hear it say, as it turned a corner, 'Oh my ears and whiskers, how late it's getting!' She was close behind it when she turned the corner, but the Rabbit was no longer to be seen: she found herself in a long, low hall, which was lit up by a row of lamps hanging from the roof.

There were doors all round the hall, but they were all locked; and when Alice had been all the way down one side and up the other, trying every door, she walked sadly down the middle, wondering how she was ever to get out again.

Suddenly she came upon a little three-legged table, all made of solid glass; there was nothing on it except a tiny golden key, and Alice's first thought was that it might belong to one of the doors of the hall; but, alas! either the locks were too large, or the key was too small, but at any rate it would not open any of them. However, on the second time round, she came upon a low curtain she had not noticed before, and behind it was a little door about fifteen inches high: she tried the little golden key in the lock, and to her great delight it fitted!

Alice opened the door and found that it led into a small passage, not much larger than a rat-hole: she knelt down and looked along the passage into the loveliest garden you ever saw. How she longed to get out of that dark hall, and wander about among those beds of bright flowers and those cool fountains, but she could not even get her head through the doorway; 'and even if my head would go through,' thought poor Alice, 'it would be of very little use without my shoulders. Oh, how I wish I could shut up like a telescope! I think I could, if I only know how to begin.' For, you see, so many out-of-the-way things had happened lately, that Alice had begun to think that very few things indeed were really impossible.

There seemed to be no use in waiting by the little door, so she went back to the table, half hoping she might find another key on it, or at any rate a book of rules for shutting people up like telescopes: this time she found a little bottle on it, ('which certainly was not here before,' said Alice,) and round the neck of the bottle was a paper label, with the words 'DRINK ME' beautifully printed on it in large letters.

It was all very well to say 'Drink me,' but the wise little Alice was not going to do THAT in a hurry. 'No, I'll look first,' she said, 'and see whether it's marked "poison" or not'; for she had read several nice little histories about children who had got burnt, and eaten up by wild beasts and other unpleasant things, all because they WOULD not remember the simple rules their friends had taught them: such as, that a red-hot poker will burn you if you hold it too long; and that if you cut your finger VERY deeply with a knife, it usually bleeds; and she

exercise 14 <<<<<<<<<<<<<<<<<<<<

Exploring Literary Texts

had never forgotten that, if you drink much from a bottle marked 'poison,' it is almost certain to disagree with you, sooner or later.

However, this bottle was NOT marked 'poison,' so Alice ventured to taste it, and finding it very nice, (it had, in fact, a sort of mixed flavour of cherry- tart, custard, pine-apple, roast turkey, toffee, and hot buttered toast,) she very soon finished it off.

test

1. After reading the text at least twice, looking up all the words you do not know and applying the response process, you are now ready to answer some reading comprehension questions about it.

1. Who was Alice sitting next to?	
2. Where was she waiting?	
3. What was missing in her sister's book?	
4. How did the hot day make her feel?	
5. While Alice was thinking about making a flower chain, what appeared in front of her?	
6. What was different about this rabbit (3 things)?	
7. What did the Rabbit say?	
8. Where did the Rabbit go?	
9. Did Alice follow him?	
10. Was there any orange marmalade in the jar she opened?	
11. Did Alice fall for a long time or a short time?	
12. Whose dinner was she worried about?	
13. What happened when she got to the pile of sticks and leaves?	
14. Was Alice hurt from the fall?	
15. What was on the glass table?	
16. What did she see at the end of the small passage?	
17. What was written on the bottle she picked up?	
18. What did the content of the bottle taste like?	

exercise 15 «««««««««««««

Exploring Literary Texts

1. Go back to the beginning of the book and reread the information pertaining to the response process. Read the following text and apply the response process to it. The more you make a habit of doing this, the more you will connect with the text and truly understand it. Write down your observations on a sheet of paper.

The following is an excerpt from *Alice's Adventures in Wonderland*, by Lewis Carroll (1865).

CHAPTER 1 (continued)

'What a curious feeling!' said Alice; 'I must be shutting up like a telescope.'

And so it was indeed: she was now only ten inches high, and her face brightened up at the thought that she was now the right size for going though the little door into that lovely garden. First, however, she waited for a few minutes to see if she was going to shrink any further: she felt a little nervous about this; 'for it might end, you know,' said Alice to herself, 'in my going out altogether, like a candle. I wonder what I should be like then?' And she tried to fancy what the flame of a candle is like after the candle is blown out, for she could not remember ever having seen such a thing.

After a while, finding that nothing more happened, she decided on going into the garden at once; but, alas for poor Alice! when she got to the door, she found he had forgotten the little golden key, and when she went back to the table for it, she found she could not possibly reach it: she could see it quite plainly through the glass, and she tried her best to climb up one of the legs of the table, but it was too slippery; and when she had tired herself out with trying, the poor little thing sat down and cried.

'Come, there's no use in crying like that!' said Alice to herself, rather sharply; 'I advise you to leave off this minute!' She generally gave herself very good advice, (though she very seldom followed it), and sometimes she scolded herself so severely as to bring tears into her eyes; and once she remembered trying to box her own ears for having cheated herself in a game of croquet she was playing against herself, for this curious child was very fond of pretending to be two people. 'But it's no use now,' thought poor Alice, 'to pretend to be two people! Why, there's hardly enough of me left to make ONE respectable person!'

Soon her eye fell on a little glass box that was lying under the table: she opened it, and found in it a very small cake, on which the words 'EAT ME' were beautifully marked in currants. 'Well, I'll eat it,' said Alice, 'and if it makes me grow larger, I can reach the key; and if it makes me grow smaller, I can creep under the door; so either way I'll get into the garden, and I don't care which happens!'

She ate a little bit, and said anxiously to herself, 'Which way? Which way?', holding her hand on the top of her head to feel which way it was growing, and she was quite surprised to find that she remained the same size: to be sure, this generally happens when one eats cake, but Alice had got so much into the way of expecting nothing but out-of-the-way things to happen, that it seemed quite dull and stupid for life to go on in the common way.

So she set to work, and very soon finished off the cake.

2. Go back to the beginning of the book and reread the information pertaining to the response process. Read the following text and apply the response process to it. The more you make a habit of doing this, the more you will connect with the text and truly understand it. Write down your observations on a sheet of paper.

The following is an excerpt from *Alice's Adventures in Wonderland,* by Lewis Carroll (1865).

CHAPTER 2 – THE POOL OF TEARS

'Curiouser and curiouser!' cried Alice (she was so much surprised, that for the moment she quite forgot how to speak good English); 'now I'm opening out like the largest telescope that ever was! Good-bye, feet!' (for when she looked down at her feet, they seemed to be almost out of sight, they were getting so far off). 'Oh, my poor little feet, I wonder who will put on your shoes and stockings for you now, dears? I'm sure I shan't be able! I shall be a great deal too far off to trouble myself about you: you must manage the best way you can; – but I must be kind to them,' thought Alice, 'or perhaps they won't walk the way I want to go! Let me see: I'll give them a new pair of boots every Christmas.'

And she went on planning to herself how she would manage it. 'They must go by the carrier,' she thought; 'and how funny it'll seem, sending presents to one's own feet! And how odd the directions will look!

ALICE'S RIGHT FOOT, ESQ.

HEARTHRUG,

NEAR THE FENDER,

(WITH ALICE'S LOVE).

Oh dear, what nonsense I'm talking!'

Just then her head struck against the roof of the hall: in fact she was now more than nine feet high, and she at once took up the little golden key and hurried off to the garden door.

Poor Alice! It was as much as she could do, lying down on one side, to look through into the garden with one eye; but to get through was more hopeless than ever: she sat down and began to cry again.

'You ought to be ashamed of yourself,' said Alice, 'a great girl like you,' (she might well say this), 'to go on crying in this way! Stop this moment, I tell you!' But she went on all the same, shedding gallons of tears, until there was a large pool all round her, about four inches deep and reaching half down the hall.

After a time she heard a little pattering of feet in the distance, and she hastily dried her eyes to see what was coming. It was the White Rabbit returning, splendidly dressed, with a pair of white kid gloves in one hand and a large fan in the other: he came trotting along in a great hurry, muttering to himself as he came, 'Oh! the Duchess, the Duchess! Oh! won't she be savage if I've kept her waiting!' Alice felt so desperate that she was ready to ask help of any one; so, when the Rabbit ame near her, she began, in a low, timid voice, 'If you please, sir – ' The Rabbit started violently, dropped the white kid gloves and the fan, and scurried away into the darkness as hard as he could go.

Alice took up the fan and gloves, and, as the hall was very hot, she kept fanning herself all the time she went on talking: 'Dear, dear! How queer everything is to-day! And yesterday things went on just as usual. I wonder if I've been changed in the night? Let me think: was I the same when I got up this morning? I almost think I can remember feeling a little different. But if I'm not the same, the next question is, Who in the world am I? Ah, *THAT'S* the great puzzle!' And she began thinking over all the children she knew that were of the same age as herself, to see if she could have been changed for any of them.

'I'm sure I'm not Ada,' she said, 'for her hair goes in such long ringlets, and mine doesn't go in ringlets at all; and I'm sure I can't be Mabel, for I know all sorts of things, and she, oh! she knows such a very little! Besides, *SHE'S* she, and I'm I, and – oh dear, how puzzling it all is! I'll try if I know all the things I used to know. Let me see: four times five is twelve, and four times six is thirteen, and four times seven is – oh dear! I shall

exercise 15 «««««««««««««««

never get to twenty at that rate! However, the Multiplication Table doesn't signify: let's try Geography. London is the capital of Paris, and Paris is the capital of Rome, and Rome – no, *THAT'S* all wrong, I'm certain! I must have been changed for Mabel! I'll try and say "How doth the little – "' and she crossed her hands on her lap as if she were saying lessons, and began to repeat it, but her voice sounded hoarse and strange, and the words did not come the same as they used to do: –

'How doth the little crocodile
Improve his shining tail,
And pour the waters of the Nile
On every golden scale!
'How cheerfully he seems to grin,
How neatly spread his claws,
And welcome little fishes in
With gently smiling jaws!'

'I'm sure those are not the right words,' said poor Alice, and her eyes filled with tears again as she went on, 'I must be Mabel after all, and I shall have to go and live in that poky little house, and have next to no toys to play with, and oh! ever so many lessons to learn! No, I've made up my mind about it; if I'm Mabel, I'll stay down here! It'll be no use their putting their heads down and saying "Come up again, dear!" I shall only look up and say "Who am I then? Tell me that first, and then, if I like being that person, I'll come up: if not, I'll stay down here till I'm somebody else" – but, oh dear!' cried Alice, with a sudden burst of tears, 'I do wish they *WOULD* put their heads down! I am so *VERY* tired of being all alone here!'

test

1. After reading the texts (pages 88-90) at least twice, looking up all the words you do not know and applying the response process, you are now ready to answer some reading comprehension questions about it.

1. What happened to Alice's body at the end of Chapter 1?	
2. How tall was she?	
3. Could she fit in the door that led to the garden?	
4. What had she forgotten?	
5. Why couldn't she get the key?	
6. What was written on the cake?	
7. What happened to Alice after she ate the cake?	
8. Did she eat the whole cake?	
9. Have you ever been in a situation where you thought you'd never escape? Explain.	
10. What type of character do you think Alice possesses?	
11. What do you think of the story so far?	
12. Do you think Alice will make it to the garden?	
13. Predict what happens next. Give details.	
14. Predict the course of the story. How does it unfold? Give details.	

exercise 16 «««««««««««««

Exploring Literary Texts

1. Go back to the beginning of the book and reread the information pertaining to the response process. Read the following text and apply the response process to it. The more you make a habit of doing this, the more you will connect with the text and truly understand it. Write down your observations on a sheet of paper.

The following is an excerpt from *Alice's Adventures in Wonderland*, by Lewis Carroll (1865).

CHAPTER 2 – THE POOL OF TEARS (Continued)

As she said this she looked down at her hands, and was surprised to see that she had put on one of the Rabbit's little white kid gloves while she was talking. 'How *CAN* I have done that?' she thought. 'I must be growing small again.' She got up and went to the table to measure herself by it, and found that, as nearly as she could guess, she was now about two feet high, and was going on shrinking rapidly: she soon found out that the cause of this was the fan she was holding, and she dropped it hastily, just in time to avoid shrinking away altogether.

'That *WAS* a narrow escape!' said Alice, a good deal frightened at the sudden change, but very glad to find herself still in existence; 'and now for the garden!' and she ran with all speed back to the little door: but, alas! the little door was shut again, and the little golden key was lying on the glass table as before, 'and things are worse than ever,' thought the poor child, 'for I never was so small as this before, never! And I declare it's too bad, that it is!'

As she said these words her foot slipped, and in another moment, splash! she was up to her chin in salt water. He first idea was that she had somehow fallen into the sea, 'and in that case I can go back by railway,' she said to herself. (Alice had been to the seaside once in her life, and had come to the general conclusion, that wherever you go to on the English coast you find a number of bathing machines in the sea, some children digging in the sand with wooden spades, then a row of lodging houses, and behind them a railway station.) However, she soon made out that she was in the pool of tears which she had wept when she was nine feet high.

'I wish I hadn't cried so much!' said Alice, as she swam about, trying to find her way out. 'I shall be punished for it now, I suppose, by being drowned in my own tears! That *WILL* be a queer thing, to be sure! However, everything is queer to-day.'

Just then she heard something splashing about in the pool a little way off, and she swam nearer to make out what it was: at first she thought it must be a walrus or hippopotamus, but then she remembered how small she was now, and she soon made out that it was only a mouse that had slipped in like herself.

'Would it be of any use, now,' thought Alice, 'to speak to this mouse? Everything is so out-of-the-way down here, that I should think very likely it can talk: at any rate, there's no harm in trying.' So she began: 'O Mouse, do you know the way out of this pool? I am very tired of swimming about here, O Mouse!' (Alice thought this must be the right way of speaking to a mouse: she had never done such a thing before, but she remembered having seen in her brother's Latin Grammar, 'A mouse – of a mouse – to a mouse – a mouse – O mouse!' The Mouse looked at her rather inquisitively, and seemed to her to wink with one of its little eyes, but it said nothing.

'Perhaps it doesn't understand English,' thought Alice; 'I daresay it's a French mouse, come over with William the Conqueror.' (For, with all her knowledge of history, Alice had no very clear notion how long ago anything had happened.) So she began again: 'Ou est ma chatte?' which was the first sentence in her French lesson-book. The Mouse gave a sudden leap out of the water, and seemed to quiver all over with fright. 'Oh, I beg your pardon!' cried Alice hastily, afraid that she had hurt the poor animal's feelings. 'I quite forgot you didn't like cats.'

'Not like cats!' cried the Mouse, in a shrill, passionate voice. 'Would *YOU* like cats if you were me?'

'Well, perhaps not,' said Alice in a soothing tone: 'don't be angry about it. And yet I wish I could show you our cat Dinah: I think you'd take a fancy to cats if you could only see her. She is such a dear quiet thing,' Alice went on, half to herself, as she swam lazily about in the pool, 'and she sits purring so nicely by the fire, licking her paws and washing her face – and she is such a nice soft thing to nurse – and she's such a capital one for catching mice – oh, I beg your pardon!' cried Alice again, for this time the Mouse was bristling all over, and she felt certain it must be really offended. 'We won't talk about her any more if you'd rather not.'

'We indeed!' cried the Mouse, who was trembling down to the end of his tail. 'As if I would talk on such a subject! Our family always **HATED** cats: nasty, low, vulgar things! Don't let me hear the name again!'

'I won't indeed!' said Alice, in a great hurry to change the subject of conversation. 'Are you – are you fond – of – of dogs?' The Mouse did not answer, so Alice went on eagerly: 'There is such a nice little dog near our house I should like to show you! A little bright-eyed terrier, you know, with oh, such long curly brown hair! And it'll fetch things when you throw them, and it'll sit up and beg for its dinner, and all sorts of thins – I can't remember half of them – and it belongs to a farmer, you know, and he says it's so useful, it's worth a hundred pounds! He says it kills all the rats and – oh dear!' cried Alice in a sorrowful tone, 'I'm afraid I've offended it again!' For the Mouse was swimming away from her as hard as it could go, and making quite a commotion in the pool as it went.

So she called softly after it, 'Mouse dear! Do come back again, and we won't talk about cats or dogs either, if you don't like them!' When the Mouse heard this, it turned round and swam slowly back to her: its face was quite pale (with passion, Alice thought), and it said in a low trembling voice, 'Let us get to the shore, and then I'll tell you my history, and you'll understand why it is I hate cats and dogs.

It was high time to go, for the pool was getting quite crowded with the birds and animals that had fallen into it: there were a Duck and a Dodo, a Lory and an Eaglet, and several other curious creatures. Alice led the way, and the whole party swam to the shore.

1. Explore the Text

What did you learn from the text?
What did you have trouble understanding?
What strategies did you use to understand?
What did you find interesting/important?
What is the author trying to say?
Who is the intended audience? How can you tell?
What is the relationship between the characters/speakers? What details in the text support your ideas?

2. Make a Connection to the Text

Have you ever experienced something like this?
Which character do you find the most interesting/important? Why?
What is your opinion about what happened in the text?
How would you or a friend react in this type of situation?
Do you know anyone who acted in a similar way?
How does the new information change the way you think about…?

3. Generalize Beyond the Text

Do we see similar situations/problems in our community?
How do other cultures deal with similar issues?
How should people act in this type of situation?
How could you make people in your school/community more aware of this problem?
What are the general elements of the problem?

test

1. After reading the text at least twice, looking up all the words you do not know and applying the response process, you are now ready to answer some reading comprehension questions about it.

1. What happened to Alice's body?	
2. What do you think of the story so far?	
3. What did Alice put on her hands?	
4. What did the fan cause her to do?	
5. What was Alice swimming in? What was it made of?	
6. Did the Mouse understand what Alice was saying?	
7. Did the Mouse like cats?	
8. What was Alice's cat's name?	
9. What did the Mouse's family hate the most?	
10. Could Alice talk about Dinah anymore?	
11. Describe the dog near Alice's house.	
12. Who did it belong to?	
13. How did Alice offend the Mouse?	
14. As a result, what did the Mouse do?	
15. Did the Mouse come back once Alice apologized?	
16. What was the Mouse going explain to Alice?	
17. Which animals followed Alice to the shore?	

1. Go back to the beginning of the book and reread the information pertaining to the response process. Read the following text and apply the response process to it. The more you make a habit of doing this, the more you will connect with the text and truly understand it. Write down your observations on a sheet of paper.

The following is an excerpt from *Alice's Adventures in Wonderland*, by Lewis Carroll (1865).

CHAPTER 3 – A CAUCUS-RACE AND A LONG TALE

They were indeed a queer-looking party that assembled on the bank – the birds with draggled feathers, the animals with their fur clinging close to them, and all dripping wet, cross, and uncomfortable.

The first question of course was, how to get dry again: they had a consultation about this, and after a few minutes it seemed quite natural to Alice to find herself talking familiarly with them, as if she had known them all her life. Indeed, she had quite a long argument with the Lory, who at last turned sulky, and would only say, 'I am older than you, and must know better'; and this Alice would not allow without knowing how old it was, and, as the Lory positively refused to tell its age, there was no more to be said.

At last the Mouse, who seemed to be a person of authority among them, called out, 'Sit down, all of you, and listen to me! I'LL soon make you dry enough!' They all sat down at once, in a large ring, with the Mouse in the middle. Alice kept her eyes anxiously fixed on it, for she felt sure she would catch a bad cold if she did not get dry very soon.

'Ahem!' said the Mouse with an important air, 'are you all ready? This is the driest thing I know. Silence all round, if you please! "William the Conqueror, whose cause was favoured by the pope, was soon submitted to by the English, who wanted leaders, and had been of late much accustomed to usurpation and conquest. Edwin and Morcar, the earls of Mercia and Northumbria – "'

'Ugh!' said the Lory, with a shiver.

'I beg your pardon!' said the Mouse, frowning, but very politely: 'Did you speak?'

'Not I!' said the Lory hastily.

'I thought you did,' said the Mouse. ' – I proceed. "Edwin and Morcar, the earls of Mercia and Northumbria, declared for him: and even Stigand, the patriotic archbishop of Canterbury, found it advisable – "'

'Found WHAT?' said the Duck.

'Found IT,' the Mouse replied rather crossly: 'of course you know what "it" means.'

'I know what "it" means well enough, when I find a thing,' said the Duck: 'it's generally a frog or a worm. The question is, what did the archbishop find?'

The Mouse did not notice this question, but hurriedly went on, '" – found it advisable to go with Edgar Atheling to meet William and offer him the crown. William's conduct at first was moderate. But the insolence of his Normans – " How are you getting on now, my dear?' it continued, turning to Alice as it spoke.

'As wet as ever,' said Alice in a melancholy tone: 'it doesn't seem to dry me at all.'

'In that case,' said the Dodo solemnly, rising to its feet, 'I move that the meeting adjourn, for the immediate adoption of more energetic remedies – '

'Speak English!' said the Eaglet. 'I don't know the meaning of half those long words, and, what's more, I don't believe you do either!' And the Eaglet bent down its head to hide a smile: some of the other birds tittered audibly.

'What I was going to say,' said the Dodo in an offended tone, 'was, that the best thing to get us dry would be a Caucus-race.'

'What IS a Caucus-race?' said Alice; not that she wanted much to know, but the Dodo had paused as if it thought that SOMEBODY ought to speak, and no one else seemed inclined to say anything.

exercise 17 «««««««««««««

'Why,' said the Dodo, 'the best way to explain it is to do it.' (And, as you might like to try the thing yourself, some winter day, I will tell you how the Dodo managed it.)

First it marked out a race-course, in a sort of circle, ('the exact shape doesn't matter,' it said,) and then all the party were placed along the course, here and there. There was no 'One, two, three, and away,' but they began running when they liked, and left off when they liked, so that it was not easy to know when the race was over. However, when they had been running half an hour or so, and were quite dry again, the Dodo suddenly called out 'The race is over!' and they all crowded round it, panting, and asking, 'But who has won?'

This question the Dodo could not answer without a great deal of thought, and it sat for a long time with one finger pressed upon its forehead (the position in which you usually see Shakespeare, in the pictures of him), while the rest waited in silence. At last the Dodo said, 'EVERYBODY has won, and all must have prizes.'

'But who is to give the prizes?' quite a chorus of voices asked.

'Why, SHE, of course,' said the Dodo, pointing to Alice with one finger; and the whole party at once crowded round her, calling out in a confused way, 'Prizes! Prizes!'

Alice had no idea what to do, and in despair she put her hand in her pocket, and pulled out a box of comfits, (luckily the salt water had not got into it), and handed them round as prizes. There was exactly one a-piece all round.

'But she must have a prize herself, you know,' said the Mouse.

'Of course,' the Dodo replied very gravely. 'What else have you got in your pocket?' he went on, turning to Alice.

'Only a thimble,' said Alice sadly.

'Hand it over here,' said the Dodo.

Then they all crowded round her once more, while the Dodo solemnly presented the thimble, saying 'We beg your acceptance of this elegant thimble'; and, when it had finished this short speech, they all cheered.

Alice thought the whole thing very absurd, but they all looked so grave that she did not dare to laugh; and, as she could not think of anything to say, she simply bowed, and took the thimble, looking as solemn as she could.

The next thing was to eat the comfits: this caused some noise and confusion, as the large birds complained that they could not taste theirs, and the small ones choked and had to be patted on the back. However, it was over at last, and they sat down again in a ring, and begged the Mouse to tell them something more.

'You promised to tell me your history, you know,' said Alice, 'and why it is you hate – C and D,' she added in a whisper, half afraid that it would be offended again.

'Mine is a long and a sad tale!' said the Mouse, turning to Alice, and sighing.

'It IS a long tail, certainly,' said Alice, looking down with wonder at the Mouse's tail' 'but why do you call it sad?' And she kept on puzzling about it while the Mouse was speaking, so that her idea of the tale was something like this.

test

1. After reading the text at least twice, looking up all the words you do not know and applying the response process, you are now ready to answer some reading comprehension questions about it.

1. Describe the state of the animals as they assembled on the bank.	
2. What was the consultation about between Alice and the animals?	
3. Was she comfortable talking to them?	
4. Who was the oldest one there?	
5. Who was the person of authority?	
6. What was the Mouse's plan to dry them off?	
7. Did it work?	
8. What was the Dodo's plan?	
9. Who won the race?	
10. What was the prize?	
11. Who won the prize?	
12. Who gave them their prizes?	
13. Did Alice get a prize? If so, what was it and where did it come from?	
14. What did Alice think of all this?	
15. Did the Mouse tell Alice his story?	

exercise 18 «««««««««««««

Exploring Literary Texts

1. Go back to the beginning of the book and reread the information pertaining to the response process. Read the following text and apply the response process to it. The more you make a habit of doing this, the more you will connect with the text and truly understand it. Write down your observations on a sheet of paper.

The following is an excerpt from *Alice's Adventures in Wonderland*, by Lewis Carroll (1865).

CHAPTER 3 – A CAUCUS-RACE AND A LONG TALE (Continued)

'Fury said to a
mouse, That he
met in the
house,
"Let us
both go to
law: I will
prosecute
YOU. – Come,
I'll take no
denial; We
must have a
trial: For
really this
morning I've
nothing
to do."
Said the
mouse to the
cur, "Such
a trial,
dear Sir,
With
no jury
or judge,
would be
wasting
our
breath."
"I'll be
judge, I'll
be jury,"
Said
cunning
old Fury:
"I'll
try the
whole

cause,

and

condemn

you

to

death.”

'You are not attending!' said the Mouse to Alice severely. 'What are you thinking of?'

'I beg your pardon,' said Alice very humbly: 'you had got to the fifth bend, I think?'

'I had NOT!' cried the Mouse, sharply and very angrily.

'A knot!' said Alice, always ready to make herself useful, and looking anxiously about her. 'Oh, do let me help to undo it!'

'I shall do nothing of the sort,' said the Mouse, getting up and walking away. 'You insult me by talking such nonsense!'

'I didn't mean it!' pleaded poor Alice. 'But you're so easily offended, you know!'

The Mouse only growled in reply.

'Please come back and finish your story!' Alice called after it; and the others all joined in chorus, 'Yes, please do!' but the Mouse only shook its head impatiently, and walked a little quicker.

'What a pity it wouldn't stay!' sighed the Lory, as soon as it was quite out of sight; and an old Crab took the opportunity of saying to her daughter 'Ah, my dear! Let this be a lesson to you never to lose YOUR temper!' 'Hold your tongue, Ma!' said the young Crab, a little snappishly. 'You're enough to try the patience of an oyster!'

'I wish I had our Dinah here, I know I do!' said Alice aloud, addressing nobody in particular. 'She'd soon fetch it back!'

'And who is Dinah, if I might venture to ask the question?' said the Lory.

Alice replied eagerly, for she was always ready to talk about her pet: 'Dinah's our cat. And she's such a capital one for catching mice you can't think! And oh, I wish you could see her after the birds! Why, she'll eat a little bird as soon as look at it!'

This speech caused a remarkable sensation among the party. Some of the birds hurried off at once: one the old Magpie began wrapping itself up very carefully, remarking, 'I really must be getting home; the night-air doesn't suit my throat!' and a Canary called out in a trembling voice to its children, 'Come away, my dears! It's high time you were all in bed!' On various pretexts they all moved off, and Alice was soon left alone.

'I wish I hadn't mentioned Dinah!' she said to herself in a melancholy tone. 'Nobody seems to like her, down here, and I'm sure she's the best cat in the world! Oh, my dear Dinah! I wonder if I shall ever see you any more!' And here poor Alice began to cry again, for she felt very lonely and low-spirited. In a little while, however, she again heard a little pattering of footsteps in the distance, and she looked up eagerly, half hoping that the Mouse had changed his mind, and was coming back to finish his story.

1. Explore the Text

What did you learn from the text?
What did you have trouble understanding?
What strategies did you use to understand?
What did you find interesting/important?
What is the author trying to say?
Who is the intended audience? How can you tell?
What is the relationship between the characters/speakers? What details in the text support your ideas?

exercise 18 «««««««««««««««««

2. Make a Connection to the Text

Have you ever experienced something like this?
Which character do you find the most
interesting/important? Why?
What is your opinion about what happened in the text?
How would you or a friend react in this type of situation?
Do you know anyone who acted in a similar way?
How does the new information change the way you think about...?

3. Generalize Beyond the Text

Do we see similar situations/problems in our community?
How do other cultures deal with similar issues?
How should people act in this type of situation?
How could you make people in your school/community more aware of this problem?
What are the general elements of the problem?

test

1. After reading the text at least twice, looking up all the words you do not know and applying the response process, you are now ready to answer some reading comprehension questions about it.

1. Was the Mouse easily offended?	
2. Did the others want to hear the story as well?	
3. Did the Mouse stay or leave?	
4. What was the lesson the old Crab told her daughter?	
5. Why did Alice wish Dinah were there?	
6. What happened after Alice talked about her cat?	
7. Why did Alice wish she had never mentioned Dinah.	
8. Did Alice feel sad about not seeing her cat?	
9. Why did Alice start to cry?	
10. Who did Alice wish was coming back?	
11. What do you think of the story so far?	
12. Do you think Alice will ever return home?	
13. Predict what happens next. Give details.	
14. Predict the course of the story. How does it unfold? Give details.	

exercise 19 «««««««««««««

Exploring Information-based Texts

1. Go back to the beginning of the book and reread the information pertaining to the response process. Read the following text and apply the response process to it. The more you make a habit of doing this, the more you will connect with the text and truly understand it. Write down your observations on a sheet of paper.

Hot Topic: Secret Societies – What We Know About Them

This article explores some known and alleged secret societies, and reports interesting information about what they are and what they do. Secret societies often have a bad reputation. Most people can name a few and generally have negative feelings about their members and their practices. After reading this article, you'll have some information to help you form your own opinion and will enable you to keep reading and discovering your own beliefs about them.

A) What is a secret society?

A secret society is a group of people who share the same beliefs and who want to keep their group's inner functions and practices a secret.

B) Where can secret societies be found?

They can be found everywhere: in towns and universities. They can be advertized or not.

C) What are some of the most talked about secret societies?

1. The Freemasons

This group is by far the most known and the most talked about. Freemasonry was born in the 1600s. This group has lodges all around the world. There are believed to be six million freemasons in the world. Each lodge is independent. Freemasons use lots of rituals which are kept secret to the general public.

They have symbols that are often found in their texts, like the compass, since it alludes to their past as actual masons. There are different degrees, or levels, within freemasonry. With time, members can hope to graduate to the next level.

Not much is known about their inner workings, but freemasons lead a public life, as well. Freemasons are well-known for their charitable work. They have been known to build homes for the needy and elderly. They have given money for schools and education. They have funded health research. Their most important contribution is the Shriners Hospital for Children. This has allowed many children to get operations for orthopaedic problems, burn treatment and other surgeries for free.

The Shriners Hospital does not rely on government money, either. They are completely independent. Although the Freemasons' customs might seem strange, especially since they keep their inner operations secret, they also do lots of charitable work. If you are interested in knowing more about their secret customs, pick up a book at the library and make your own opinion!

2. The Skull and Bones

The Skull and Bones is a secret society at Yale University. The newer members are chosen by current members. It is a well-known fact that many members of the Skull and Bones have gone on to be great and powerful people. Many American presidents were Bonesmen. Many conspiracy theorists believe that the Skull and Bones control the world we live in.

3. The Bilderberg Group

This is a modern-day secret society. Its members are wealthy businessmen and women who meet to discuss world affairs. The members' identities are kept confidential. Their goal is to better the planet and to create understanding between all nations. The reason why the discussions are kept secret is to allow the participants to speak freely without fear. Some believe that the Bilderberg's goal is to eliminate governments and establish one ruling system throughout the world. This allegation remains unproven.

1. Explore the Text

What did you learn from the text?
What did you have trouble understanding?
What strategies did you use to understand?
What did you find interesting/important?
What is the author trying to say?
Who is the intended audience? How can you tell?
What is the relationship between the characters/speakers? What details in the text support your ideas?

2. Make a Connection to the Text

Have you ever experienced something like this?
Which character do you find the most interesting/important? Why?
What is your opinion about what happened in the text?
How would you or a friend react in this type of situation?
Do you know anyone who acted in a similar way?
How does the new information change the way you think about...?

3. Generalize Beyond the Text

Do we see similar situations/problems in our community?
How do other cultures deal with similar issues?
How should people act in this type of situation?
How could you make people in your school/community more aware of this problem?
What are the general elements of the problem?

test

1. After reading the text at least twice, looking up all the words you do not know and applying the response process, you are now ready to answer some reading comprehension questions about it.

1. What is this article's intention?	
2. Do secret societies often have a bad reputation?	
3. Reword the given definition of a secret society.	
4. Where can these societies be found?	
5. When was Freemasonry born?	
6. How many Freemasons are there in the world?	
7. What do Freemasons keep secret to the public?	
8. Have you ever heard of them?	
9. What happens to members, with time, as they evolves in Freemasonry?	
10. What symbol is used in their texts?	
11. Why is this symbol used?	
12. What part of their lives do they keep public?	
13. Name all the Freemason charity work.	
14. Describe the Skull and Bones in your own words.	
15. Describe the Bilderberg Group in your own words.	

1. Go back to the beginning of the book and reread the information pertaining to the response process. Read the following text and apply the response process to it. The more you make a habit of doing this, the more you will connect with the text and truly understand it. Write down your observations on a sheet of paper.

Fun Facts: A Rainbow of Colours - Gemstones!

In the following article, you will learn a little more about delightful, precious and colourful stones known as gemstones. They are classified by colour.

A) Blue Stones: Most people think of sapphires when they think of blue gems. Although this is true, there are many kinds of stunning blue gems.

1) Sapphire: This is the classic blue gem. Sapphires are found in nature. They often come in large crystal rocks. Sapphire is one of the hardest gemstones. A sapphire can also contain some notes of purple and green. It was recently made popular again when Kate Middleton wore one on her finger as an engagement ring.

2) Aquamarine: This gem's name comes from the Latin for "water of the sea." Its colour is blue or turquoise. It is a lighter shade of blue, reminiscent of the sea. It is a very shiny gemstone.

B) Red Stones: These striking beauties include rubies, garnets, red sapphires, red beryl and tourmalines.

1) Ruby: The ruby is a classic gem and it can be very valuable. These well-loved stones can go from pink to red. The more the ruby is vibrant, the more it is valuable. Ruby deposits have been found around the world.

C) Green Stones: The most well-known green gems are emerald and jade. Many more varieties exist, however.

1) Emerald: Its name is a synonym for green in many languages. Emeralds range from different tones of green. Some emeralds can even be made in a laboratory.

2) Jade: Jade has been around since prehistoric times. It has been widely used in China and is a part of that country's history. There are different classifications, depending on the depth of the colour.

D) Purple gems: These gems are well-loved for their vibrant colours. The most well-known is amethyst. Purple sapphire is also quite stunning.

1) Amethyst: This stone is the official colour of February. It was discovered and used by the ancient Egyptians. Some amethysts are even more valuable than diamonds.

E) Yellow stones: These can range from citrine to zircon to beryl. These lively gems lighten up the person who wears them. Their colours are so vibrant and shiny.

1) Citrine: This gem is of the topaz family. Its name relates to the yellow of the lemon. It is known to have calming and relaxing effects.

exercise 20 «««««««««««««

Exploring Information-based Texts

2. Classify all the information you have found in the previous text in the following columns.

Blue Gems	Red Gems	Green Gems	Purple Gems	Yellow Gems

test

1. On your own, create 15 true or false questions based on the text about gemstones. Then, answer your own questions.

Question #	True or False Question	Answer

exercise 21 «««««««««««««««

1. The following texts are from the *Household Cyclopedia* (1811). Although the articles may be old, the advice still remains relevant. Read through all the articles and apply the response process. Then, answer the questions in the test following this exercise.

Text 1: How to Make Bread

Place in a large pan twenty-eight pounds of flour; make a hole with the hand in the centre of it like a large basin, into which strain a pint of brewers, yeast; this must be tested, and if too bitter a little flour sprinkled into it, and then strained directly, then pour in two quarts of water of the temperature of 100, or blood heat, and stir the flour round from the bottom of the hole formed by the hand till that part of the flour is quite thick and well mixed, though all the rest must remain unwetted; then sprinkle a little flour over the moist part and cover it with a cloth; this is called sponge, and must be left to rise. Some leave it only half an hour, others all night.

When the sponge is light, however, add four quarts of water the same temperature as above, and well knead the whole mass into a smooth dough. This is hard work if done well. Then cover the dough and leave it for an hour. In cold weather both sponge and dough must be placed on the kitchen hearth, or in some room not too cold, or it will not rise well. Before the last water is put in, two tablespoonful of salt must be sprinkled over the flour. Sometimes, the flour will absorb another pint of water.

After the dough has risen it should be made quickly into loaves; if much handled then the bread will be heavy. It will require an hour and a half to bake, if made into four pound loaves. The oven should be well heated before the dough is put into it. To try its heat, throw a little flour into it; if it brown directly, it will do.

Text 2: How to Make Butter

Let the cream be at the temperature of 55 to 60, by a Fahrenheit thermometer; this is very important. If the weather be cold put boiling water into the churn for half an hour before you want to use it; when that is poured off strain in the cream through a butter cloth. When the butter is coming, which is easily ascertained by the sound, take off the lid, and with a small, flat board scrape down the sides of the churn, and do the same to the lid: this prevents waste. When the butter is come the butter-milk is to be poured off and spring water put into the churn, and turned for two or three minutes; this is to be then poured away and fresh added, and again the handle turned for a minute or two. Should there be the least milkiness when this is poured from the churn, more must be put in.

The butter is then to be placed on a board or marble slab and salted to taste; then with a cream cloth, wrung out in spring water, press all the moisture from it. When dry and firm make it up into rolls with flat boards. The whole process should be completed in three-quarters of an hour.

In hot weather pains must be taken to keep the cream from reaching too high a heat. If the dairy be not cool enough, keep the cream-pot in the coldest water you can get; make the butter early in the morning, and place cold water in the churn for a while before it is used.

The cows should be milked near the dairy; carrying the milk far prevents its rising well. In summer churn twice a week. Wash the churn well each time with soap or wood-ashes.

Text 3: Dog Age Calculation

A dog has a very visible mark in his teeth, well as a horse, which mark does not disappear totally until he is very near or full 6 years old. Look to the 4 front teeth, both in the upper and lower jaw, but particularly to the teeth in the upper jaw, for in those 4 front teeth the mark remains the longest. At 12 months old you will observe every one of the 4 front teeth, both in the upper and under jaw, jagged and uneven, nearly in the form of a fleur de lis, but not quite so pointed at the edges of the jags as a fleur de lis is. As the dog advances in age these marks will wear away, gradually decrease and grow smoother and less jagged every year. Between 3 and 4 years old these marks will be full half worn down, and when you observe all the 4 front teeth, both in the upper and lower jaw, quite worn smooth and even, and not in the least jagged, then you may conclude that the dog is nearly if not full 6 years old. When those marks are worn quite flat and even, and those teeth quite level and even, you can no longer judge the age of a dog. Many huntsmen and game-keepers ignorantly look at the side and eye-teeth of a dog; there are many dogs not 2 years old which have had the canker in the mouth, with hardly one sound tooth in their heads.

Text 4: Tapping for Sugar

MAPLE SUGAR: This is obtained by tapping the sugar-maple tree in the spring, while the sap is ascending vigorously. The trees grow in groves or orchards in New England, New York, Pennsylvania, Michigan, and Canada, as well as farther south. In February and March persons go to the maple groves and bore the trees with augers, two holes in each tree, near each other, two feet above the ground and only half an inch beyond the bark into the white wood. Tubes of split elder are then introduced, and the sap allowed to flow into troughs prepared for it. The sap is poured into kettles and boiled briskly, the scum being removed as it forms. When it becomes a thick syrup it is cooled and filtered through woollen cloth. After a second boiling it is left for granulation in moulds made of birch bark. Maple sugar may be refined so as to be perfectly white, but is generally eaten in the crude state. A good deal of it is sold in small cakes in the northern cities.

Text 5: How to Make a Perfect Match

You match is waiting for you, you just need to find this match. Match made in heaven - that's what we are all hoping for, but it really depends on meeting the right match. You will, just follow the time honored traditions of making sure that the match is with someone who you have a lot in common with. Otherwise, when the intense flame settles down, there will not be enough to connect your lives.

test

1. After reading the previous texts and applying the response process, answer the following questions to test your understanding. They are not necessarily in the order of the texts.

   a) When making butter, at what temperature does the cream have to be when you start?

   _____

   b) At what ages does a dog's teeth lose its visible marks?

   _____

   c) At what age are a dog's four front teeth jagged and uneven?

   _____

   d) Where do maple trees grow?

   _____

   e) In your own words, how do you find a perfect match according to the 19th-century text?

   _____

   _____

   _____

   f) Is there a specific amount of salt to add to the butter?

   _____

   g) What are three steps to take if you plan on making butter in hot weather?

   _____

1. The following texts are from the *Household Cyclopedia* (1811). Although the articles may be old, some advice still remains relevant. Read through all the articles and apply the response process. Then, answer the questions at the very end of this exercise.

Text 1: What Do You Do for a Bee Sting

Nothing relieves the pain arising from the sting of a hornet, bee, or wasp so soon as plunging the part in extremely cold water, and holding it there for some time. Water of ammonia may antagonize the poison. A cold lead-water poultice is also a very soothing application. If a number of these insects have attacked you at once, and the parts stung are much swollen, lose some blood, and take a dose of salts.

Mosquito-bites may be treated in the same manner, although I have found a solution of common salt and water, made very strong, speedy and effectual in relieving the pain. Camphorated spirits, vinegar, etc., may also be used for the same purpose. A solution of Prussian blue in soft water, with which the parts are to be kept constantly moist, is a highly celebrated remedy for the stings of bees, wasps, etc.

Text 2: How to Avoid Nightmares

Great attention is to be paid to regularity and choice of diet. Intemperance of every kind is hurtful, but nothing is more productive of this disease than drinking bad wine. Of eatables those which are most prejudicial are all fat and greasy meats and pastry. These ought to be avoided, or eaten with caution. The same may be said of salt meats, for which dyspeptic patients have frequently a remarkable predilection, but which are not on that account the less unsuitable.

Moderate exercise contributes in a superior degree to promote the digestion of food and prevent flatulence; those, however, who are necessarily confined to a sedentary occupation, should particularly avoid applying themselves to study or bodily labor immediately after eating. If a strong propensity to sleep should occur after dinner, it will be certainly bettor to indulge it a little, as the process of digestion frequently goes on much better during sleep than when awake.

Going to bed before the usual hour is a frequent cause of night-mare, as it either occasions the patient to sleep too long or to lie long awake in the night. Passing a whole night or part of a night without rest likewise gives birth to the disease, as it occasions the patient, on the succeeding night, to sleep too soundly. Indulging in sleep too late in the morning, is an almost certain method to bring on the paroxysm, and the more frequently it returns, the greater strength it acquires; the propensity to sleep at this time is almost irresistible. Those who are habitually subject to attacks of the night-mare ought never to sleep alone, but should have some person near them, so as to be immediately awakened by their groans and struggles, and the person to whom this office may be entrusted should be instructed to rouse the patient as early as possible, that the paroxysm may not have time to gain strength.

Text 3: How to Clean Mirrors

If they should be hung so high that they cannot be conveniently reached, have a pair of steps to stand upon; but mind that they stand steady. Then take a piece of soft sponge, well washed and cleaned from everything gritty, just dip it into water and squeeze it out again, and then dip it into some spirit of wine. Rub it over the glass; dust it over with some powder blue, or whiting sifted through muslin, rub it lightly and quickly off again with a cloth, then take a clean cloth and rub it well again, and finish by rubbing it with a silk handkerchief.

If the glass be very large clean one half at a time, as otherwise the spirit of wine will dry before it can be rubbed off. If the frames are not varnished the greatest care is necessary to keep them quite dry, so as not to touch them with the sponge, as this will discolor or take off the gilding.

To clean the frames, take a little raw cotton in the state of wool, and rub the frames with it; this will take off all the dust and dirt without injuring the gilding. If the frames are well varnished rub them with spirit of wine, which will take out all spots and give them a fine polish. Varnished doors may be done in the same manner. Never use any cloth to frames, or drawings, or unvarnished oil-paintings, when cleaning and dusting them.

Text 4: How to Pick Fruit

This should take place in the middle of a dry day. Plums readily part from the twigs when ripe, they should not be much handled, as the bloom is apt to be rubbed off. Apricots may be accounted ready when the side next the sun feels a little soft upon gentle pressure with the finger. They adhere firmly to the tree, and would over ripen on it and become mealy. Peaches and nectarines, if moved upwards, and allowed to descend with a slight jerk, will separate, if ready; and they may be received into a tin funnel lined with velvet, so as to avoid touching with the fingers or bruising.

A certain rule for judging of the ripeness of figs is to notice when the small end of the fruit becomes of the same color as the large one.

The most transparent grapes are the most ripe. All the berries in a bunch never ripen equally; it is therefore proper to cut away unripe or decayed berries before presenting the bunches at table.

Autumn and winter pears are gathered, when dry, as they successively ripen.

Immature fruit never keeps so well as that which nearly approaches maturity. Winter apples should be left on the trees till there be danger of frost; they are then gathered on a dry day.

test

1. After reading the previous texts and applying the response process, answer the following questions to test your understanding. They are not necessarily in the order of the texts.

a) In your own words, reword the advice given to avoid nightmares, in terms of food and drink.

_____

_____

_____

b) In your own words, reword the advice given to avoid nightmares, in terms of sleep habits.

_____

_____

_____

c) In your own words, reword the advice given to cleaning frames.

_____

_____

_____

d) When is the best time during the day to pick fruit?

_____

e) How do you know if a fig is ripe?

_____

f) Since berries don't always ripen at the same time, what do you do before presenting them?

_____

exercise 23 «««««««««««««

Exploring Popular Texts

1. Email is one of the most used means of communication. It can be formal or informal, as in this example. To practise writing an email, you could find an e-pal from an English-speaking country or ask one of your friends to email you in English. Try to apply the reading response process to this type of text.

From: Maisy Stevens (maisyflower@mmmmmail.com)
To: Alix Stone (alixaalix@serendipity.com)
Date: 2013-06-18 19:54
Subject: School's almost out!

Alix!

How are you? I miss you so much! It's been three hours since I last saw my best friend in the whole world. Can you believe it? In one week, we will be done with Secondary 4. In a few months, we will be seniors looking forward to prom, graduation and college. We'll be the biggest kids in the school. Everyone will look up to us and we will have first pick of seats on the bus and in the cafeteria.

Anyway, I was emailing you because I need help with our history homework. Do you remember what caused the American Revolution? I wasn't listening very well in Mr. Kent's class. I was busy daydreaming about the summer.

Write back soon… I'm struggling with this one.

Love you, Alix!

Maisy

From: Alix Stone (alixaalix@serendipity.com)
To: Maisy Stevens (maisyflower@mmmmmail.com)
Date: 2013-06-18 20:01
Subject: Re: School's almost out!

Maisybear!

I'm doing fine. I was helping my mom with some laundry and dishes. Am I a great daughter or what? I feel like it's been ages since I've seen my favourite person in the world, too.

I am so happy that school is almost over. I am so stressed out with all the exams that are coming up. I have been studying every night for at least two months just to be ready and I still don't feel better.

We should go out this Friday, Maisy. Do you want to go see a movie at the theatre? I need to laugh and unwind and get ready for next week. Do you think we will be OK? Will I pass? Will I have to go to summer school? What about my summer job? They've already hired me. What will I tell them? I need to go out and relax. I'm freaking out, Maisy!

Get back to me and tell me that you'll help me unwind!

Alix the Worrier

From: Maisy Stevens (maisyflower@mmmmmail.com)
To: Alix Stone (alixaalix@serendipity.com)
Date: 2013-06-18 20:15
Subject: Re: Re: School's almost out!

Alix. breathe!

You are the smartest girl in all of Secondary 4. You've won awards every year since the beginning of high school. You are smart. You work hard. You will be OK. Out of all of us in Sec. 4, you have the best chances at doing well.

If you are worried, does that mean I have to start panicking? If so, I have to panic about 20 times more than you…

You won't go to summer school.

You won't fail.

You won't have to quit your job at La Ronde.

You will be OK.

I don't know if we should see a movie anymore. Do you want to come over to help me study? You have me worried now.

PS: What about my history question?

From: Alix Stone (alixaalix@serendipity.com)
To: Maisy Stevens (maisyflower@mmmmmail.com)
Date: 2013-06-18 20:38
Subject: Re: Re: Re: School's almost out!

Maisybear!

I'm sorry for stressing you out. You have nothing to worry about. Your average is just five points less than mine. You are very smart and you will be OK. Don't worry. We'll be working together this summer and we won't go to summer school. I talked to my mom. She doesn't mind if you come over all weekend. We could study history, math, English, French, drama, biology and ethics. Does that sound good to you? I'll help you with your question. Make sure you bring everything you need. We could treat ourselves to an activity every now and then. What do you think? Should we make a schedule?

Don't worry Maisy. We'll get through this together!

From: Maisy Stevens (maisyflower@mmmmmail.com)
To: Alix Stone (alixaalix@serendipity.com)
Date: 2013-06-18 21:15
Subject: Re: Re: Re: Re: School's almost out!

Sounds like a plan. Here is what I thought up as a schedule. Let me know if you agree!

exercise 23 «««««««««««««

Exploring Popular Texts

Friday (PED day)

9:00-10:00 a.m.: We study ethics and quiz each other

10:00 a.m.-12:00 p.m.: Biology: We review this week's chapter

12:00-1:00 p.m.: We have lunch and ice cream at the diner in your apartment complex

1:00-3:00 p.m.: Biology: Review our notes and quiz each other

3:00-6:00 p.m.: We practise our play for drama and present in front of your parents

6:00-7:00 p.m.: Supper with your parents

7:00-8:00 p.m.: We review our drama notes

8:00-10:00 p.m.: We watch a spooky movie and eat too much popcorn

Saturday

9:00 a.m.-12:30 p.m.: Math: We review this week's chapter

12:30-1:30 p.m.: We eat lunch outside

1:30-4:00 p.m.: We do the practice exams our teacher gave us

4:00-6:00 p.m.: We quiz each other on key concepts in math

6:00-10:00 p.m.: Supper and movie downtown with Josh and Ryan!

Sunday

9:00 a.m.-12:00 p.m.: We review our French notes and quiz each other

12:00-12:30 p.m.: Quick lunch – GRILLED CHEESE!

12:30-4:00 p.m.: We review our English notes and quiz each other

4:00-6:00 p.m.: We review EVERYTHING ONE LAST TIME!

6:00-7:00 p.m.: Supper at MY PLACE! FRIED CHICKEN!

From: Alix Stone (alixaalix@serendipity.com)
To: Maisy Stevens (maisyflower@mmmmmail.com)
Date: 2013-06-18 22:01
Subject: Re: Re: Re: Re: Re: School's almost out!

Sounds perfect! You are the best! I love you, Maisy! Can't wait…to study!

test

1. Now that you have read the email exchange at least twice and applied the response process, you are now ready to delve further in your comprehension.

   a) In what year of high school are Alix and Maisy in?

   _____

   b) What are the three things that Maisy is looking forward to next year?

   _____

   c) What are the four things that will happen once they are the oldest kids in school?

   _____

   d) Why did Maisy email Alix in the first place?

   _____

   e) Why does Alix want to go out on Friday?

   _____

   f) Does Maisy want to go see a movie after all? Why?

   _____

   g) On Friday, what will the girls be doing before lunch?

   _____

   h) What will the girls be doing from 7:00 p.m. to bedtime on Friday?

   _____

   i) On Saturday morning, what subject will they be studying?

   _____

   j) Who will join the girls on Saturday night?

   _____

   k) What will they have for lunch on Sunday?

   _____

exercise 24 «««««««««««««««

Writing Popular, Information-based and Literary Texts – How-to and Practice

1. The following information comes from Québec's Ministry of Education. It is a step-by-step guide on how to write texts. It will come in handy when doing the MELS exams at the end of this year and next year. You are expected to follow it.

These tips work for all three text types: Information-based, literary and popular.

You will be expected to be able to write all three kinds.

A) *Preparing to Write Phase*

Before beginning to write, students need to set clear communicative goals by considering the text and its internal and external features. They may do the following:

- brainstorm topics and ideas with others (e.g. What do I want to write about? What topic would interest my audience?)

- activate prior knowledge of the chosen topic (e.g. What do I already know about the topic?)

- define the purpose for writing (i.e. express, inform, direct)

- target an audience (e.g. Who is my audience? What do they already know about the topic? How can I engage their interest?)

- choose a text (e.g. Do I want to write a poem or a story?)

- select appropriate language (e.g. What kind of language will best suit my purpose and audience?)

- construct an outline of the text

- research the topic

- reflect on topic and ideas

- use various resources

B) *Writing the Draft Phase*

Students begin to write and focus on the meaning of the message. They may do the following:

- set down ideas, opinions, thoughts and feelings

- leave space to make adjustments

- refer to their outline while writing

- adjust their outline as they are writing to include new ideas – reflect on the ideas written

- confer with others

C) *Revising Phase*

Students read what they have written to clarify the meaning of their text and improve the organization of their ideas. They may do the following:

- reflect on what has been written

- focus on how well they have conveyed meaning and ideas, as well as on their organization and word choice

- assess how well their text reflects intended purpose, audience and cultural context

- share their writing with peers

- accept and integrate feedback

- add, substitute, remove and rearrange ideas and words

- rework their drafts

D) *Editing Phase*

Students focus on the formulation of their text by correcting errors of spelling, capitalization, punctuation, and sentence structure and language usage. They may do the following:

- use resources such as written models, dictionaries, thesauruses, grammar references

- consult peers and the teacher

- accept and integrate feedback

- use a personalized checklist to proofread for common errors

- correct errors and write a final copy

2. Pick a subject for an information-based text and write down all the information that you will need to write this text. [See A] Preparing to Write Phase. You don't have to use everything, but it's important to research your topic. Pick a topic that interests you. You will be more motivated to write about it.

_____

_____

_____

_____

_____

_____

_____

test

1. Now that you have researched your topic and consulted the text-writing how-to, you are ready to write your information-based text. The length of your text should be at least 150 words.

_____

_____

_____

_____

_____

_____

_____

_____

_____

_____

_____

_____

_____

_____

_____

_____

_____

_____

_____

_____

_____

_____

_____

_____

_____

_____

1. It is now time to focus on literary texts. This might seem a bit overwhelming, but if you follow the writing process, you will be able to properly plan and organize your text.

   Start thinking of your story. Organize your ideas below. Fill in the plot map.

   1. Beginning: How does the story begin? What is the setting? Who are the characters?

   _____

   _____

   _____

   _____

   _____

   2. Rising Action: What are the main events that happen before the most important part of your story?

   _____

   _____

   _____

   _____

   _____

   3. Climax: What is the most important and exciting part of your story?

   _____

   _____

   _____

   _____

   _____

   4. Falling Action: What happens next?

   _____

   _____

   _____

   _____

   _____

   5. Resolution: How does the story end?

   _____

   _____

   _____

   _____

exercise 25 «««««««««««

Writing Popular, Information-based and Literary Texts – How-to and Practice

2. Write out your story below after you have applied the writing process and filled out your plot map. Your story should contain a minimum of 150 words.

test

1. Since writing popular texts is a little easier, it requires a bit less planning. Write a popular text in the space below. Here are some ideas: a comic strip, some jokes, an email exchange, a texting exchange between friends, a movie review, a weather forecast, etc. You decide! Don't forget to apply the writing process.

final test

1. Fill in the following grid. For each clause type, give a definition and two examples. Do not use your notes.

	Clause Type	Definition	Examples
1.			
2.			
3.			
4.			

2. Fill in the following grid. For each sentence pattern, give a definition and two examples. Do not use your notes.

	Sentence Pattern	Definition	Examples
1.			
2.			
3.			
4.			
5.			

3. Write down at least two adverbials for each category.

Why	When	How	Where	How much	How often	How long

4. Write down as many adjectives as possible for each category.

Demonstrative	
Common (descriptive)	
Proper	
Interrogative	
Quantitative	
Possessive	
Compound	

5. In your own words, write a definition for the following phrasal verbs. Then, use them in a sentence.

Phrasal Verb	Definition	Use in a sentence
bring back		
cash in		
fall for		
get by		
hit it off		
kick out		
mark down		

Phrasal Verb	Definition	Use in a sentence
stand out		
throw out		
wait for		
wrap up		

6. In your own words, write a definition for the following idioms. Then, use them in a sentence.

Idioms	Definition	Use in a sentence
chew the fat		
cock-and-bull story		
come hell or high water		
cooking with gas		
crocodile tears		
deep pockets		
different strokes for different folks		
dressed to the nines		

7. Read the following text. It is a continuation from where we left off in our study of *Alice's Adventures in Wonderland*. Apply the response process to this literary text.

The following is an excerpt from *Alice's Adventures in Wonderland,* by Lewis Carroll (1865).

CHAPTER 4 - The Rabbit Sends in a Little Bill

'I wish I hadn't mentioned Dinah!' she said to herself in a melancholy tone. 'Nobody seems to like her, down here, and I'm sure she's the best cat in the world! Oh, my dear Dinah! I wonder if I shall ever see you any more!' And here poor Alice began to cry again, for she felt very lonely and low-spirited. In a little while, however, she again heard a little pattering of footsteps in the distance, and she looked up eagerly, half hoping that the Mouse had changed his mind, and was coming back to finish his story.

It was the White Rabbit, trotting slowly back again, and looking anxiously about as it went, as if it had lost something; and she heard it muttering to itself 'The Duchess! The Duchess! Oh my dear paws! Oh my fur and whiskers! She'll get me executed, as sure as ferrets are ferrets! Where can I have dropped them, I wonder?'

Alice guessed in a moment that it was looking for the fan and the pair of white kid gloves, and she very good-naturedly began hunting about for them, but they were nowhere to be seen – everything seemed to have changed since her swim in the pool, and the great hall, with the glass table and the little door, had vanished completely.

Very soon the Rabbit noticed Alice, as she went hunting about, and called out to her in an angry tone, 'Why, Mary Ann, what are you doing out here? Run home this moment, and fetch me a pair of gloves and a fan! Quick, now!' And Alice was so much frightened that she ran off at once in the direction it pointed to, without trying to explain the mistake it had made.

'He took me for his housemaid,' she said to herself as she ran. 'How surprised he'll be when he finds out who I am! But I'd better take him his fan and gloves – that is, if I can find them.' As she said this, she came upon a neat little house, on the door of which was a bright brass plate with the name 'W. RABBIT' engraved upon it. She went in without knocking, and hurried upstairs, in great fear lest she should meet the real Mary Ann, and be turned out of the house before she had found the fan and gloves.

'How queer it seems,' Alice said to herself, 'to be going messages for a rabbit! I suppose Dinah'll be sending me on messages next!' And she began fancying the sort of thing that would happen: '"Miss Alice! Come here directly, and get ready for your walk!" "Coming in a minute, nurse! But I've got to see that the mouse doesn't get out." Only I don't think,' Alice went on, 'that they'd let Dinah stop in the house if it began ordering people about like that!'

8. Now that you have read the previous literary text at least twice and have applied the response process, it is time to answer some reading comprehension questions.

   1. Why did the White Rabbit seem anxious?

   _____

   2. What did Alice start looking for?

   _____

   3. Had things around her changed since the swim?

   _____

   4. What did the Rabbit call Alice?

   _____

   5. Did Alice go to the place the Rabbit indicated? Why?

   _____

   6. Who would be mad if the Rabbit couldn't find these things?

   _____

   7. Whose house does Alice go to? Who does she meet there?

   _____

final test ««««««««««««

9. In this section, you will write your own literary story. Apply the writing process and then follow the planning aids.

   1. Beginning: How does the story begin? What is the setting? Who are the characters?

      _____

      _____

      _____

      _____

      _____

   2. Rising Action: What are the main events that happen before the most important part of your story?

      _____

      _____

      _____

      _____

      _____

   3. Climax: What is the most important and exciting part of your story?

      _____

      _____

      _____

      _____

   4. Falling Action: What happens next?

      _____

      _____

      _____

      _____

      _____

   5. Resolution: How does the story end?

      _____

      _____

      _____

      _____

      _____

10. Write out your story below after applying the writing process and filling out your plot map. Your story should have a minimum of 150 words.

_____

_____

_____

_____

_____

_____

_____

_____

_____

_____

_____

_____

_____

_____

_____

_____

_____

_____

_____

_____

_____

_____

_____

_____

_____

_____

_____

_____

_____

_____

_____

final test «««««««««««««

11. Research another topic (on a sheet of paper) and review the how-to of text writing. Write your information-based text. The length of your text should be at least 150 words.

_____

_____

_____

_____

_____

_____

_____

_____

_____

_____

_____

_____

_____

_____

_____

_____

_____

_____

_____

_____

_____

_____

_____

_____

_____

_____

_____

_____

corrigé français

1. Ce soir, la pluie tombe. Il y a de l'orage. Ces îles que j'ai visitées cet été sont très belles. Le berger ira dans la montagne avec son troupeau de moutons. Le volcan est en éruption sur l'île de la Réunion.

2. Il enfila <u>son</u> ciré jaune. <u>Ce</u> matin-là, <u>le</u> père Noël décida de prendre <u>des</u> vacances. <u>Nos</u> amis habitent <u>la</u> campagne. <u>Cet</u> été, j'ai visité <u>l'</u>Australie. J'ai oublié <u>mon</u> livre et <u>mes</u> cahiers à <u>l'</u>école. <u>Ce</u> voyageur a égaré <u>ses</u> bagages. Il jeta dans <u>son</u> sac <u>un</u> saucisson et <u>un</u> vieux camembert. J'ai ramassé <u>plusieurs</u> copies. <u>Quelle</u> formidable démonstration ! <u>Douze</u> joueurs sur <u>le</u> terrain, <u>c'</u>est trop.

3. **Les déterminants définis :** le, la, les
Les déterminants indéfinis : un, une, des
Des déterminants possessifs (5) : mon, ma, mes, ton, ta, tes, son, sa, ses
Des déterminants démonstratifs (5) : ce, cet, cette, ces, ceux, celles
Des déterminants numéraux (3) : premier, deuxième, troisième
Des déterminants indéfinis : Aucun, autre, certain, chaque, différents, divers, l'un et l'autre, n'importe quel, maint, même, nul, pas un, plus d'un, plusieurs, quel, quelconque, quelque, tel, tout.
Des déterminants exclamatifs ou interrogatifs (3) : quel, quelle, quels, quelles, combien

4. a) ses b) Ce - nos c) son - sa d) ces e) ces f) ses - cette
g) Ce - mes - ces h) Ces - ma i) Cette - son - son - sa

Test 1 — page 44

1. <u>Tes</u> parents ou <u>tes</u> sœurs <u>t'</u>accompagnent à l'école.
<u>Tu retrouves</u> tes copains au judo. <u>Tu as</u> déjà <u>choisi ton</u> métier.

<u>Mes</u> parents ou <u>mes</u> sœurs <u>m'</u>accompagnent à l'école.
<u>Je retrouve</u> mes copains au judo. <u>J'ai</u> déjà <u>choisi mon</u> métier.

<u>Nos</u> parents ou <u>nos</u> sœurs <u>nous</u> accompagnent à l'école.
<u>Nous retrouvons</u> nos copains au judo. <u>Nous avons</u> déjà <u>choisi notre</u> métier.

<u>Vos</u> parents ou <u>vos</u> sœurs <u>vous</u> accompagnent à l'école.
<u>Vous retrouvez</u> vos copains au judo. <u>Vous avez</u> déjà <u>choisi votre</u> métier.

<u>Leurs</u> parents ou <u>leurs</u> sœurs <u>les</u> accompagnent à l'école.
<u>Ils retrouvent</u> leurs copains au judo. <u>Ils ont</u> déjà <u>choisi leur</u> métier.

2. a) De la fenêtre de ma chambre, on voit <u>la montagne</u>.
C'est <u>mon ami</u> qui a peint ce magnifique tableau.
Appelle <u>ta mère</u> pour qu'elle rentre tout de suite.
J'aime me promener dans <u>le jardin</u> le matin.
Cet été, nous irons à <u>la mer</u>.

b) De la fenêtre de ma chambre, on voit <u>le mont Royal</u>.
C'est <u>Van Gogh</u> qui a peint ce magnifique tableau.
Appelle <u>Alice</u> pour qu'elle rentre tout de suite.
J'aime me promener dans <u>le parc Maisonneuve</u> le matin.
Cet été, nous irons à <u>Rome</u>.

1. e) La neige déroule son manteau sur la campagne.

2. Mais dans le coin, entre les deux maisons, était assise, quand vint la <u>froide</u> matinée, la petite fille, les joues toutes <u>rouges</u>, le sourire sur la bouche…, <u>morte</u> de froid, le <u>dernier</u> soir de l'année. Le jour de l'An se leva sur le <u>petit</u> cadavre assis là avec les allumettes, dont un paquet avait été presque tout brûlé. « Elle a voulu se chauffer ! » dit quelqu'un. Tout le monde ignora les <u>belles</u> choses qu'elle avait vues et au milieu de quelle splendeur elle était entrée avec sa <u>vieille</u> grand-mère dans la <u>nouvelle</u> année.

3. a) Au bord de la mer, j'aime le soleil, la plage et l'eau <u>salée</u>.
b) Ou son frère ou lui sera déclaré <u>vainqueur</u> à l'arrivée.
c) Son sang-froid, sa maîtrise de soi si <u>exceptionnelle</u> étonne.
d) Lui et sa soeur sont très <u>attachants</u>.
e) Ces personnes <u>méchantes</u> ont juré de le perdre.
f) Je remarquais que cette <u>jeune</u> fille était, comme sa mère, très <u>sûre</u> d'elle.
g) Le lièvre, la perdrix et le canard <u>sauvage</u> sont d'<u>excellents</u> gibiers.
h) Un chuchotement, une parole, un cri <u>convaincant</u> sortit de sa bouche.
i) La pêche et la pomme sont <u>délicieuses</u>.
j) La branche et le tronc <u>arrachés</u> par le vent s'étaient <u>séparés</u>.
k) Les langues <u>française</u> et <u>anglaise</u> ont certaines affinités.
l) Les langues <u>allemande</u> et <u>latine</u> ont aussi des ressemblances.

m) Les idées <u>préconçues</u> ne sont pas toujours <u>justes</u>.
n) Ne vous sentez-vous pas trop <u>indisposé</u>(e)(s) ?
o) Monsieur Jean a décidé de déménager dans un <u>nouvel</u> appartement l'été <u>prochain</u>.
p) Il n'aime plus le <u>vieil</u> immeuble où il habite depuis vingt ans.
q) Il décide de s'acheter un <u>bel</u> ensemble de meubles pour le salon et la cuisine.

Test 2 — page 46

1. a) première b) aiguë c) complète d) longue e) favorite
f) bel g) entière h) franche i) frais j) ambiguës k) snob
l) sèche m) blanche n) secrets o) concrètes p) inquiet
q) indiscrète r) nouvel s) chic

Les stylos de mon voisin fonctionnent bien, <u>les miens</u> sont toujours en panne. <u>Cela</u> m'énerve un peu. <u>Certains</u> aimeraient bien avoir ma chance. Comme ils sont sortis en retard, tous les emplacements de foot sont pris, même <u>le leur</u>. J'aime le livre <u>que</u> tu m'as offert. Comme Jérôme a beaucoup de billes, j'ai apporté <u>les nôtres</u>. À la pêche, j'ai pris bien des poissons, <u>plusieurs</u> étaient gros. Comment sont tes notes cette année, <u>les miennes</u> sont magnifiques.

2. *Certaines réponses peuvent varier, mais elles doivent respecter le genre et le nombre du pronom proposé.*
a) les chats b) cette plume c) la fleur d) l'enfant e) le pays

3.

Verbes	Infinitif	Temps	Mode
Je finissais	Finir	Imparfait	Indicatif
Elle avait permis	Permettre	Plus-que-parfait	Indicatif
Il a joint	Joindre	Passé composé	Indicatif
Ils contiendraient	Contenir	Conditionnel présent	Indicatif
Je convaincrai	Convaincre	Futur simple	Indicatif
Que j'obtienne	Obtenir	Présent	Subjonctif
Nous satisfaisions	Satisfaire	Imparfait	Indicatif
Nous céderons	Céder	Futur simple	Indicatif
Que tu aies ajouté	Ajouter	Passé	Subjonctif
Je déçus	Décevoir	Passé simple	Indicatif
Nous avons réagi	Réagir	Passé composé	Indicatif

Test 3 — page 49

1. revois / Suffoquant / entends / éclatent / rebondissent / perdue / bousculent / reste / retourne / recule / vient

Emportés / traîne / entraîne / Écrasés / formons / pousse / enchaînés / laisse

Entraînés / s'élance / danse / restent soudées / soulevés / enlacés / envolent / retombent / transperce / rejaillit / pousse / vient

Emportés / traîne / entraîne / éloigne / lutte / débats / étouffe / crie / pleure

Entraînée / s'élance / danse / suis emportée / crispe / maudissant / vole / avait donné / ai / retrouvé

Page 51

1. a) suffisamment b) nettement c) couramment d) plaintivement
   e) récemment f) curieusement g) joliment h) violemment
   i) puissamment

2. a) étourdiement (étourdiment)
   b) impoliement (impoliment)
   c) infiniement (infiniment)
   d) frenchement (franchement)
   e) gentillement (gentiment)
   f) violamment (violemment)
   g) patiamment (patiemment)
   h) plaisemment (plaisamment)
   i) censemment (censément)
   j) incongrûement (incongrûment)

3. a) Ils ont facilement gagné ce match.
   b) Il a mystérieusement disparu.
   c) Les élèves se mettent silencieusement en rang.
   d Lisez attentivement l'énoncé de ce problème.
   e) La grand-mère a doucement consolé son petit-fils.

Test 4 — page 53

1. a) De manière : bien, mal, vite, lentement, énormément, etc.
   b) De quantité : beaucoup, peu, tellement, etc.
   c) De lieu : ici, là, partout, ailleurs, etc.
   d) De temps : aujourd'hui, déjà, hier, souvent, tout à l'heure, etc.
   e) D'affirmation : oui, certainement, sans doute, etc.
   f) De négation : non, ne
   g) De doute : probablement, sans doute, peut-être, etc.
   h) D'interrogation : comment ? Pourquoi ? Où ? Quand ?, etc.

2. a) brillamment b) prudemment c) sagement d) précisément /
   immédiatement e) précédemment f) élégamment g) bruyamment
   h) violemment i) ardemment j) brièvement

Page 54

1. a) en / en b) à c) à d) en e) en f) en g) à h) à i) à j) par
   k) par l) par / par m) en / en / en n) de o) d' p) avec q) avec
   r) sans s) sans t) sans

2. a) et b) mais c) donc d) ou e) ni / ni f) ou g) mais

3. Je passerais avec plaisir mes vacances à la montagne ou à l'étranger.
   Je reconnais volontiers que, en matière de vacances, mes choix sont
   limités, puisque je ne trouve de réel agrément, ni à la campagne, ni à
   la mer. Or, cette année, je dois choisir précisément entre la campagne
   et la mer. J'irai donc à la campagne, mais à contre-cœur, car je dois
   avouer que je manque d'argent.

4. a) en b) chez c) depuis d) entre e) sans f) avec g) sous h) contre

Test 5 — page 56

1. a) dès lors b) davantage c) volontiers d) néanmoins

2. a) Temps b) Cause c) Lieu d) But e) Manière f) Moyen

Page 57

1. a) Martin b) Mon gros matou c) Lise, sa voiture
   d) Alexandre, son point de vue e) Nous, un autre jour f) J'

2.

Nom	Complément du nom
a) Un bateau	Un bateau à vapeur
b) Une porte	Une porte de garage
c) Un os	Un os à ronger
d) Une place	Une place de choix
e) Un divorce	Un divorce par consentement mutuel
f) Un mariage	Un mariage de rêve
g) Un violon	Un violon sur le toit
h) Des croûtes	Des croûtes à manger

3.

Groupe nominal	Nom (noyau)	Déterminant	Adjectif qualificatif (GAdj)	Proposition subordonnée relative	GPrép
Où as-tu posé le disque compact que je t'ai prêté ?	disque	le	compact	que je t'ai prêté	
Où as-tu posé notre nouveau disque compact ?	disque	notre	nouveau		
Où as-tu mis le logiciel sur les plantes ?	logiciel	le			sur les plantes
Où as-tu mis son nouveau logiciel sur les voyages ?	logiciel	son	nouveau		sur les voyages
Les enfants n'écoutent pas toujours les conseils que leur donnent leurs parents !	conseils	les		que leur donnent leurs parents !	
À quelle heure part cet avion pour Rome ?	avion	cet			pour Rome
À quelle heure part leur autobus express ?	autobus	leur	express		
À quelle heure part le train rapide que nous devons prendre ?	train	le	rapide	que nous devons prendre	
L'argent que vous m'avez envoyé n'est pas encore arrivé.	argent	l'		que vous m'avez envoyé	
Béatrice se souvient très bien de l'endroit où elle a mis la confiture.	endroit	l'		où elle a mis la confiture	
Cherche mon nouveau marteau.	marteau	mon	nouveau		
Trouve ce marteau dont j'ai besoin.	marteau	ce		dont j'ai besoin	

4. Réponses variables

Test 6 — page 60

1. a) Nom b) Verbe c) Verbe d) Verbe e) Nom
   f) Nom g) Verbe h) Nom i) Nom j) Verbe

2. Plusieurs réponses possibles
   a) la clientèle b) Tremblay c) naviguer
   d) du devant et de l'arrière e) autres f) autrefois

Page 61

1. a) Verbe + Adverbe
   b) Verbe au mode indicatif (présent)
   c) Verbe au mode indicatif (futur simple)
   d) Verbe avec l'auxiliaire avoir au mode indicatif (passé composé)
   e) Pronom personnel + Verbe au présent
   f) Semi-auxiliaire + Verbe à l'infinitif

2. a) 4.GAdv Fonction : Modificateur de verbe
   b. 2. GPrép Fonction : CP
   c) 2. GPrép Fonction : CP
   d) 1. GN Fonction : Attribut du sujet
   e) 4.GAdv Fonction : Modificateur de verbe
   f) 3. GAdj Fonction : Attribut du sujet
   g) 3. GAdj Fonction : Attribut du sujet

3. a) s'alignent b) s'inquiète c) passerons d) allait e) viendront
   f) rendrons, serez g) roulent, accélèrent, s'envolent h) s'aimaient

4. a) travaillent b) passe c) entendons d) sais e) viennent
   f) deviennent g) font h) s'écoule i) volent j) Manges

Test 7 — page 63

1. Plusieurs réponses possibles
   a) que je connaissais peu b) contre c) écrivain né à Port-au-Prince
   d) joyeuse e) avec son entourage f) qui me tentaient
   g) tout à fait convaincu

2.

	GPrép	GN	GV
Dans le ciel piqué d'étoiles, la lune révélait la coque ventrue de la _Marie-Guillaume_.	dans le ciel piqué d'étoiles (CP) de la _Marie-Guillaume_ (CN)	la lune (Sujet) La coque ventrue (CD)	révélait (P)
Dans le ciel clair de la nuit de juillet, les étoiles l'observaient.	dans le ciel clair de la nuit de juillet (CP)	les étoiles (Sujet) l' (CD)	observaient (P)
Les ronflements sonores de son père roulaient dans la maison.	de son père (CN) dans la maison (CP)	les ronflements sonores (Sujet)	roulaient (P)
Tous les matins, le cordonnier cirait ses chaussures.		le cordonnier (Sujet) ses chaussures (CD)	cirait (P)
Lors de la réunion de parents, de nombreux enseignants n'ont même pas mangé leur collation.	lors de la réunion de parents (CP)	de nombreux enseignants (Sujet) leur collation (CD)	
Durant son absence prolongée, la stagiaire en français l'a remplacée.	durant son absence prolongée (CP) en français (CN)	la stagiaire (sujet) l'(CD)	a remplacée (P)
Ma petite sœur suivait, tous les lundis soirs, un cours de piano très intéressant.		ma petite sœur (Sujet) un cours de piano très intéressant (CD)	
Sa seule population permanente était la famille du gardien du phare.	du gardien (CN) du phare (CN)	sa seule population permanente (Sujet) la famille (A)	
Les silhouettes de deux touristes hérissaient le sommet chauve de la butte de la Croix.	de la butte (CN) de la Croix (CN)	les silhouettes de deux touristes (Sujet) le sommet chauve (CD)	hérissaient (P)
Au lendemain de la déclaration d'amour, il demanda la jeune fille en mariage.	au lendemain de la déclaration d'amour (CP) en mariage (CP)	il (Sujet) la jeune fille (CD)	demanda (P)

3. a) manger b) mangé c) jouer

4. a) est endormi b) sont venus c) est allumée d) sont vendues

5. a) ont rencontré b) ont connues c) a bues d) a entendu

Page 65

1. a) Les passagers doivent se rendre à la porte n° 7.
   b) Les passagers prennent leur billet.
   c) Les passagers sont dirigés vers l'avion.
   d) L'hôtesse installe les voyageurs et rassure ceux qui sont inquiets.
   e) Elle vérifie les ceintures.
   f) Elle fera une distribution de bonbons.
   g) Les passagers devront attacher leur ceinture.
   h) La grive arrive des régions nordiques.
   i) La bécasse fait escale.
   j) La cigale se trouva fort dépourvue.
   k) Le lièvre sort du bois.
   l) La perdrix s'installe.

Test 8 — page 66

1. a) Vous / avez couru le marathon
      (S)   (GV)

   b) Depuis ce matin / tous les enfants / sont retournés à la maternelle.
      (CC)   (S)   (GV)

   c) Albert et Béatrice / mangent des bonbons.
      (S)   (GV)

   d) Demain, / elle et toi / ferez un joyeux pique-nique.
      (CC)   (S)   (GV)

   e) Aujourd'hui / j'/ ai rencontré des amis.
      (CC)   (S)   (GV)

   f) Tante Éléonore / habitait / là depuis toujours.
      (S)   (GV)   (CP)

   g) Aurore et Fabienne / passaient une grande partie des vacances /
      (S)   (GV)

   à la pêche à la grenouille.
   (CC)

2. a) bateaux
   b) transitif direct
   c) CC de lieu
   d) CD
   e) nom commun féminin pluriel
   f) déterminant indéfini
   g) préposition
   h) article défini contracté
   i) voix active et indicatif de l'imparfait
   j) complément du nom _bateaux_

Page 67

3. Plusieurs réponses sont possibles.

Page 68

1.

	Phrase déclarative affirmative	Phrase déclarative négative
a) Mon frère a perdu son bonnet de bain.		Mon frère n'a pas perdu son bonnet de bain.
b) Sers-moi une limonade.	Tu me sers une limonade.	Tu ne me sers pas une limonade.
c) Ce n'est pas dans cet escalier que ma grand-mère est tombée.	C'est dans cet escalier que ma grand-mère est tombée.	
d) Ce livre d'histoire est très intéressant.		Ce livre d'histoire n'est pas très intéressant.
e) Les fleurs ne poussent plus dans mon jardin.	Les fleurs poussent dans mon jardin.	
f) Il y a très longtemps, mon grand-père travaillait dans la mine.		Il y a très longtemps, mon grand-père ne travaillait pas dans la mine.
g) Dans le pré gambadent les animaux du fermier.		Dans le pré ne gambadent pas les animaux du fermier.
h) Demain, nous irons au cinéma.		Demain, nous n'irons pas au cinéma.
i) Hier soir, madame n'a pas pleuré.	Hier soir, madame a pleuré.	
j) Il a oublié son paquet de graines.		Il n'a pas oublié son paquet de graines.

2. a, f, g, h

3. a) Allons-nous à la piscine ?
   b) Va-t-il chez le médecin ?
   c) Ta mère conduit-elle la voiture ?
   d) Allez-vous à l'école ?
   e) Mes parents sont-ils chez mon oncle ?
   f) Est-ce que j'apporte des fleurs ?
   g) Est-elle malade ?
   h) A-t-elle la grippe ?

4. a) Viens chez moi.
   b) Lis ce livre.
   c) Dis-moi ce qui s'est passé.
   d) Vas-y.
   e) Prends ton cartable.
   f) Prenez vos livres.
   g) Fais ton lit.
   h) Dites bonjour.

Test 9 — page 70

1.

	Déclarative affirmative	Déclarative négative	Exclamative affirmative	Impérative affirmative	Impérative négative	Interrogative affirmative	Interrogative négative
J'assisterai à la fête.	X						
Préparez-vous pour l'école.			X				
Cet enfant est gentil.	X						
Les fêtes ne m'intéressent absolument pas.		X					
Je ne souhaite pas sa venue.		X					
Ne vous disputez donc pas.					X		
Viens immédiatement.				X			
Faut-il croire en ses paroles ?						X	
Le soleil était rose, la mer, tranquille et la brise, endormie.	X						
N'allez-vous pas à Bruxelles demain ?							X
Ne souhaitez-vous pas recevoir de ses nouvelles ?							X
Pas une ride ne marque son visage.		X					
Chantez, dansez, amusez-vous.				X			
Pourquoi ne viendrais-tu pas demain ?							X
Viendrez-vous dimanche ?						X	

Page 71

1. a) a gagné
   b) s'amusaient
   c) aimais
   d) a remporté
   e) achètera, lira

2. a) J'estime que tu as raison de ne pas être content.
   b) Il veut refaire le trajet avant que Julie et André n'arrivent.
   c) On hésite souvent à ce carrefour qui est peu visible ; plusieurs se trompent d'ailleurs de direction.
   d) Tous les joueurs de tennis célèbres participent à ces tournois prestigieux.
   e) À cause des remarques des actionnaires, Paul et toi hésitez à poursuivre les recherches sur les causes du déficit.

f) Voici des plantes aquatiques qui plongent leurs racines dans le sable.
g) Je préfère qu'on utilise des enveloppes pour ces documents.
h) Est-ce que cela vaut la peine que les guides offrent des excuses pour une si petite erreur de parcours ?
i) Je crois que toi et moi sommes d'accord pour que les moniteurs de natation obtiennent de meilleures conditions de travail.
j) Tu dois te procurer une clé si tu veux avoir accès à ce bureau.
k) Nos voisins se disputent souvent à propos des factures qu'ils reçoivent par erreur.
l) Nos amis musiciens gardent de bons souvenirs de leurs rencontres avec les groupes de la région.
m) Et maintenant commence, après les présentations d'usage, le récital des débutants qui dure dix minutes.
n) Les nouvelles du sport ! Voilà tout ce qui les intéresse dans le journal du matin.
o) Voici ce que réclament avec insistance les joueurs de l'équipe adverse. Est-ce que ça t'ennuie vraiment ?
p) Pourquoi écouter les petites annonces ? Ça te prend un temps précieux.
q) Même si on annonce des averses pour demain, l'organisateur de la fête champêtre que nous offrent les marchands continue quand même ses préparatifs.
r) En effet, c'est bien moi qui, après trois tours de scrutin, occuperai, pour la prochaine année, le poste de président que revendiquaient mes adversaires.

3.

		Présent de l'indicatif	Futur simple	Impératif présent
Nettoyer	Je	Je nettoie	Je nettoierai	Nettoie
	Nous	Nous nettoyons	Nous nettoierons	Nettoyons
Essuyer	Je	J'essuie	J'essuierai	Essuie
	Nous	Nous essuyons	Nous essuierons	Essuyons
Balayer	Je	Je balaie / Je balaye	Je balaierai / Je balayerai	Balaie / balaye
	Nous	Nous balayons	Nous balaierons / Nous balayerons	Balayons
Effrayer	Je	J'effraie / j'effraye	J'effraierai / J'effrayerai	Effraie / effraye
	Nous	Nous effrayons	Nous effraierons / Nous effrayerons	Effrayons
Appuyer	Je	J'appuie	J'appuierai	Appuie
	Nous	Nous appuyons	Nous appuierons	Appuyons
Côtoyer	Je	Je côtoie	Je côtoierai	Côtoie
	Nous	Nous côtoyons	Nous côtoierons	Côtoyons
Renvoyer	Je	Je renvoie	Je renverrai	Renvoie
	Nous	Nous renvoyons	Nous renverrons	Renvoyons
Grasseyer	Je	Je grasseye	Je grasseyerai	Grasseye
	Nous	Nous grasseyons	Nous grasseyerons	Grasseyons
Déblayer	Je	Je déblaie / Je déblaye	Je déblaierai / Je déblayerai	Déblaie / déblaye
	Nous	Nous déblayons	Nous déblaierons / Nous déblayerons	Déblayons
Rayer	Je	Je raie / raye	Je rayerai / raierai	Raie / raye
	Nous	Nous rayons	Nous rayerons / Nous raierons	Rayons
Ployer	Je	Je ploie	Je ploierai	Ploie
	Nous	Nous ployons	Nous ploierons	Ployons
Envoyer	Je	J'envoie	J'enverrai	Envoie
	Nous	Nous envoyons	Nous enverrons	Envoyons

Test 10 — page 73

1.

	Présent de l'indicatif	Imparfait de l'indicatif
a) Les nuages (s'amonceler) puis (se déchiqueter) rapidement.	Les nuages s'amoncel-lent [s'amoncèlent] puis se déchiquettent [déchiquètent] rapidement.	Les nuages s'amonce-laient puis se déchi-quetaient rapidement.
b) La vendeuse (empa-queter), (ficeler) et (étiqueter) le colis.	La vendeuse empa-quette [empaquète], ficelle [ficèle] et étiquette [étiquète] le colis.	La vendeuse empaquetait, ficelait et étiquetait le colis.
c) Le sculpteur (renou-veler) sa technique, (modeler) et (ciseler) son œuvre.	Le sculpteur renou-velle [renouvèle] sa technique, modèle et cisèle son œuvre.	Le sculpteur renouve-lait sa technique, modelait et ciselait son œuvre.
d) L'athlète (déceler) quelques failles dans ses exercices.	L'athlète décèle quel-ques failles dans ses exercices.	L'athlète décelait quel-ques failles dans ses exercices.
e) Il (réchauffer) ses muscles, (courir) et (haleter).	Il réchauffe ses muscles, court et halète.	Il réchauffait ses muscles, courait et haletait.
f) L'enfant (grommeler) entre ses dents, mais (épeler) malgré tout les mots difficiles.	L'enfant grommelle [grommèle] entre ses dents, mais épelle [épèle] malgré tout les mots difficiles.	L'enfant grommelait entre ses dents, mais épelait malgré tout les mots difficiles.

2. a) se tut b) as gagné, a procuré c) va (aller) d) il y a
e) saurai, ira, mènerai, seras

3. a) terminé b) annoncés c) imiter d) laisser, approcher
e) encourager, retourner, rembourser f) mangé, demandé, aller, jouer
g) acheté, hésité h) voulez, aider, dépêchez i) pensez j) limité

Page 75

1. a) Les fruits sont ramassés par les enfants.
b) La balle a été lancée par Émile.
c) Le téléphone sera décroché par Solène.
d) L'oiseau avait été mangé par le chat.
e) Une amende fut donnée par le policier au jeune écervelé.
f) Le papier-peint était posé dans la cuisine par ma mère.
g) Le plombier fut mordu par le chien.
h) Les dessins animés ont été regardés par Jérémie.
i) La demande de crédit est acceptée par le banquier.
j) Un sandwich était mangé par Alexandre tous les vendredis.

2. a) On les a applaudies.   b) On m'a envoyé un courriel.
c) On a déjà servi le vin.   d) On discutera la question demain.
e) On attend les résultats avec impatience.
f) On a pris la décision.   g) On l'a beaucoup critiquée.

3. a) Ma petite sœur a choisi la recette du gâteau.
b) L'université a créé un nouveau genre de cours de grammaire.
c) Le professeur Leroy enseigne les mathématiques.
d) On a félicité le dirigeant syndical pour sa grande contribution.
e) L'équipe universitaire gagne le match de football.
f) Des petites filles lancent des fleurs sur les touristes émerveillés.
g) Le roi a abandonné l'ancien palais.

4. Les nouveaux maîtres de Filou aiment les animaux. D'ailleurs, ils ont déjà recueilli un chien. Filou ne l'a jamais vu. Un jour, il découvre le sous-sol puis la cour et les champs. Très vite, il agrandit son domaine. Ses maîtres le soignent quand il revient en piteux état. Ils l'aiment tel qu'il est.

5. a) Les clients se gagnent toujours avec le service après-vente.
b) Les livraisons se font à partir de notre siège social à Montréal.
c) Cet ouvrage s'adresse à tous les comptables.
d) Il s'est vendu, cette année-là, plus de Mercedes à Moscou que dans tout le reste de l'Europe.
e) Ces changements se sont faits par étapes.
f) Cette recherche s'étalera sur une période de trois ans.

Test 11 — page 78

1.

	Voix active	Voix passive	Voix pronominale
a) Cette manifestation est rehaussée par la présence des élus locaux.		X	
b) Jean s'est écroulé de fatigue.			X
c) Je suis surprise par ta réaction !		X	
d) Ce compte-rendu est sans intérêt.	X		
e) Les bandes dessinées sont lues par des enfants.		X	
f) Maman s'est réveillée de mauvaise humeur.			X
g) Maman a préparé le déjeuner.	X		
h) Avez-vous lu ce livre ?	X		
i) Ces enfants sont étonnés par tous ces jouets.		X	
j) Le méchant s'est nui à lui-même !			X
k) Ce chanteur est devenu célèbre.	X		
l) Le professeur interroge les élèves afin de vérifier leurs connaissances.	X		
m) Les miliciens sont encadrés par des sous-officiers.		X	
n) Claudine est morte de fatigue.	X		
o) Mélanie n'est plus l'amie de Francis.	X		
p) Le pain d'épice est dévoré par Antoine.		X	
q) La vaisselle est toujours lavée par Cindy.		X	
r) Elle s'est mordue les lèvres pour ne pas crier.			X
s) Ces maisons sont cachées par de grands arbres.		X	

Page 79

1. a) entendus b) formées c) empilées d) brisé
e) reconnu f) revenues g) partis h) cessé
i) accouru j) éteinte k) reçues l) obtenu, étudié
m) téléphoné n) ensevelis o) amusés p) construites
q) Remise r) Levée s) levés t) fermé
u) Brisés v) renversée w) lus, intéressé(e)
x) battues y) allées z) Blâmé

2. a) trouvé b) mariés c) absentés d) téléphoné
e) rappelés f) rappelé g) rencontrées h) envolés
i) souvenu j) évanouie k) demandé l) méfiées
m) absenue n) excusées o) amusés

3. a) succédé b) bâti, construite c) apprécié, organisées
d) imaginé e) reçu f) entendue g) répondu
h) dû i) Vu j) dépassées k) terminées
l) donnés, aidée m) posé

Test 12 — page 81

1. a) dû   i) couru   q) dit
b) entendue   j) encourus   r) deviné
c) entendu   k) vécu   s) regardée
d) laissé   l) vécue   t) voulu
e) pu   m) pesé   u) regardée
f) laissé   n) passé   v) changé
g) fait   o) couru   w) reçu
h) voulu   p) pensé

corrigé français «««««««««««««««

Page 82

1. a) passé simple, passé simple
   b) présent, présent, présent
   c) passé composé, passé composé
   d) passé composé, conditionnel présent
   e) imparfait, passé composé
   f) futur simple, présent, présent
   g) présent, conditionnel présent
   h) conditionnel présent, conditionnel présent
   i) imparfait, présent
   j) présent, présent, présent, imparfait

2. a) as demandé   b) avions escaladé   c) connaissait
   d) avons eus   e) aurai fini   f) a eu
   g) as fait   h) avons semées   i) ai récolté
   j) avait jamais deviné

3. a) pourrons   b) pourrions   c) aurions pu   d) avais réussi
   e) as   f) invitions   g) auront appris h) est entrée
   i) dormirais   j) aies   k) ait plu   l) soit venu
   m) aillent   n) offriez

4. a) aimait   b) avait aimé   c) aimerait

Test 13 — page 84

1. a) irez b) savait c) mâchons d) aurions parlé e) faudra f) parvienne / parvint g) gasse / fît h) décide i) portait j) prendriez k) eut

2. Autrefois, nous <u>passions</u> les vacances d'hiver chez mes grands-parents. Pour <u>préparer</u> Noël, avec nos cousins, nous <u>décorions</u> toute la maison. Devant le sapin, tout le monde <u>dansait</u> et mon grand-père <u>riait</u> de nous <u>voir</u> heureux. Mes cousines <u>espéraient</u> ne pas avoir les mêmes jouets que l'année précédente. Un jour de Noël, je <u>regardai</u> avec tendresse le visage ridé de ma grand-mère. Lorsqu'elle me <u>vit</u>, elle m'<u>emmena</u> près du sapin. Elle <u>sourit</u> en <u>voyant</u> mon regard ébahi devant tant de cadeaux. À ce moment-là, mon père <u>apporta</u> la bûche. Nous <u>fîmes</u> silence, mais dans nos yeux se <u>reflétait</u> le bonheur.

Page 85

1. a) Tu penses vraiment qu'il va venir ?
   b) Marc, Étienne et sa femme avaient pris une grande décision : ils allaient faire du ski cet hiver. Cela leur ferait le plus grand bien.
   c) Les étudiants, qui étaient tous là aujourd'hui, ont décidé de faire la grève pour protester contre le manque de moyens.
   d) Voici ce que tu dois acheter : du beurre, du lait, un pain.
   e) Quel temps magnifique !
   f) Elle était là, assise devant moi. Elle me parlait doucement. Jamais je n'aurais pu imaginer que...

2. Comment vivaient nos ancêtres (?) De quoi se nourrissaient-ils (?) Quels outils se fabriquaient-ils pour chasser (,) pêcher (,) préparer les aliments et se vêtir (?) Que de questions nous nous posons en pensant à cette époque (… ou .) Les dinosaures avaient disparu (,) mais ces hommes et ces femmes devaient lutter contre mille dangers (.) Comme cette époque devait être dure pour ces premiers hommes (! ou .)

3. Quoique je sois peu disposé à soutenir que ce soit pour un homme une faveur extraordinaire de la fortune, que de naître dans un dépôt de mendicité, je dois pourtant dire que, dans la circonstance actuelle, c'était ce qui pouvait arriver de plus heureux à Olivier Twist : le fait est qu'on eut beaucoup de peine à décider Olivier à remplir ses fonctions respiratoires, exercice fatigant, mais que l'habitude a rendu nécessaire au bien-être de notre existence ; pendant quelque temps il resta étendu sur un petit matelas de laine grossière, faisant des efforts pour respirer, balança pour ainsi dire entre la vie et la mort, et penchant davantage vers cette dernière. Si pendant ce court espace de temps Olivier eût été entouré d'aïeules empressées, de tantes inquiètes, de nourrices expérimentées et de médecins d'une profonde sagesse, il eût infailliblement péri en un instant ; mais comme il n'y avait là personne, sauf une pauvre vieille femme, qui n'y voyait guère par suite d'une double ration de bière, et un chirurgien payé à l'année pour cette besogne, Olivier et la nature luttèrent seul à seul. Le résultat fut qu'après quelques efforts, Olivier respira, éternua, et donna avis aux habitants du dépôt, de la nouvelle charge qui allait peser sur la paroisse, en poussant un cri aussi perçant qu'on pouvait l'attendre d'un enfant mâle qui n'était en possession que depuis trois minutes et demie de ce don utile qu'on appelle la voix.

Test 14 — page 86

1. a) Isole un mot mis en apostrophe.
   b) Encadrent un complément circonstanciel.
   c) Séparent les éléments d'une énumération.
   d) Encadrent un groupe nominal mis en apposition.
   e) Isole un complément circonstanciel au début d'une phrase.

2. À la source l'homme buvait, <u>son visage effleurant le reflet brisé et multiplié de son geste</u>. Lorsqu'il se releva, il découvrit au milieu de son propre reflet, <u>sans avoir pour cela entendu aucun bruit</u>, l'image déformée du canotier de Popeye.

   <u>En face de lui</u>, de l'autre côté de la source, il aperçut une espèce de gringalet, <u>les mains dans les poches de son veston, une cigarette pendant sur son menton</u>.

   <u>De l'autre côté de la source</u>, les yeux de Popeye fixaient l'homme, semblables à deux boutons de caoutchouc noir et souple. « Je te parle, tu entends, reprit Popeye. Qu'est-ce que tu as dans ta poche ? »

Page 87

1. a) écarlates b) rouge pâle c) feu d) bleus e) mauves f) saumon g) vertes h) roses i) jaune vif j) noires k) orange l) bleu marin m) rouges n) charbon o) blanche

2. a) rouges b) jaunes c) lie-de-vin d) verts bouteille e) ocre, vert profond, feuille-morte et jaune maïs f) bleue g) grenat h) roses i) caca d'oie (invariable) j) bleu, blanc et rouge k) rousse l) blanches, noires et grises. (Chaque robe n'a qu'une couleur.) m) blanchâtres n) jaune vert

3. « Vous le voyez, le théâtre de notre petite troupe était assez bien machiné pour l'époque. Il est vrai que la peinture de la décoration eût semblé à des connaisseurs un peu enfantine et sauvage. Les tuiles des toits tiraient l'œil par la vivacité de leurs tons (<u>rouges</u>/rouge), le feuillage des arbres plantés devant les maisons était du plus beau (<u>vert-de-gris</u>/vert de gris) et les parties (bleue/<u>bleues</u>) du ciel étalaient un (<u>azur</u>/azure) invraisemblable ; mais l'ensemble faisait suffisamment naître l'idée de place publique chez les spectateurs de bonne volonté. Un rang de vingt-quatre chandelles (ivoires/<u>ivoire</u>) soigneusement mouchées jetait une forte clarté sur cette honnête décoration peu habituée à pareille fête. Cet aspect magnifique fit courir une rumeur de satisfaction parmi l'auditoire. »

4. Ce matin, je suis allée au marché pour acheter des fruits et des légumes. J'ai commencé par acheter des pommes (rouge/<u>rouges</u>) puis des poires (vertes claires/<u>vert clair</u>/verts clairs) qui avaient l'air délicieuses. Après, des pommes de terre (pailles/<u>paille</u>) pour faire un gratin dauphinois. Et pour terminer, des poivrons (oranges/<u>orange</u>) pour faire une bonne ratatouille. En rentrant chez moi, j'ai croisé une dame qui avait de drôles de chaussures (roses pâles/rosepâle/<u>rose pâle</u>). En arrivant dans mon jardin, j'ai vu que sur le toit aux tuiles (marrons/<u>marron</u>) de ma maison, il y avait un petit chat aux rayures (<u>gris bleu</u>/gris bleues). J'ai enlevé mon manteau et mon écharpe tous les deux (vertes/<u>verts</u>). Je suis allée dans ma cuisine aux murs (jaunes orangés/<u>jaune orangé</u>) pour préparer un délicieux repas avec tous les ingrédients achetés au marché.

Test 15 — page 89

1. a) Mes deux chats, Albert et Einstein, ont les yeux (<u>gris vert</u>/gris-verts/gris verts), les oreilles (<u>blanc</u>/blanches) et (<u>noir</u>/noires) et les moustaches (blanche/<u>blanches</u>).
   b) Ma jeune sœur porte très longs ses cheveux (blonds vénitiens/<u>blond vénitien</u>/blond-vénitien).
   c) J'aimerais que le toit de ma nouvelle maison soit recouvert de tuiles (<u>rouge argile</u>/rouges argiles).
   d) Je ne sais que choisir entre ces soies (<u>cerise</u>/cerises) et ces soies (rose/<u>roses</u>).
   e) Tu as vu ton papa ? Maintenant, ses cheveux sont (<u>poivre</u>/poivres) et (sels/<u>sel</u>).
   f) Comment trouves-tu ma nouvelle robe (<u>bleu clair</u>/bleue claire) ?

2. La demoiselle portait une ample cape **bleu vert** bordée de rubans **bleu roi** et **bleu marin**. Ses lèvres **écarlates** formaient un contraste heureux avec son teint **ivoire**, ses yeux **noisette** et ses cheveux **noir de jais**. Elle tenait une ombrelle **vert amande** avec des incrustations **gris perle** et un délicat liséré de soie **céladon** ainsi qu'une aumônière **violette**. Des boucles d'oreille **incarnates** et **gorge-de-pigeon** encadraient son visage aux traits délicats. Sa robe **bleu et noir** était ornée de broderies **amarante** sur lesquelles se détachait un collier de perles de la plus belle eau. Elle portait de fins souliers **ventre-de-biche**, une écharpe **vermeille** et des gants **bistre**.

Page 90

1. a) Quatre-vingts ans.
    b) Trente-deux hectolitres.
    c) Soixante-six dollars.
    d) Cinq cent trente hommes.
    e) Quatre cent quatre-vingts mètres
    f) Cent un litres

    g) Seize ans
    h) Quarante-sept hectolitres
    i) Soixante-seize dollars
    j) Huit cent quatre-vingt-dix hommes.
    k) Trois cent soixante-dix mètres
    l) Mille cent un litres

2. 200 → b) Deux cents
    74 → a) Soixante-quatorze
    80 → b) Quatre-vingts
    51 → c) Cinquante et un
    21 → a) Vingt et un
    201 → a) Deux cent un
    90 → a) Quatre-vingt-dix

    101 → b) Cent un
    34 → a) Trente-quatre
    2003 → c) Deux mille trois
    72 → a) Soixante-douze
    24 → a) Vingt-quatre
    2010 → b) Deux mille dix

3. 1) *Cent* se met au pluriel car il est multiplié sans être suivi d'un autre nombre.
    2) *Vingt* ne peut varier que dans le nombre *quatre-vingts*.
    3) Pas d'erreur dans cet exemple et *vingt* reste au singulier car il n'est pas multiplié.
    4) *Cent* est bien multiplié mais étant suivi d'un nombre, il reste au singulier. *Quatre* est invariable.
    5) *Mille* est invariable et reste au singulier.
    6) *Cent* est bien multiplié, mais étant suivi d'un nombre, il reste au singulier. Par contre *quatre-vingts* est multiplié et non suivi d'un nombre = il se met au pluriel.
    7) Pas de trait d'union entre *cent* et *quatre-vingts*. Ce dernier se met au pluriel étant donné qu'il n'est pas suivi d'un autre nombre.
    8) *Cent* reste au singulier car il n'est pas multiplié.
    9) *Un* s'accorde uniquement en genre et ici se met au féminin comme *les brebis*, mais ce nombre s'écrit sans trait d'union avec la conjonction *et*.
    10) L'exemple ne comporte pas d'erreur et *cent* se met au pluriel, car il n'est pas suivi d'un autre nombre, étant donné que *millions* est un nom commun.
    11) On fait une addition de 100 + 20 et non une multiplication de 100 x 20, donc *vingt* reste au singulier étant donné qu'il n'est pas multiplié. Par contre *quatre-vingts* n'étant pas suivi d'un nombre se met au pluriel.
    12) *Cent* est multiplié et n'est pas suivi d'un autre nombre : il se met au pluriel.
    13) *Quatre-vingts* se met au pluriel étant donné qu'il n'est pas suivi d'un nombre.
    14) *Mille* est ici pris comme valeur de mesure maritime et non comme un adjectif numéral, donc il s'accorde.
    15) *Cent* entre deux nombres reste invariable au singulier. Trait d'union uniquement entre deux nombres plus petits que *cent*.
    16) *Millions* est un nom commun et, en conséquence, *cent* est multiplié, mais n'étant pas suivi d'un autre nombre, il se met au pluriel.
    17) Pas d'erreur dans cet exemple : *cent* se met au pluriel étant donné qu'il est multiplié et n'est pas suivi d'un autre nombre, alors que *vingt-quatre* reste invariable.
    18) Pas d'erreur dans cet exemple. *Cent* n'est pas multiplié par un nombre.
    19) Pas d'erreur dans cet exemple : *mille* est invariable.
    20) Pas d'erreur dans cet exemple, car *cent* est multiplié par deux et il n'est pas suivi d'un nombre. *Milliards* étant un nom commun, il s'accorde.

21) *Cent* est invariable, car suivi d'un autre numéral, *quatre*.
22) *Vingt* est invariable et reste au singulier aussi, alors que *cent* reste au singulier, car il est suivi d'un autre nombre.
23) *Vingt* est au pluriel, car il est multiplié et n'est pas suivi d'un autre nombre.
24) *Quatre-vingt* reste au singulier car il est suivi d'un autre nombre.
25) Pas d'erreur dans cet exemple, car *cent* reste au singulier étant donné que mille ne multiplie pas *cent*, mais qu'il y a simplement addition : mille + cent = mille cent.
26) *Cent* et vingt ne sont pas liés par un trait d'union et l'ensemble reste au singulier, car 120 = 100 + 20 et non 100 X 20.
27) Pas d'erreur dans cet exemple, *cent* multiplié et non suivi d'un autre nombre se met au pluriel.
28) Pas d'erreur : *cent* est multiplié, mais suivi d'un autre nombre, il reste au singulier.
29) Pas d'erreur : *vingt* et *quatre* restent invariables.
30) Attention : 4 fois 100 plus 20 = 400 + 20 = 420. *Cent* entre deux nombres reste au singulier et, étant donné qu'il s'agit d'une addition, *vingt* reste aussi au singulier.
31) Le nombre 71 qui s'écrit avec la conjonction *et* reste, de ce fait, au singulier sans trait d'union.

Test 16 — page 92

1. a) cinquante-trois b) cent huit c) cinq mille d) mille et une
    e) cent vingt f) huit g) cinq cents h) quarante-cinq i) une
    j) mille k) neuf cents milliards l) zéro m) six cents n) six cent vingt
    o) deux tiers

Page 93

1. a) Rappelez-moi le ⟨titre du livre⟩ de physique **que** je vous ai prêté
    b) L'⟨auberge⟩ de campagne **où** il passait ses vacances a été vendue.
    c) ⟨Ce⟩ **à** *quoi* tu t'attendais ne s'est pas produit.
    d) Quel est ⟨celui⟩ de ces tableaux **que** vous préférez ?
    e) Ces ⟨loisirs⟩ **auxquels** vous vous adonnez nuisent à votre rendement scolaire.
    f) Cette ⟨femme⟩ **dont** on vous a parlé est une éminente physicienne.
    g) Malheur à ⟨ceux⟩ **par qui** le scandale arrive.

    h) Bien des personnes gardent toujours l'accent de la ⟨région⟩ **d'où** elles viennent.
    i) Le ⟨voyage⟩ en Europe **dont** tu rêvais a été annulé.
    j) Nos amis sont ⟨ceux⟩ **à qui** nous pouvons nous confier dans le malheur.
    k) Les ⟨voyages⟩ **auxquels** on a fait référence m'ont fasciné.
    l) Les ⟨films⟩ **dont** on parle ont été choisis par le jury.
    m) L'⟨immeuble⟩ **où** je travaille a été classé monument historique.
    n) Toutes les ⟨victoires⟩ **desquelles** je garde un bon souvenir m'ont valorisé.
    o) Les ⟨hôtesses⟩ **auxquelles** je me suis adressé ont été très sympathiques.
    p) C'est exactement ⟨ce⟩ **à** *quoi* je tiens le plus.
    q) Nous avons recueilli tous les ⟨documents⟩ **dont** nous avions besoin.
    r) Je choisis la ⟨crème⟩ à la vanille, **qui** est ma préférée.

2. a) C'est un endroit qui me plaît énormément.   b) C'est un pays que je connais bien.   c) Ce sont des paysans que j'ai souvent rencontrés.
    d) C'est une province dans laquelle (ou où) j'ai souvent voyagé.
    e) Ce sont des forêts dans lesquelles (ou où) elle se promène parfois.
    f) C'est une amie à laquelle (ou à qui) je prête parfois des livres.
    g) C'est un travail auquel je m'intéresse.   h) C'est une étude à laquelle nous nous intéressons.   i) Ce sont des études auxquelles je m'intéresse.   j) Donne-moi le journal qui est sur la table.   k) J'aime ma chemise blanche, laquelle je lave souvent.   l) Je vois le coiffeur qui tourne autour de son client.   m) Sur la table, il y a des livres que j'ai lus.   n) J'entends l'autobus qui roule dans la rue.   o) J'ai acheté un disque que j'écoute souvent.   p) Voici la lettre que j'ai reçue.
    q) Donnez-moi l'assiette qui est sur la table.   r) Ce sont des exercices qui ne sont pas difficiles.

Test 17 — page 95

1. a) qui b) que c) que d) dont e) que f) qui g) dont h) que
    i) que j) dont k) que, que l) qui m) que, que, dont n) qui
    o) dont p) dont

2. a) lesquels   b) lesquelles   c) auquel
    d) laquelle   e) lesquels   f) laquelle

corrigé français «««««««««««««««

Page 96

1. a) ou b) cependant c) mais d) donc e) comme f) alors
   g) c'est-à-dire h) Puisque i) et j) car

2. Pourquoi la population reçut-elle cette nouvelle avec plaisir ? La famille de Fougères n'avait laissé dans le pays que le souvenir de dîners fort honorables **et** d'une politesse exquise. Cela s'appelait des bienfaits, **parce qu'**une quantité de marmitons, de braconniers **et** de filles de basse-cour avaient trouvé leur compte à servir dans cette maison. Le bonheur des riches est inappréciable, **puisque**, en se contentant de manger leurs revenus de quelque façon que ce soit, ils répandent l'abondance autour d'eux. Le pauvre les bénit, **pourvu qu'**il lui soit accordé de gagner, au prix de ses sueurs, un mince salaire. Le bourgeois les salue **et** les honore, **pour peu qu'**il en obtienne une marque de protection. Leurs égaux les soutiennent de leur crédit **et** de leur influence, **pourvu qu'**ils fassent un bon usage de leur argent, **c'est-à-dire pourvu qu'**ils ne soient **ni** trop économes **ni** trop généreux. Ces habitudes contractées depuis le commencement de la société n'avaient pas laissé à s'affaiblir sous l'empire. La restauration venait leur donner un nouveau sacre en rendant **ou** accordant à l'aristocratie des titres **et** des privilèges tacites, **dont** tout le monde feignait de ne point accepter l'injustice **et** le ridicule, **et** que tout le monde recherchait, respectait **ou** enviait. Il en est, il en sera encore longtemps ainsi. Le système monarchique ne tend pas à ennoblir le cœur de l'homme.
   (Extrait de *Simon*, de Georges Sand)

3. a) De toute façon (de toute façon - alors - c'est pourquoi)
   b) Pourtant (en tout cas - par conséquent - pourtant)
   c) Cependant (cependant - donc - par ailleurs)
   d) alors (pourtant - alors - de toute façon)
   e) De plus (alors - donc - de plus)

4. a) Par conséquent (ou donc) b) De toute façon (ou de plus)
   c) Pourtant d) De plus e) tandis qu' f) Pourtant

Test 18 — page 98

1. a) condition b) cause c) temps d) explication e) explication
   f) condition g) cause h) addition i) temps j) alternative

Page 99

1. Un abat-jour → des abat-jour
   Un avant-midi → des avant-midi
   Un casse-tête → des casse-têtes
   Un compte-gouttes → des compte-gouttes
   Un coupe-vent → des coupe-vent
   Un grille-pain → des grille-pain
   Un lance-flamme → des lance-flammes
   Un porte-avions → des porte-avions
   Un porte-document → des porte-documents
   Un ramasse-poussière → des ramasse-poussières ou ramasse-poussière
   Un ou une sans-cœur → des sans-cœur
   Un sous-verre → des sous-verre
   Un chasse-neige → des chasse-neige
   Un chauffe-eau → des chauffe-eau
   Un coupe-faim → des coupe-faim
   Un coupe-feu → des coupe-feu
   Un cure-ongles → des cure-ongles
   Un essuie-main → des essuie-mains ou essuie-main
   Un ou une garde-côte → des garde-côtes ou garde-côte ou gardes-côte ou gardes-côtes
   Un ou une garde-chasse → des gardes-chasse ou gardes-chasses
   Un pare-soleil → des pare-soleil
   Un porte-drapeau → des porte-drapeaux ou porte-drapeau
   Un presse-papier → des presse-papiers
   Un ou une rabat-joie → des rabat-joie

2. Brise-bise Coupe-froid Oiseau-mouche Sauf-conduit Crève-cœur
   Trompe-l'oeil Attrape-nigaud Taille-crayon Rince-bouche
   Ramasse-poussière

3. a) belles-de-jour b) porte-parole c) chefs-d'œuvre d) on-dit
   e) après-midi f) haut-parleurs g) cerfs-volants h) emporte-pièce
   i) à-coups j) rouges-gorges k) lauriers-roses l) gratte-ciel
   m) ronds-points n) démonte-pneus o) tourne-disques

4. a) Des avant-postes b) Des porte-plume c) Des nouveau-nés
   d) Des chefs-d'œuvre e) Des sot-l'y-laisse f) Des haut-parleurs
   g) Des pourboires h) Des tragi-comédies i) Des demi-finales
   j) Des post-scriptum

Test 19 — page 101

1. a) timbres-poste
   b) voitures-lits
   c) pot-au-feu
   d) chasse-neige
   e) coffres-forts
   f) en-têtes
   g) pur-sang/ purs-sangs
   h) rouges-gorges
   i) reines-claudes ou reine-claudes
   j) grille-pain
   k) porte-monnaie
   l) basses-cours
   m) chefs-lieux
   n) faire-part
   o) tire-bouchons
   p) arrière-boutiques
   q) pare-brise
   r) hauts-fonds

Page 102

1. C'est un trou de **verdure** où chante une **rivière**,
   Accrochant follement aux **herbes** des haillons
   D'argent ; où le **soleil**, de la **montagne** fière,
   Luit : c'est un petit **val** qui mousse de **rayons**

   Un soldat jeune, bouche ouverte, tête nue,
   Et la nuque **baignant** dans le **frais cresson** bleu,
   Dort ; il est étendu dans l'**herbe**, sous la nue,
   Pâle dans son **lit vert** où la lumière **pleut**.

   Les pieds dans les **glaïeuls**, il dort. Souriant comme
   Sourirait un enfant malade, il fait un somme :
   Nature, berce-le chaudement : il a **froid**.

   Les parfums ne font pas **frissonner** sa narine ;
   Il dort dans le **soleil**, la main sur sa poitrine,
   Tranquille. Il a deux trous rouges au côté droit.

2. Il était une fois un vieil homme, tout seul dans son **bateau**, qui **pêchait** au milieu du **Gulf Stream**. En quatre-vingt-quatre jours, il n'avait pas pris un **poisson**. Les quarante premiers jours, un jeune garçon l'accompagna ; mais au bout de ce temps, les parents du jeune garçon déclarèrent que le vieux était décidément et sans remède salao, ce qui veut dire aussi guignard qu'on peut l'être. On **embarqua** donc le gamin sur un autre **bateau**, lequel, en une semaine, ramena trois **poissons** superbes.

   Champ lexical de la pêche ou de la mer : bateau, pêchait, Gulf Stream, embarqua, poisson(s).

3.

a) arbre - soleil - arc-en-ciel - pluie	a) lycée - crayon - estrade - cahier
b) violette - mousse - nid - oiseau	b) auto - route - chemin de fer
c) obscur - lumière - matin ombrage - feuillage - sentier heure - soir	c) remonter - heure - montre cadran
d) enfant - rit - jeu - poupée	d) médecin - fièvre - maigrit
e) musique - partition - violon orchestre	e) Vent - navire - flot - voile tempête

4. Termes appartenant au vocabulaire…
   des fleurs : rose, déclose, Nature, fleur, verte nouveauté, fleuronne, Cueillez
   de la femme : Mignonne, robe de pourpre, teint, beautés, marâtre, robe pourprée
   du temps : vêprée, dure, matin, soir, jeunesse, vieillesse

   a) Vocabulaire humain pour parler de la rose : ce matin avait déclose sa robe de pourpre – et son teint au vôtre pareil. Elle a dessus la place ses beautés laissé choir.

   b) Vocabulaire des fleurs pour parler de la jeune fille : Votre âge fleuronne, verte nouveauté, cueillez votre jeunesse

   c) Matin, soir, âge, nouveauté, jeunesse, vieillesse.

Test 20 — page 104

1. a) chagrin b) déception c) navrés
   d) désespoir e) mélancolie f) nostalgie
   g) amertume h) détresse i) anxiété
   j) tourment k) anxiété

Page 105

1. C'est <u>chouette</u> (**agréable**) de se réveiller un jour de <u>vacances</u> (**repos**) ! Delphine saute de son lit et s'habille à toute vitesse en pensant : « Avec un peu de chance, maman sera encore là et je pourrai lui dire au revoir avant qu'elle s'en aille. Papa, lui, est <u>certainement</u> (**sans doute**) déjà parti, je ne le vois jamais le matin... » Mais en enfilant son <u>pull</u> (**chandail**), Delphine a l'impression d'entendre la voix de son père, en bas. Tiens, tiens, ce n'est pas <u>normal</u> (**ordinaire**) ! <u>Soudain</u> (**Brusquement**), on frappe à la porte et c'est maman qui entre en souriant.

    - Alors, Delphine, déjà levée ?

    - Oui, maman. Il est encore là, papa ? Comment ça se fait ?

    - Il est <u>malade</u> (**souffrant**) Rien de <u>grave</u> (**sérieux**), une petite grippe.

    Mais le <u>docteur</u> (**médecin**) lui a signé un arrêt de travail. Il faut qu'il reste au lit et, comme tu t'en doutes, il n'aime pas ça du tout !

    Delphine <u>bondit</u> (**saute**) de joie : - Eh bien moi, je dis tant mieux ! Comme ça il pourra rester à la maison et jouer avec moi ! Elle dévale l'escalier et se précipite dans la chambre de son père.

2. a) peut b) peu c) peu d) peu, peu e) peux

3. Peu de temps avant sa mort, un père écrivait à ses fils : « (**Mes**) enfants, il (**m'est**) reproché de vous avoir drôlement élevés. Je vous (**conseille**) maintenant de ne plus vous essuyer les pieds quand vous monterez (**dans**) l'autobus, (**mais**) s'il pleut, évitez de vous ébrouer comme un chiot. Toutefois, s'il vous arrivait de loucher sur la seule banquette inoccupée, à l'instant même où (**la**) repère une vieille dame, accordez-lui (**la**) priorité. (**Si**) quelque malotru se permet (**d'en**) ricaner, restez stoïques, (**mais**) notez (**son**) comportement : il est rarement seul et se (**met**) souvent les pieds sur la banquette (**d'en**) face. Les fripouilles de son espèce, malgré (**leur**) allure désinvolte, (**ont**) leurs habitudes et (**leurs**) lieux de réunion, évitez (**leur**) compagnie. C'est à toi surtout que je m'adresse, petit Paul, tu l'auras compris : en public, ne (**mets**) jamais tes pieds sur une banquette, ni ton doigt (**dans**) ton nez comme tu le fais toujours (**à**) la maison. Mais, (**là**) n'est pas l'essentiel, et je m'égare souvent, comme ton frère me (**l'a**) si bien fait remarquer : l'essentiel, c'est le ciel. »

4. **Liste C**

Adroit - gauche	Facultatif - obligatoire	Tristesse- joie
Sinistre - gai	Agressif - inoffensif	Affable - mesquin
Rudesse - tendresse	Misère - opulence	Mensonge - vérité
Faible - fort	Pénible - agréable	Définitif - provisoire
Hardi - lâche	Intérêt - indifférence	Adorable - odieux
Punition - récompense	Rare - fréquent	Actif - passif
Calme - énervé	Affection - aversion	Rareté - fréquence
Aversion - affection	Lâcheté - courage	Imitation - création
Souiller - nettoyer	Punir - récompenser	Fatigue - repos
Tranchant - émoussé	Illettré - lettré	Ignorant - érudit
Coloré - terne	Majeur - mineur	Éclaircir - assombrir
Victoire - défaite	Gras - maigre	Acclamé - hué
Aride - Fertile	Devant - derrière	Raide - souple
Réalité - mirage	Pauvreté - richesse	Inclure - exclure

Test 21 — page 107

1. a) secret   e) calme   i) adopter   m) désagréable
    b) détruire   f) assommant   j) distribuer   n) blaser
    c) adversaire   g) empoté   k) aimable   o) consommer
    d) médiocre   h) conforme   l) charitable

2. a) Soleil, beau temps –   e) laisser-aller, négligence
       calmes, détendus   f) long, prolixe
    b) Sa mort, Son décès   g) La simplicité, La facilité
    c) l'harmonie, la paix   h) compliments, louanges
    d) loquace, longue   i) aimable, affable

3. 1) Il **a** tout à fait raison de s'en prendre **à** mon indifférence.
    2) Viens me montrer ton diplôme **aussitôt** que tu l'auras reçu.
    3) Ce joueur **se** trompe s'il croit qu'on va tolérer sa tricherie.
    4) Jean-Marc **se** fâche parfois lorsqu'il **se** rend compte qu'il a fait des erreurs stupides.
    5) Le directeur **sait** très bien ce qui **s'est** passé.
    6) **C'est** un fait que dans **ces** circonstances, une mère protège d'abord **ses** enfants.
    7) La stagiaire **s'est** contentée de relire **ses** notes de cours.
    8) La mairesse refuse **d'en** confier l'exécution à son adjoint.

9) Les policiers ont trouvé des preuves **dans** le parc.
10) Des légumes et des fruits, ils essaient **d'en** consommer le plus possible.
11) Cette voiture offre plus **d'avantages** que n'importe laquelle autre voiture de la même catégorie.
12) Il serait bon qu'il réalise **davantage** la portée de ses paroles.
13) Les voisins **dont** elles se plaignent sont pourtant gentils.
14) Qu'ont-elles **donc** à le dévisager ?
15) Vous auriez **dû** vous entendre avec eux.
16) La source **du** bruit venait **du** moteur.
17) Il a posé **la** télévision sur une étagère et **l'a** branchée.
18) Rapporte-**leur** leurs manuels pour qu'ils puissent étudier demain.
19) Ils sont persuadés que **leurs** deux fils tenteront **leur** chance cette année.
20) La postière **m'a** remis une lettre.
21) Je me demande pourquoi cette femme **m'est** aussi antipathique.
22) Dépose ton sac ici, **mets mes** affaires sur cette table.
23) Les magiciens **m'ont** toujours fascinée.
24) **Mon** horaire est bouleversé parce que des clients **m'ont** retardé durant une heure.
25) **On** n'accepte plus les objets qu'ils fabriquent.
26) Elle viendra nous rejoindre au moment **où** elle arrivera.
27) On dit que c'est le vent **ou** un éclair qui a causé cette panne de courant.
28) Elle est excédée **par ce qu'**elle entend.

Page 109

1. a) Il traça sur le sable deux **demi-cercles** et les regarda fixement.
    b) Fabien a quinze ans **et demi**, il entre en 5ᵉ secondaire cette année.
    c) Il a eu son accident à **mi-côte** près du village voisin.
    d) Ne sors pas avec les pieds **nus** s'il-te-plaît !
    e) À cinq heures **et demie** Marc a rendez-vous avec son directeur.
    f) Il passe trois semaines par mois dans son **semi-remorque** puis se repose une semaine.
    g) À rester **nu-tête** au soleil, tu vas avoir une insolation !
    h) Son épaule restait **à demi voilée** par l'écharpe de soie qui, peu à peu, glissait.
    i) La plaie était presque **à nu**. Il fallait refaire le pansement.
    j) Son pantalon, trop court, remontait à **mi-hauteur** dévoilant ses mollets trop maigres.
    k) Derrière la porte à **demi fermée**, je les entendis se disputer violemment.
    l) Nous avons bu deux **demis** et sommes rentrés sagement.
    m) Nous sommes rentrés à quatre heures et **demie**.

2. a) Donnez-moi un pain d'1/2 (**une demi-livre**) livre s'il-vous-plaît.
    b) Dans les vestiaires de la piscine, il faut marcher pieds (**nus**), c'est plus propre.
    c) Je n'aime pas que tu marches (**nu-pieds**) dans la cave : il peut y avoir des clous.
    d) Je voudrais ½ douzaine (**une demi-douzaine**) d'œufs .
    e) Les promeneurs se sont arrêtés (**à mi-chemin**), fatigués.
    f) La banque nous prête de l'argent à un taux d'intérêt de 15,5 (**quinze et demi**) pour cent.
    g) Il est (10 h 30) (**dix heures et demie**) à ma montre.
    h) Je vous rejoins dans (30 minutes) (**une demi-heure**) à la gare.
    i) Jeanne est la (fille de mon beau-père ; c'est donc ma (**demi-sœur**), pour parler plus clairement.
    j) Les roses ont des épines ; ne les touchez pas à main (**nue**), prenez des gants.
    k) J'ai besoin d'un câble de 5,5 mètres (**cinq mètres et demi**) de long.

3. a) possibles   i) possible   q) possible
    b) possible   j) possibles   r) possibles
    c) possibles   k) possibles   s) possible
    d) possibles   l) possibles   t) possible
    e) possible   m) possibles   u) possible
    f) possible   n) possible   v) possibles
    g) possibles   o) possible
    h) possibles   p) Possibles

4. c) demi, demie et pleines

corrigé français «««««««««««««

Test 22 — page 111

1. a) nus b) nu c) nues d) nue e) demie f) demi g) semi
   h) demi i) demi j) nu k) demi l) demi m) mi

2. a) possibles b) possible c) possible d) possibles e) possible
   f) possible g) possibles h) possible i) possibles j) possible

Page 112

1. a) même   j) même   s) même   bb) même
   b) mêmes   k) même   t) Même   cc) Même
   c) même   l) même   u) mêmes   dd) même
   d) même   m) même   v) même   ee) mêmes
   e) même   n) mêmes   w) même   ff) mêmes
   f) même   o) mêmes   x) même   gg) même
   g) même   p) mêmes   y) même
   h) même   q) mêmes   z) même
   i) même   r) même   aa) même, même

Test 23 — page 113

1. a) mêmes   h) Même   o) même   v) même
   b) mêmes   i) mêmes   p) même   w) mêmes
   c) mêmes   j) mêmes   q) même   x) même
   d) mêmes   k) mêmes   r) mêmes   y) mêmes
   e) même   l) mêmes   s) même   z) mêmes
   f) mêmes   m) mêmes   t) mêmes   aa) mêmes,
   g) mêmes   n) même   u) même   mêmes

Page 114

1. a) les b) les, chaque c) Chaque, les d) Les, chaque

2. a) Chacun b) chacune c) chacune d) chaque e) chacun
   f) chaque, chacun

Test 24 — page 114

1. **Certain** de ses compétences, Olivier cherchera un emploi cet été.
   Certaines décisions sont difficiles à prendre. La mécanique, c'est **certain**, ce n'est pas mon domaine. À la suite de son accident de moto, il éprouvait une **certaine** gêne dans ses mouvements. Je me suis fait quelques amis par correspondance électronique. J'en reçois même **certains** chez moi durant l'été. Jouer de la musique demande un **certain** talent, mais beaucoup de travail. Isabelle est absolument **certaine** que cet événement aura lieu demain soir. **Certains** vous diront qu'il vaut mieux recommencer un mauvais travail que le corriger. Une chose est **certaine**, les vacances sont vraiment terminées.

   Depuis un **certain** temps, le ciel est constamment étoilé. **Certains** de mes vêtements ne sont plus à la mode. Lors de mon voyage en Gaspésie, j'ai vu de nombreux oiseaux. **Certains** étaient gigantesques. **Certaines** de mes relations ont été informées de ma décision hier. Après un travail intense, on espère une **certaine** reconnaissance. Mes parents et **certains** de leurs amis iront voir les feux d'artifice à Montréal. Depuis un **certain** soir de novembre, j'ai peur de me promener seule dans le parc. **Certaines** journées de l'été sont plus ensoleillées que d'autres. J'ai entendu de bonnes blagues lors de la soirée d'hier. J'ai essayé d'en retenir **certaines**.

Page 115

1. a) Naturelle b) Cruelle c) Déserts d) Misanthrope e) Barbares
   f) Non apprivoisées g) Primitive h) Non cultivées i) Asocial j) Illégale

2. a) lumières b) lumière c) lumière d) lumière e) lumières

3. a) Employé d'hôtel   e) Type d'une famille de lettres
   b) Avions de chasse   d'imprimerie
   c) Personnes pratiquant la chasse f) Fruit sucré du fraisier
   d) Caractéristique comportementale g) Col de lingerie
                                      h) Instrument rotatif

Test 25 — page 117

1. a) mesure b) prépare c) suit d) fournis e) construit
   f) parcourt g) joué h) établit i) coudre j) réalisé

2. a) atteint
   b) A pris de l'assurance, est plus assuré
   c) Il a pu imprimer son document avec deux pages en moins.
   d) Il lui prend moins de temps.
   e) Qui s'améliorera avec le temps, qui profitera du vieillissement.

Page 118

1. 1) p   4) n   7) k   10) e   13) c
   2) l   5) m   8) f   11) b   14) h
   3) j   6) i   9) g   12) d   15) a

2) a) 2 b) 2 c) 2 d) 2 e) 2 f) 1 g) 1

Test 26 — page 119

1) a) 3 b) 2 c) 2

2) a) 2 b) 1 c) 2 d) 2 e) 1 f) 2 g) 1 h) 2 i) 1 j) 2

Page 120

1. a) synonymes   f) assonance   k) métaphore   p) hyperboles
   b) paronymes   g) allitération l) personnification q) anaphore
   c) litote   h) euphémisme   m) antiphrase   r) polysémie
   d) antithèse   i) énumération n) homographes   s) métonymies
   e) oxymore   j) homophones   o) périphrases   t) symbole

2. a) Métonymie : de l'habit de travail de travail des ouvriers affectés au travail manuel, par opposition aux cols blancs (de la chemise) des dirigeants et cadres.
   b) Métaphore : on compare la quantité de protestations à une avalanche.
   c) Métaphore : on compare la puissance de l'histoire à celle de la dynamite.
   d) Métaphore : on compare l'interruption de l'ordinateur à celle d'un incendie.
   e) Métaphore : on a refusé de poursuivre l'action comme on refuse le combat devant un ennemi plus fort.
   f) Métonymie : elle est entrée dans un établissement qui sert du café.
   g) Métonymie : on mange le contenu de la coquille !
   h) Métonymie : où est votre salaire dans l'échelle salariale ?
   i) Métonymie : elle attend à l'endroit où l'autobus s'arrête.
   j) Métonymie : les objets déménagés sont arrivés.
   k) Métaphore : les auteurs de la chanson ont obtenu des honneurs.
   l) Métonymie : on utilise une pièce importante du vélo pour désigner le sport.
   m) Métonymie : des oreilles ne se choquent pas !
   n) Métaphore : on compare la force du regard à celle de la foudre.
   o) Métonymie et métaphore : les dirigeants de son entreprise (=boîte) l'ont congédié.
   p) Deux métaphores : le ventre est comparé à un buffet et le bruit au pétard.
   q) Métonymie : tous les habitants de la ville en parlent.

Test 27 — page 122

1. a) 3 b) 2 c) 3 d) 1 e) 2

2. a) personnification f) comparaison   k) métonymie   p) hyperbole
   b) hyperbole   g) personnification l) antithèse q) litote
   c) métonymie   h) métonymie   m) comparaison r) hyperbole
   d) personnification i) hyperbole   n) métaphore   s) comparaison
   e) litote   j) métaphore   o) métonymie

Page 123 Examen final

1.

Crossword grid:

R E V E C H E
G
C O N D E S C E N D A N T
C
E
N A R C I S S I Q U E
T H F
R A O
I N T R O V E R T I U U
Q V U M T I M O R E
R U S E B L P A B
E S E E E E
Q U H A R G N E U X I
I R A S C I B L E E G O I S T E
E U
T A C I T U R N E X
X

2. a) Corrigé : Voici les personnes qui sont venues nous voir ce matin : un homme de quarante-trois ans et un autre de soixante-dix-huit ans.
b) Corrigé : Elle aime les romans d'enquête policière et de mystère (ou policiers et mystérieux).
c) Corrigé : Elle a reçu un joli cadeau pratique de sa tante et de son oncle.
d) Corrigé : La porte de la chambre et celle du salon donnent toutes les deux sur l'entrée.
e) Corrigé : Elle aime le ballet et la promenade (ou danser et se promener).
f) Corrigé : Une fois sur le continent africain, mes parents voyageront en avion et en autobus pour se rendre à leur destination finale.
g) Corrigé : Ma sœur et moi, lorsque nous étions enfants, avions un petit chien.
h) Corrigé : Les vacances sont nécessaires pour reposer l'esprit et changer de la routine.
i) Corrigé : À Noël, j'offrirai à ma sœur (suppression de la virgule) un manteau et une écharpe.

3. a) Les élèves de ma classe **sont-ils** allés au Salon du livre **?** (interrogative)
b) **Que** notre pièce de théâtre était réussie **!** (exclamative)
c) **Pratique** tes multiplications. (impérative)
d) Le tournage du film **n'a pas** été ardu. (négative)
e) **Calme-toi**, Paul. (impérative)
f) **Que** les devoirs **ne** constituent **pas** un moment idéal pour être dehors **!** (exclamative et négative)
g) **Soyez** des élèves merveilleux. (impérative)
h) Pour les vacances d'été, **iront-ils** dans les Maritimes **?** (interrogative)
i) **Ne suis-je pas** très beau **?** (interrogative et négative)

4. a) François (**est**) retourné à paris, il y a une semaine.
b) Mon fils (**est**) tombé sur la rue verglacée.
c) Vous (**avez**) déjà retourné le livre à la bibliothèque.
d) Pierre (**a**) monté l'escalier pour aller chez Henri.
e) Julien (**a**) sauté par-dessus la flaque pour éviter de se mouiller les pieds.

5. Hier soir, Marc et sa femme **se sont réveillés** tard. Ils **se sont regardés** tendrement, ils **se sont embrassés** et **se sont levés** sans se hâter. D'abord, ils **se sont mis** à faire du yoga. Ensuite, Ils **se sont baignés** et **se sont brossé** les dents. Marc **s'est rasé** la barbe pendant que sa femme **s'est lavé** les cheveux. Enfin, ils **se sont habillés** lentement. Ils **se sont parlé** un peu et, enfin, ils **ont suggéré** de sortir pour le petit déjeuner. Ils **se sont préparés** et ils **sont allés** au restaurant CHEZ HENRI.

6. Il faisait beau, c'était l'été. Ils s'étaient **installés** sur un banc de parc et regardaient la nuée d'oiseaux qui s'étaient **envolés** dans le ciel. Dès qu'ils tournèrent leur regard, les deux garçons se reconnurent presque en même temps. Ils s'étaient **perdus** de vue depuis quelque dix ans, mais du premier coup d'œil, ils constatèrent qu'ils n'avaient pas **changé**. Après s'être **serré** la main avec effusion, ils se mirent à parler en même temps, s'interrompant dans un fou rire.

– Tu te souviens, la fois où nous sommes **tombés** dans le puits, les efforts qu'il a **fallu** pour nous repêcher avec une corde. La colère que nous avons **subie** de la part des adultes était terrifiante !

– Et cet autre jour, les constructions de sable que nous avions **édifiées** s'étaient **écroulées** sur mon petit frère. Les risques étaient moins grands que nous l'avions **cru**, mais, quand même, quelle peur ! On nous a **considérés** comme de vrais dangers publics et nous avons été **punis** !

– Et encore, la fois où les arbres que nous avions **regardés** tomber pendant un orage ont **failli** nous écraser.

– Nous ne nous rendions pas compte alors de tous les efforts que notre éducation avait **coûtés** à nos parents.

– Mais les temps ont **changé**. Nous avons **vieilli** et même notre ville n'est plus ce qu'elle était. Mais je ne regrette en rien les trois mille kilomètres que j'ai **parcouru** pour te retrouver : tu me fais revivre de si merveilleux moments. Finalement nous avons eu une enfance bien plus extraordinaire que je l'avais **pensé.**

7. Ma chère Francine,

Je commençais à descendre l'escalier avec la poubelle. Je me méfiais parce que je (**savais**) bien que les marches deviendraient glissantes quand il (**aurait neigé**). Or, il avait neigé, comme je l'(**avais constaté**) en regardant à la fenêtre. Cette première neige, je l'attendais et je savais comme elle (**serait**) dangereuse. Je me disais que j'(**aurais**) enfin de vrais motifs pour me plaindre au propriétaire. J'imaginais souvent comment je lui (**parlerais**), et mon discours changeait au fil des jours.

8. À son réveil, M. Frodon se trouva couché dans un lit. Il pensa tout d'abord avoir dormi tard après un long cauchemar qui flottait toujours au bord de sa mémoire. Ou peut-être avait-il été malade ? Mais le plafond lui paraissait étranger : il était plat et il avait des poutres sombres richement sculptées. Il resta encore un moment allongé à regarder des taches de soleil sur le mur et à écouter le son d'une cascade.

– Où suis-je et quelle heure est il ? demanda-t-il à voix haute au plafond.

– Dans la maison d'Elrond et il est dix heures du matin, dit une voix. Et c'est le matin du 24 octobre si vous voulez le savoir.

9. a) vertes b) bleu sombre c) noirâtres d) rouges, vertes et jaune vif e) gris cendré f) rousses et fauves g) rouge vif et pourpres h) bleue i) bleu outremer j) bleue

10. a) trente b) premiers c) mille d) millions e) deux cent vingt-cinq f) quatre-vingts g) quinze h) quatre-vingt-trois i) dix-huit j) milliers

11. a) à laquelle b) dont c) que d) qui e) dont f) Ce qui g) laquelle h) où i) ce qu' j) auxquels

12. Nous ne pouvons nous confiner éternellement dans notre propre conception du beau, **car** (cause) le beau est fait pour être partagé. La fonction de la beauté est **ainsi** (explication) d'essayer de recueillir des consensus toujours plus larges par le partage et le débat.

Prenons un exemple (illustration) pour bien illustrer cet état de choses. Dans un musée, la façon dont les œuvres sont disposées sur les murs vise à capter le regard. L'objectif fondamental est de provoquer chez le visiteur un arrêt, découlant d'un choc entre lui et l'œuvre. **Puis,** (addition) à partir de cette émotion de départ, il est possible pour ce dernier de pousser plus loin cette recherche de la beauté en poursuivant sa réflexion sur ce qui l'a touché. Pour le visiteur, expliquer ce qui l'a ému dans une œuvre est **cependant** (restriction) un exercice difficile. **D'où** (conséquence) la nécessité et le besoin pour lui de débattre et d'échanger par la suite sur le sujet.

Sur un autre plan, (addition) la même chose peut se produire **lorsque** (temps) nous assistons à un concert. À la fin d'une chanson ou d'une pièce, les gens se lèvent pour applaudir, **mais** (restriction) tous ne le font pas toujours pour les mêmes raisons que nous, **parce que** (cause) nous ne sommes pas spontanément touchés par les mêmes choses.

corrigé français «««««««««««««««

Tout compte fait *(conclusion),* il n'est pas exagéré de dire que les débats sur le beau peuvent, jusqu'à un certain point, se comparer à ceux sur le sens de la vie ou sur l'existence de Dieu. Ce sont tous des débats infinis.

13. Plusieurs réponses sont possibles.

Racine latine	Sens	Mots savants	Racine grecque	Sens	Mots savants
Aqua	eau	**Aquarium**	Algie	douleur	**Névralgie**
Api	abeille	**Apiculteur**	Archi	commander	**Monarchie**
Arbor	arbre	**Arboricole**	Bio	vie	**Biologie**
Igni	feu	**Ignifuge**	Chloro	vert	**Chlorophylle**
Moto	qui meut	**Motocyclette**	Chrom(o)	couleur	**Chromatique**
Fère	qui porte	**Mammifère**	Ciné	mouvement	**Cinétique**
Multi	nombreux	**Multiple**	Gam(o)	mariage	**Gamète**
Uni	unique	**Univoque**	Géo	terre	**Géologie**
Omni	tout	**Omnivore**	Hippo	cheval	**Hippodrome**
Pède	pied	**Bipède**	Homo	semblable	**Homologue**
Cide	qui tue	**Homicide**	Hydro	eau	**Hydraulique**
Fuge	qui fait fuir	**Hydrofuge**	Morpho	forme	**Morphologie**
Pare	qui porte	**Ovipare**	Pédo	enfant	**Pédiatre**
Radio	rayon	**Radiologie**	Poly	nombreux	**Polygone**
Vore	qui mange	**Omnivore**	Mono	unique	**Monothéiste**
Fique	qui produit	**Prolifique**	Pyro	feu	**Pyromane**

14.

a) ambulant - chute - gradins - sauter étang - rivières - cascades	a) nuage, demeure, temple, dormir, mort, cercueil
b) vallon - brume - mousse - pluie grottes - cascades.	b) sable, désert, aride, poussière
c) parc - bergerie - étable - chambre jardin	c) ciel, dormir à la belle étoile, lande, plaine
d) dense - marbre - pesant - massif plomb - gravité - bloc	d) ombre, danse, fantôme, plume, s'envoler

15. a) Je suis seul (**à**) la maison. Maman est partie, elle (**a**) des courses (**à**) faire. Si tu en (**as**) envie, viens tout de suite, apporte tous les exercices que tu (**as**) (**à**) faire, on va les faire ensemble. Maman va rentrer (**à**) 20 h. Si elle arrive (**à**) l'heure, elle va nous préparer des crêpes.

b) Brigitte habite (**à**) Montréal. Elle (**a**) des amies (**à**) Québec. Montréal est (**à**) 250 kilomètres de Québec. Il y (**a**) deux heures de train de Montréal (**à**) Québec. Elle y va souvent.

c) Elle s'intéresse (**à**) la littérature. Elle (**a**) lu de nombreux romans, mais ce qu'elle (**a**) toujours préféré, ce sont les romans policiers. Elle sera vraiment contente si tu (**as**) des livres (**à**) lui prêter. Elle va te les rendre (**à**) temps.

d) Il y (**a**) 40 ans, tous les textes étaient écrits (**à**) la main. Puis, on les (**a**) longtemps tapés (**à**) la machine (**à**) écrire. Aujourd'hui, nous les écrivons (**à**) l'ordinateur. J'ai mal (**à**) la tête. Je n'arrive plus (**à**) penser (**à**) écrire mon devoir. Mon amie (**a**) mal (**à**) la main droite, mais elle (**a**) réussi (**à**) finir son devoir.

16. a) mêmes b) Même c) mêmes d) même e) même f) même
g) même h) même i) même j) même k) mêmes l) même

17. a) quelle que soit b) quel que soit c) quelles que soient
d) quels que soient e) quelles qu'elles soient f) quels qu'ils soient
g) quelle qu'elle soit h) quels que soient i) quelles que soient
j) quelle qu'elle soit k) quelles qu'elles soient

18. a) tout / toutes b) toutes c) toutes d) toutes e) tout f) toutes / toutes g) tous h) tout i) toute j) tous k) toutes l) toutes
m) toute n) Toutes o) toutes p) toutes / tout

19. a) acceptation b) affleuraient c) allocution d) illusion
e) astrologue f) avènement g) collision h) colore i) consumées
j) déchirure k) écharpe l) éclairer m) imminent n) irruptions
o) graduation

corrigé mathématique

Page 159

1. a) x^8 b) $10a^3b^4$ c) $0,75y^3$ d) $\dfrac{18}{x^2}$ e) $\dfrac{1}{3x}$ f) $16x^{a+7}y^5$ g) 2^{2a} h) a^8b^6

   i) $\dfrac{y}{x^4}$ j) $60x^6y^9$ k) x l) x^4 m) $x^{\frac{5}{6}}$ n) $\dfrac{1}{x}$ o) $x^{\frac{1}{3}}$ p) $4ab$ q) $\dfrac{125a^5}{b^8}$ r) $a^{2/5}$

2. a) $\log_4 64 = 3$ b) $\log_1 y = x$ c) $\log z = y$

3. a) $c^{y+1} = x$ b) $10^3 = 1000$ c) $3^4 = 9^2$

4. a) 1,585 b) 2,322 c) -1,771 d) -0,5

Page 160

5. a) $x = 7$ b) $x = -2$ c) $x = 0,5$ d) $x = 4$ e) $x \approx 2,792$ f) $x = 2,5$

6. a) $P = 10\,000(1,035)^t$ b) 10 350 habitants c) 14 106 habitants
   d) 7 089 habitants e) 2 016 f) 2 030

Test 1 – page 161

1. a) Vraie b) Fausse

2. a) $x \approx -1,192$ b) $x \approx -1,515$

3. a) $4x^{\frac{11}{6}}y^{\frac{7}{6}}$ b) $729x^2y^{16}$

4. 9,903 années

Page 162

1. a) $24a^2b - 8a^3b$
   b) $-2,5x^2 - xy^2 + 1,5x$
   c) $-3a^3 - 5a^2b^2 + a^2 + 3ab + 5b^3 - b$
   d) $15x^3 + 5x^2y - 40x^2 + 6x + 2y - 16$
   e) $x^2 - x + 2xy - 4y - 2$
   f) $x^2 - 2x - xy + y + 1$
   g) $10x^2 - x + 10xy - 11y - 11$
   h) $3x^2 - 3x - 3y + 3x^2y$
   i) $8x^2y^3 + 8xy + 4x^2y^2 + 4x - 2xy^3 - 2y$
   j) $a^2 - b^2$
   k) $\dfrac{40a^2}{3}$
   l) $4x^2 + 12x + 9$
   m) $a^6 + 3a^4b^2 + 3a^2b^4 + b^6$
   n) $4x^2 - 24x^2y + 12x + 36x^2y^2 - 36xy + 9$
   o) $y^2 - 2y + 1$
   p) $x^3 + 3x$

Page 163

2. a) $x + 4,5$ b) $x - 4$ c) x reste 1 d) $0,5x - 2,75$ reste 4,75 e) $x^2 - x + 1$
   f) $x + 2y + 3$ g) $5x^2 - 3x + 4$ h) $2x^2 - 3x + 8$ i) $3a - 2ab$ j) $5x + 1$

Page 164

3. $(x^2 + 8x + 16)$ cm²

4. $(x + 1)$ cm

5. a) $\pi(x^3 - 3x - 2)$ m³ b) $\pi(4x^2 + 2x - 2)$ m²

6. $(7x^2 + 24x + 10)$ m²

7. $(6x^2 + 24x + 24)$ cm²

Test 2 – page 165

1. a) $x^2 - 4x - 12$ b) $9x^3 + 27x^2 + 27x + 9$

2. a) $4a + 3x$ b) $2x - 3$

3. a) $\sqrt{5x^2 - 12x + 20}$ b) $5x^2 + 2x - 24$

Page 166

1. a) $(x - 1)^2$ b) $(7 + b^2)(7 - b^2)$ c) $(3xy + 10)(3xy - 10)$ d) $(10x^2 + 9)^2$
   e) $2(6a - 1)(2a + b)$ f) $(6x^3 - y)(3x + 1)$ g) $(x^2 + 4)(x + 2)(x - 2)$
   h) $(4xy + z^2)(7z^2 - 1)$ i) $2y(x - 2)(x^2 - 3)$ j) $2(4x + 5)(4x - 5)$
   k) $(x + 5)(x - 1)$ l) $a(a + 1)(a - 1)$ m) $y(2x + y)$ n) $8x(x^2 + 1)$ o) $4ab$
   p) $6(x + 3)(y - 2)$

Page 167

2. a) $\dfrac{3x}{2y}$ b) $\dfrac{x-2}{x+2}$ c) $\dfrac{x-y}{2x+1}$ d) $\dfrac{4x}{9}$ e) $\dfrac{x+1}{y+5}$ f) $\dfrac{x+7}{x+1}$ g) $\dfrac{x(x-3)}{x+3}$

   h) $\dfrac{8x}{2x^2+3}$ i) $\dfrac{2x-3}{4x^2+9x}$ j) $\dfrac{5-x^3}{2y+1}$

Page 168

3. a) $\dfrac{9x}{2}$ b) $\dfrac{(x+1)(x-2)}{2x^2(x-1)}$ c) $\dfrac{x^2-2x+3}{x-1}$ d) $\dfrac{x-1}{x+2}$ e) $\dfrac{5x+10}{(x+3)^2}$

   f) $\dfrac{7a-2}{(a+1)(a-1)}$ g) $2(x+2)$ h) -1 i) $\dfrac{x^2-9x}{(x+1)(x-3)}$ j) $\dfrac{3(x+5)}{x(x+3)}$

Test 3 – page 169

1. a) $y(x+2)(2x-7y)$ b) $8(x-3)^2$ c) $(11x+12y)(11x-12y)$
   d) $x(x-10)$ e) $x(x^2+1)(x+1)(x-1)$ f) $(2x+3)(2x-3)$

2. a) $\dfrac{x+4}{x-4}$ b) $\dfrac{(10xy+9)(10xy-9)}{(100x^2y^2+81)}$

3. a) $\dfrac{x^2+4}{2x(x+2)(x-2)^2}$ b) $\dfrac{3a-88}{(a+5)(a-5)}$

Page 170

1. a) $y > -3x + 5$ b) $y \leq 4x - 8$ c) $y > \dfrac{2}{3}x + 2$
   d) $y \geq 0,5x - 5$ e) $y > -6x - 24$ f) $y \leq 0$

2. a) $y \geq 0,25x - 2$ b) $y < -3x - 3$

3.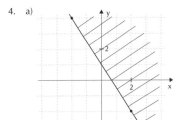

Page 171

4. a)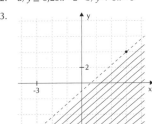

   b)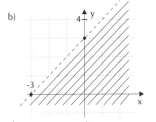

   c)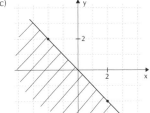

corrigé mathématique «««««««««««««««

Page 172

5. $5x + 2y < 100$

6. a) $0,25x + 0,50y \geq 7,50$
   b)

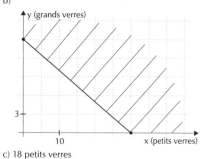

   c) 18 petits verres

Test 4 – page 173

1.

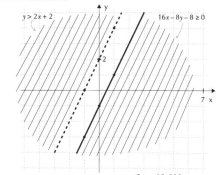

2. a) $0,08x + 0,12y \leq 400$ b) $y \leq -\frac{2}{3}x + \frac{10\ 000}{3}$
   c) La jeep n'a pas roulé en janvier.

Page 174

1. a) $(x, y) = (8, 20)$ b) $(x, y) = (-4, -4)$ c) $(x, y) = (2,75, 0,25)$
   d) $(x, y) = (-8, -3)$ e) $(x, y) = (4, 2)$ f) $(x, y) = (7, 4)$

Page 175

2. a) $(x, y) = (5,25, 0,25)$ b) $(x, y) = \left(\frac{45}{14}, \frac{71}{14}\right)$ c) $(x, y) = \left(\frac{-13}{3}, \frac{-13}{3}\right)$
   d) $(x, y) = (0,25, 1,9)$ e) $(x, y) = (1, 2)$ f) $(x, y) = (3, 0)$

Page 176

3. 10,00 $

4. 375 adultes

5. 26 orignaux et 54 cerfs de Virginie

Test 5 – page 177

1. a) $(x, y) = (-1, 7)$ b) $(x, y) = \left(\frac{22}{3}, \frac{-29}{6}\right)$
2. 0,12 $ / minute (jours de la semaine)
   0,05 $ / minute (fin de semaine)

Page 178

1. a) $x = 225$ f) $x = 0$ k) Ø   p) $x = -264,5$
   b) Ø   g) $x = 72$ l) $x = \frac{49}{16}$ q) Ø
   c) $x = 16$ h) $x = -243$ m) Ø   r) Ø
   d) Ø   i) Ø   n) $x = 2$
   e) $x = 0$ j) $x = \frac{64}{9}$ o) $x = -\frac{20}{9}$

Page 179

2. a) $[0, 64[$ e) $\{0\}$ i) $[0, +\infty[$ m) $[-\frac{4}{3}, 0]$
   b) $]5,76, +\infty[$ f) $]0, +\infty[$ j) Ø   n) $]-\frac{4}{11}, 0]$
   c) $[0, 49]$ g) $[42,25, +\infty[$ k) $[0, +\infty[$
   d) $[0, +\infty[$ h) $]-\infty, -87,5]$ l) $[0, 23,4256[$

Page 180

3. 132,73 cm²

4. a) $x = 0,375$ b) $x = 0$ c) $x = \frac{25}{6}$ d) Ø

5. 37,5 mètres

Test 6 – page 181

1. a) $x = 0,0625$ b) Ø   c) $[0, +\infty[$ d) $[-\frac{1}{288}, 0]$
   e) $x = 50\ 625$ f) $x = -2$ g) $]\frac{16}{13}, +\infty[$ h) $[0, +\infty[$

2. 2,011 m²

Page 182

1. a) $x = \pm 4$ d) Ø   g) $x \approx \pm 0,655$ j) $x \approx \pm 1,054$
   b) $x \approx \pm 6,928$ e) $x = \pm 10$ h) $x \approx \pm 8,062$ k) $x \approx \pm 4,243$
   c) $x = 0$ f) $x \approx \pm 4,243$ i) $x = \pm 1$ l) Ø

Page 183

2. a) $]-1,871, 1,871[$ b) $]-\infty, -1] \cup [1, +\infty[$ c) $[-\frac{3}{4}, \frac{3}{4}]$
   d) $]-5, 5[$ e) Nombres réels   f) Ø

Page 184

3. a) $C = 50c^2$ (C s'exprime en $; c s'exprime en mètres)
   b) 5,477 m   c) $[40, +\infty[$ m²

4. a) $A_b = 2\pi r^2$ b) 3,989 cm   c) 35,45 m

Test 7 – page 185

1. a) $x = \pm 3$ b) $x \approx \pm 0,8944$ c) $]-\infty, -0,277] \cup [0,2774, +\infty[$

2. a) 1,552 s   b) 4,909 s

Page 186

1. a) 1) $[0, +\infty[$ kg   b) 1) $[0, 12]$ h
   2) $[0, +\infty[$ $ 2) $[0, 12]$ $
   3) 0   3) 0
   4) 0   4) 0
   5) Positive (sauf à 0)   5) Positive (sauf à 0)
   6) 0 $: minimum   6) 0 $: minimum
                                 12 $: maximum
   7) Croissante   7) Croissante
   8) –   8) –

   c) 1) $[0, +\infty[$ h   d) 1) Nombres réels
   2) $\{0, 5$, 10$, 15$\}$ 2) $]-\infty, 0[$
   3) 0   3) –
   4) 0   4) -4
   5) Positive (sauf à 0)   5) Négative
   6) 0 $: minimum   6) –
      15 $: maximum
   7) Croissante   7) Croissante
   8) –   8) $y = 0$

Page 187

2. a) 1) $]-\infty, 0]$ b) 1) $\{1, 2, 3, 4\}$ joueurs
   2) $[0, +\infty[$ 2) $[60, 220]$ $
   3) 0   3) –
   4) 0   4) –
   5) Positive (sauf à 0)   5) Positive
   6) 0 : minimum   6) 60 $: minimum
                                 220 $: maximum
   7) Décroissante   7) Décroissante
   8) –   8) –

   c) 1) $[-\pi, 2\pi]$ d) 1) Nombres réels
   2) $[-2, 2]$ 2) 50
   3) $\{-\frac{\pi}{2}, \frac{\pi}{2}, \frac{3\pi}{2}\}$ 3) –
   4) 2   4) 50
   5) $]-\frac{\pi}{2}, \frac{\pi}{2}[$ et $]\frac{3\pi}{2}, 2\pi]$: positive   5) Positive
      $[-\pi, -\frac{\pi}{2}[$ et $]\frac{\pi}{2}, \frac{3\pi}{2}[$: négative
   6) -2 : minimum   6) 50 : minimum
      2 : maximum   50 : maximum
   7) $[-\pi, 0]$ et $[\pi, 2\pi]$: croissante   7) Aucune
      $[0, \pi]$: décroissante
   8) –   8) –

Page 188

3. a) Calories dépensées en faisant du vélo

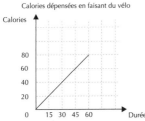

b) Domaine : [0, 60] min   Image : [0, 80] calories
c) Oui (0)
d) 80 calories : calories brûlées en 60 minutes
e) Croissante : logique, car la dépense calorique est proportionnel le au nombre de minutes de vélo
f) 0 : logique, pas de vélo ⇔ pas de dépenses caloriques
g) Domaine : [30 min, 60 min]   Image : [40 cal, 80 cal]
Minimum : 40 calories
Maximum et croissance : aucun changement
Pas de zéro

Test 8 – page 189

1. a) 1) [0, 12]
   2) [0, 4] $
   3) 0 et 12
   4) 0
   5) Positive, sauf $x = 0$ et 12
   6) 0 : minimum
      4 : maximum
   7) [0, 2] : croissant
      [2, 12] : décroissant
   8) –

   b) 1)]-∞, 0[
   2) Nombres réels
   3) -10
   4) –
   5)]-∞, -10[: négative
      ]-10, 0[: positive
   6) –
   7) Croissante
   8) $x = 0$

2. 1) [0, 6] années   2) [1 000, 1 340,10] $ 3) 1 000 $ 4) –   5) Positive
   6) 1 000 $ (minimum) / 1 340,10 $ (maximum)   7) Croissante

Page 190

1. a) 1) 3
   2) -0,5
   3) (0, 0)
   4) 0
   5) $x = 0$
   6) Minimum = 0
   7) 0
   8) [-∞, 0] : décroissant
      [0, +∞[: croissant
   9) Nombres réels
   10) [0, +∞[
   11) Positive (sauf à 0)

   b) 1) -4
   2) 1
   3) (0, 0)
   4) 0
   5) $x = 0$
   6) Maximum = 0
   7) 0
   8)]-∞, 0] : croissant
      [0, +∞[: décroissant
   9) Nombres réels
   10)]-∞, 0]
   11) Négative (sauf à 0)

2.

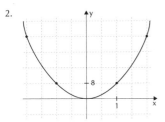

3. $a = -4$ et ? = -36

Page 191

4. a) $a = -0,25$ b) $a = 10$

5. a)

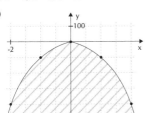

b)

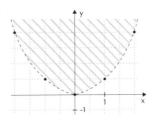

Page 192

6. a) $M = 2,50c^2$ (M en $; c en mètres)

b)

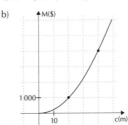

c) 1) 2,50
2) 0
3) Minimum = 0 et Maximum = 6 250 $
4) Croissante
5) [0, 50] m
6) [0, 6 250] $
d) 92 m

Test 9 – page 193

1. a)

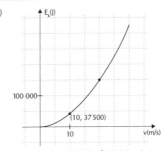

b) 375   c) [0, 337 500] J   d) 51,96 m/s

Page 194

1. a) 1) 2
   2) 5
   3) (0, 0)
   4) 0
   5) Minimum = 0
   6) 0
   7) Croissante
   8) [0, +∞[
   9) [0, +∞[
   10) Positive (sauf à 0)

   b) 1) $-\dfrac{2}{3}$
   2) $-\dfrac{9}{7}$
   3) (0, 0)
   4) 0
   5) Maximum = 0
   6) 0
   7) Croissante
   8)]-∞, 0]
   9)]-∞, 0]
   10) Négative (sauf à 0)

   c) 1) -1
   2) 0,5
   3) (0, 0)
   4) 0
   5) Maximum = 0
   6) 0
   7) Décroissante
   8) [0, +∞[
   9)]-∞, 0]
   10) Négative (sauf à 0)

   d) 1) 1
   2) -1
   3) (0, 0)
   4) 0
   5) Minimum = 0
   6) 0
   7) Décroissante
   8)]-∞, 0]
   9) [0, +∞[
   10) Positive (sauf à 0)

2. a) $a = \varnothing$ $b = 0$ $c = 8$ $d = 18$ $e = 32$
   b) $a = 80$ $b = -4$ $c = 8$ $d = 0$ $e = \varnothing$

corrigé mathématique «««««««««««««

Page 195

3. a)

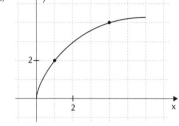

b)

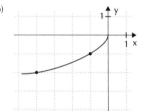

c)

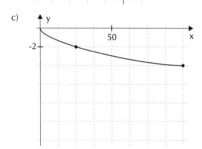

Page 196

4. a)

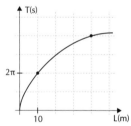

b) 1) 2π 2) 0,1   3) 0   4) Croissante
c) 6,883 s
d) 16,21 m

Test 10 – page 197

1. a)

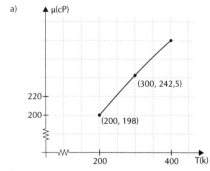

b) Oui, minimum = 198 cP et maximum = 280 cP
c) 323,2 cP   d) 1 276 K

Page 198

1. a) 1) 2
       2) 4
       3) 3
       4) 2
       5) Croissante
       6) Nombres réels
       7)]0, +∞[
       8) Positive

    b) 1) -3
       2) -1
       3) $\dfrac{4}{7}$
       4) -3
       5) Décroissante
       6) Nombres réels
       7)]-∞, 0[
       8) Négative

    c) 1) 1
       2) 4
       3) 0,9
       4) 1
       5) Décroissante
       6) Nombres réels
       7)]0, +∞[
       8) Positive

    d) 1) 1 000
       2) 1
       3) 2
       4) 1 000
       5) Croissante
       6) Nombres réels
       7)]0, +∞[
       8) Positive

2.

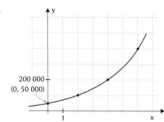

Page 199

3. a) V = 150 000 (1,02)^t
       V : valeur de la maison ($)
       t : temps écoulé depuis 2008 (années)
    b) 182 849,16 $ c) 2043

4. a) V = 20 000 (0,8)^t (V en $; t en années)
    b) 3,106 années
    c) Non, V s'approche de 0, sans y parvenir (asymptote)
    d) 2 147,48 $

Page 200

5. a) $n = 1\,000 \cdot 2^{2t}$
    b)

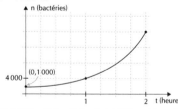

    c) 1) 1 000   2) 2   3) 2   4) 1 000 bactéries   5) Croissante
       6) [0, +∞[heures   7) [1 000, +∞[bactéries   8) Positive
    d) 8 000 bactéries
    e) 3,322 heures

Test 11 – page 201

1. 1) 3   2) -2   3) 0,25   4) 3   5) Croissante
    6) Nombres réels   7)]0, +∞[8) Positive
    9)

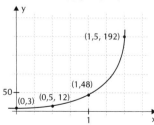

2. a) $m = 20(0,5)^{3t}$ b) 7,071 grammes   c) 2,548 heures

Page 202

1. a) 15 b) 2 c) -3 d) -1 e) 0 f) 0 g) -2 h) 3

2. a) 1) 2　　　　　　　　b) 1) $-\frac{1}{2}$

　　2) 3　　　　　　　　　　2) 1

　　3) 2　　　　　　　　　　3)

　　4) $\frac{1}{3}$　　　　　　　　　　4) 1

　　5) $[0, \frac{1}{3}[$　　　　　　　5) [0, 1[

　　6) 0　　　　　　　　　　6) 0

　　7) Croissante　　　　　　7) Décroissante

　　8) Nombres réels　　　　8) Nombres réels

　　9) $2n$ (n = entier)　　　　9) $-\frac{n}{2}$ (n = entier)

　　c) 1) -1 500　　　　　　d) 1) 1,5

　　2) -1　　　　　　　　　　2) -4

　　3) 1 500　　　　　　　　3) 1,5

　　4) 1　　　　　　　　　　4) 0,25

　　5)]-1, 0]　　　　　　　5)]-0,25, 0]

　　6) 0　　　　　　　　　　6) 0

　　7) Croissante　　　　　　7) Décroissante

　　8) Nombres réels　　　　8) Nombres réels

　　9) -1 500n (n = entier)　9) 1,5n (n = entier)

3. Minimum = 2 et Maximum = 18

Page 203

4. a) $f(x) = -5[-\frac{2}{3}x]$　　b) $h(x) = 8[0,1x]$

5. a)
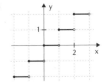

   b)

Page 204

6. a)
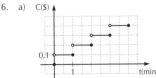

   b) C = -0,1[-t] ; (C en $; t en minutes)
   c) 1) -0,1　2) -1　3) 0,1　4) 1　5) 0　6) 0
   7) Croissante 8) [0, +∞[min 9) 0,1n (n = entier ≥ 0)
   d) 3,00 $　　e) 11,00 $

Test 12 – page 205

1. a)
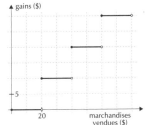

   b) G = 10[0,05M]
   G = gains ($) et M = marchandises vendues ($)

c) domaine = [0, 1 000] $
image = 10n $ (n = entier ; 0 ≤ n ≤ 50)
d) 410 $　e) 410 $

Page 206

1. a) 12 km b) 6 km/h
   c)
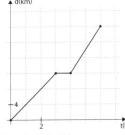

   d) Domaine : [0, 6] heures ; Image : [0, 24] km
   e) #1 : $d = 4t$; [0, 5]h　#2 : $d = 12$; [3, 4]h　#3 : $d = 6t - 12$; [4, 6]h

Page 207

2. a) #1 : $v = 70$; [5, 15]s　#2 : $v = -14t + 280$; [15, 20]s
   b) (15 s, 70 km/h)
   c) Temps = 10 secondes　　Distance = 194 mètres
   d) Domaine : [0, 20] secondes　　Image : [0, 70] km/h
   e) 70 km/h (vitesse maximale et constante)
   f) Croissante (accélération)
   Décroissante (ralentissement)

Page 208

3. a)
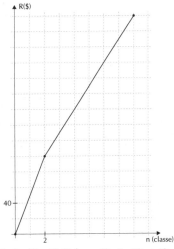

   b) #1 : $R = 50n$; [0, 2]classes　#2 : $R = 30n + 40$; [2, 8]
   c) (2 classes, 100 $)　d) 280 $　e) 36,67 $ / classe　f) $\left(-\frac{4}{3} \text{ classe, } 0 \$\right)$

Test 13 – page 209

1. a)
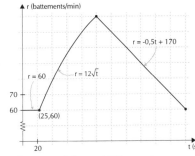

   b) 120 battements/minute　c) 220 secondes

Page 210

1. a) $y = -\frac{2}{3}x + \frac{1}{3}$　b) $y = -0,5x + 0,5$　c) $y = -4$　d) $y = -x$

2. a) $m = 2$　　　　$b = 5$　　　$a = -2,5$
   b) $m = 0$　　　　$b = 3$　　　$a = \varnothing$

c) m = indéterminé $b = \varnothing$ $a = 1$
d) $m = -\dfrac{50}{7}$ $b = \dfrac{13}{7}$ $a = 0{,}26$

3. a) $y = 0{,}6x - 0{,}6$ b) $y = 0{,}5x$

4. $y = -1{,}5x + 5{,}5$

Page 211

5. a) $(x, y) = (-1{,}6, -0{,}6)$ b) $(x, y) = \left(-\dfrac{4}{9}, \dfrac{16}{9}\right)$ c) $\varnothing$ d) infinité de points

6. $y = -\dfrac{1}{3}x + \dfrac{4}{3}$

7. $y = -0{,}5x - 2{,}5$

8. Oui, pentes semblables $\left(m = \dfrac{2}{3}\right)$

9. Oui, les deux paires de points ((-2, 3) ; (3, 1)) et ((1, -4) ; (-9, 0)) forment des droites parallèles ($m = -0{,}4$).

Page 212

10. Triangle rectangle en (4, 3).

11. a) $y = x + 11$ $y = -0{,}375x - 5{,}5$ $y = -1{,}75x - 11$ b) $y = \dfrac{8}{3}x + \dfrac{73}{3}$

Test 14 – page 213

1. $y = -0{,}75x - 1{,}75$ $m = -0{,}75$ $b = -1{,}75$ $a = -\dfrac{7}{3}$

2. a) (-3, 0,5)   b) (3, -7)

3. a) $y = 2{,}4x$ b) $y = 2{,}4x + 5$

Page 214

1. a) 6,708   b) 7,28   c) 8,944   d) 4,441

2. $x_1 = \pm 6$

3. a) 10,82   b) $y_3 \approx \pm 10{,}05$ c) 2,259

Page 215

4. Restaurant B (5,099 vs 6,083)

5. a) 11,66   b) 36,64   c) 53,4

6. a) Toutes les distances sont de 4,472   b) 20

Page 216

7. a) 7,071   b) 16,97   c) 12

8. 1,442 km

9. a) 848,5 pieds   b) 64 800 $

Test 15 – page 217

1. a) 1,346   b) 9,849

2. a) 100,5   b) 32

3. a) 350,4 km   b) 250,3 km

Page 218

1. a) (-0,8, 4,8)   b) (-0,5, 5)   c) $\left(2, \dfrac{20}{3}\right)$ d) (2,5, 7)   e) (1, 6)   f) $\left(\dfrac{3}{4}, \dfrac{35}{6}\right)$
g) $\left(\dfrac{7}{8}, \dfrac{71}{12}\right)$

Page 219

2. a) $\left(\dfrac{9}{7}, \dfrac{950}{7}\right)$ b) (1,4, 150)

3. (3,5, 4) est le point milieu des deux diagonales.

4. La distance entre Mont-Laurier et la halte routière est plus courte (130,4 vs 134,2)

Page 220

5. (-1,5, 1,5)

6. a) (8, 220)   b) (-28, 220)

7. $x_1 = \dfrac{38}{9}$ et $v_2 = \dfrac{65}{9}$

8. $m = 3$ et $n = 5$

Test 16 – page 221

1. $\left(-0{,}2, \dfrac{23}{15}\right)$

2. (2, 4,5)

3. $a = 7$ et $b = 12$

4. (56, 0)

Page 222

1. a) 0,9231   b) 0,3846   c) 2,4   d) 0,3846   e) 0,9231   f) 0,4167

2. a) $\angle C = 45°$ $b = 6$ cm $c = 8{,}485$ cm
b) $\angle B = 40°$ $c = 5{,}362$ cm $b = 4{,}5$ cm
c) $\angle B = 34{,}8°$ $\angle C = 55{,}2°$ $c = 11{,}489$ cm

Page 223

3. Non, car $\overline{BC} = 4{,}349$ et $\overline{DC} = 4{,}83$ (rectangle) ou $\angle BDC = 42° \neq 45°$ (rectangle)

4. Non (66,9°)

5. a) 6,335 m   b) 6,238 m

Page 224

6. 5,57 m

7. 27,71 m²

8. a) 74,31 m   b) 129,6 m   c) 173 m

Test 17 – page 225

1. 118,6 mm²

2. 130,6 m

3. 38,08 m

Page 226

1. $\overline{AB} = 8{,}216$ $\overline{AC} = 3{,}674$ $\overline{AD} = 3{,}354$ $\overline{CD} = 1{,}5$

2. $\overline{AD} = 2{,}4$ $\overline{BD} = 3{,}2$ $\overline{CD} = 1{,}8$ $\overline{BC} = 5$

3. $\overline{AB} = 12$ $\overline{AD} = 4{,}615$ $\overline{BD} = 11{,}077$ $\overline{CD} = 1{,}923$

Page 227

4. $\overline{AB} = 30$ m $\overline{AC} = 22{,}5$ m $\overline{BD} = 24$ m $\overline{CD} = 13{,}5$ m

5. Hauteur du mât = 7,97 m
A (grande voile) = 28,78 m²   A (petite voile) = 15,22 m²

6. 4,888 m

Page 228

7. $\overline{BE} = 19{,}97$ $\overline{EF} = 16{,}64$

8. Grande : 8,5 dm   Petite : 7,06 dm

9. Grand : 256 m²   Petit : 64 m²

Test 18 – page 229

1. $\overline{AB} = 9{,}014$ $\overline{AC} = 6{,}009$ $\overline{BC} = 10{,}833$ $\overline{CD} = 3{,}333$

2. 25,76

3. 2,846

Page 230

1. a) 10,75   b) -8,571

2. a) 20 ans   b) 69,38   c) 1,78

Page 231

3. a) 59,1875
b) $\sum |x_1 - \bar{x}| = 104{,}625$ $\sum \left(x_1 - \bar{x}\right)^2 = 1\,088{,}4375$
c) EM = 6,539 $\sigma = 8{,}248$

4. 5,614

Page 232

5. a) 1,727   b) $\sum f|x_1 - \bar{x}| = 39{,}635$ $\sum f\left(x_1 - \bar{x}\right)^2 = 106{,}5$ c) EM = 1,2 $\sigma = 1{,}8$

Test 19 – page 233

1. a) -3,429 °C   b) $\sum \left(x_1 - \bar{x}\right)^2 = 179{,}7$ $\sigma = 5{,}067$ °C

2. $\sum f|x_1 - \bar{x}| = 254{,}14$ EM = 0,363

Page 234

1. a) Niveau parfait   Sens positif   r = 1
b) Niveau parfait   Sens négatif   r ≈ -0,99

Page 235

2. a) Niveau nu l r ≈ -0,15   b) Niveau fort   Sens positif   r ≈ 0,96

Page 236

3. a) Niveau parfait   Sens négatif   r ≈ -0,99
b) Niveau moyen   Sens positif   r ≈ 0,79

Test 20 – page 237

4. a) Niveau parfait   Sens positif   r ≈ 0,99
b) Niveau fort   Sens négatif   r ≈ -0,84

Page 238

1. a) M = -0,1659t + 154,4   b) M = -0,1417t + 151   c) 151 lbs   d) 177 min

Page 239

2. a) n = 44,77T – 466   b) n = 47,62T – 517   c) 26,6 °C   d) 1 011 personnes

Page 240

3. a) H = -3,567n + 35,8   b) H = -3,231n + 34,54   c) 9,14 h   d) 60,6 h

Test 21 – page 241

1. a) $S = 5\ 370,37n - 20\ 046$ b) $S = 5\ 555,56n - 22\ 500$
   c) i. 92 732 $ ii. 94 167 $

Page 242

1. a) exponentielle   b) racine carrée   c) polynomiale du 2e degré
   d) racine carrée

Page 243

2. polynomiale du 2e degré

3. exponentielle

Page 244

5. a) 120   b) 479 000 880   c) 4 322   d) 40 302   e) 593 775   f) 2 161

6. a) 13 983 816   b) 85 900 584   c) 58 905

Test 22 – page 245

1. racine carrée

2. a) 48   b) 6 720   c) 39 916 800   d) 40   e) 1 947 792   f) 744   g) Ø   h) $\frac{29}{30}$

Page 246

1. a) NE   b) NE   c) E   d) NE   e) NE   f) E   g) NE   h) NE   i) E   j) NE

2. a) Ø   b) roi de pique, roi de trèfle   c) I30   d) 6   e) 2 de cœur, 2 de carreau

Page 247

3. a) $\frac{25}{52}$ b) $\frac{9}{13}$ c) $\frac{15}{26}$ d) $\frac{3}{13}$ e) 1   f) $\frac{27}{52}$ g) $\frac{7}{13}$ h) $\frac{4}{13}$

Page 248

4. a) 30,25 %   b) 20,25 %   c) 49,5 %   d) 79,75 %

5. 55 enfants morts

6. $\frac{14}{25}$

7. 9,3 %

Test 23 – page 249

1. a) Exclusifs   b) Exclusifs   c) Non mutuellement exclusifs (6 de cœur, 6 de carreau, dame de cœur, dame de carreau)

2. a) oui   b) $\frac{4}{13}$

3. a) 0,58 %   b) 89 %

Page 250

1. a) 45 %   b) 47 %   c) 67,5 %

2. a) $\frac{1}{5}$ b) $\frac{3}{5}$

Page 251

3. a) $\frac{1}{3}$ b) $\frac{2}{5}$ c) $\frac{5}{9}$

4. a) $\frac{1}{46}$ b) $\frac{44}{45}$ c) 0

Page 252

5. a) $\frac{1}{59}$ b) $\frac{12}{59}$ c) $\frac{1}{46}$

6. a) $\frac{11}{17}$ b) $\frac{10}{51}$

Test 24 – page 253

1. a) 9,58 %   b) 84,81 %

2. $\frac{5}{9}$

Page 254

1. a) 25 pour 11   b) 17 contre 1   c) $\frac{25}{36}$ d) 52,78 $

2. 3 pour 5

Page 255

3. 2,00 $

4. a) 15 875 pour 12 433   b) 80,1 ans

Page 256

5. a) 12 contre 1   b) 0,25 $

6. a) 3,02   b) 0,56 $ c) 138,67 $

Test 25 – page 257

1. Chances pour : 8 pour 19
   Chances contre : 19 pour 8
   Probabilité : $\frac{8}{27}$

2. a) 1 pour 2   b) 125 $

3. a) 3 contre 17   b) 1 000 $

Test final

Page 258

1. $\frac{11}{25}$

2. racine carrée

Page 259

3. a) 52,13°   b) 27,63 km

4. 1,771 x 10^{11}

Page 260

5. a) 0,813   b) CC = 0,0463AB + 0,4409   c) 12 coups de circuit
   d) 464,5 présences

Page 261

e) EM = 78,8 présences   σ = 90,6 présences

6. a) Droite : $2x + 3y - 4 = 0$
   (pente = $-\frac{2}{3}$ et ordonnée à l'origine = $\frac{4}{3}$)
   Droite : $\frac{x}{3} + y = 1$
   (pente = $-\frac{1}{3}$ et ordonnée à l'origine = 1)

Page 262

b) 5,831   c) $\left(1, \frac{2}{3}\right)$ d) $\left(\frac{8}{3}, \frac{1}{9}\right)$ e) $3x - y - 17 = 0$

7. 46,25 $

8. a) 3 pour 4   b) $\frac{2}{5}$

Page 263

9. a) Non, toutes les cartes numérotées 10   b) non mutuellement exclusifs

10. a) $(2x - 0,75)^2$ b) $(x - 4)(5x + 9)$

11. $\frac{1 + 4x + 12y}{4(x - 2y)^2}$

12. a) 12,15 dm

b)
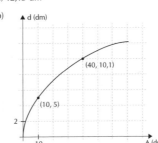

Page 264

13. 2 $ (petit cornet) et 3 $ (grand cornet)

14. a) $x = 3,2$ b) $\left[0, \frac{484}{81}\right]$

15. a)
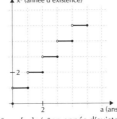

b) $x^e = -[-a]$; (x^e en année d'existence; a en ans)

Page 265

16. $\sqrt{300x^2 + 700x + 275}$

17. a) $m = 50(0,6)^t$ b) 9,015 h   c) Non, 5 mg
    d) 1) [0, 9,015] h   2) [0,5, 50] mg   3) Positive   4) Décroissante

18. $\frac{a^6}{4b^7}$

Page 266

19.

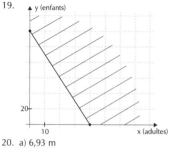

20. a) 6,93 m

Page 267

b) 1) [-6,93, 6,93] m   2) [-12, 0] m   3) Négative (sauf à $x = 0$)
4) Croissante: [-6,93, 0] m Décroissante: [0, 6,93] m   5) $x = 0$
c) Une distance de moins de 2,83 m, de chaque côté

21. a) 1) [0, +∞[s   2) [0, +∞[m   3) Positive (sauf à $x = 0$)   4) Croissante
5) 0   6) 0 (minimum)   7) 0

Page 268

b) Partie 1 : $y = \dfrac{25}{9} x^2$ Partie 2 : $y = \dfrac{100}{3} x - 100$

c) i. 25 m   ii. 1 900 m

Exercise 1,1 page 299

Past Perfect Progressive	Present Perfect Progressive	Future Perfect Progressive
had been asking	has been studying	will have been dating
had been demanding	have been creating	will have been living
had been waiting	has been working	will have been working
	have been reading	

Exercise 1,2

a) Run-on. Rose and Timothy are getting married this Saturday. It will be a beautiful event. They are such nice people.
b) Correct
c) Correct
d) Run-on. Raven and Kessa are planning on going to the mall. They love it there!

Exercise 1,3 page 300

Clues	Compound Noun	Clues	Compound Noun
The main office of a company	headquarters	Sport played with a brown, oblong ball	football
During the day	daytime	Type of insect that produces light at night	firefly
A person who witnesses an event	eyewitness	Trace left on the ground, produced by your feet	footprint
A place of business that cleans clothes	dry cleaner	Skin that covers your eyes	eyelid
A type of fish	goldfish	Button you press that announces your presence with a ringing sound	doorbell
The result of pulling the trigger of a gun	gunfire	Protective finger covering that can be trimmed or painted	fingernail
Someone who cuts and styles hair	hairdresser	Someone who acts like a mentor (male)	godfather
Male sibling who shares one parent with you	half-brother	Green insect that jumps high	grasshopper
The clue a person's finger leaves behind	fingerprint	Trim	haircut
Jewellery worn on your ear	earring	Rule or recommendation	guideline
Paved entrance where you park your car at home	driveway	Book or recommendations, often for travel	guidebook
Appliance that washes the dishes	dishwasher	A reference note written at the end of a document	footnote
Wriggly animal used as fishing bait	earthworm	Comments (positive or negative)	feedback

Powder needed to fire a gun	gunpowder	Type of gun. F __ R __ A __ M	firearm
Type of cake, loaded with dried fruit, eaten at Christmas	fruitcake	Outdoor place where people watch movies in their cars	drive-in
Type of insect that has pinchers attached to its abdomen	earwig	Chicken leg or stick used to a play percussion instrument	drumstick
Date or time when something is due	deadline	Device placed in or on the ear for listening to music or sounds	earphone
Gesture used to greet someone or to conclude a deal	handshake	Object that allows you to see in the dark	flashlight
Room used to grow plants. Usually humid.	greenhouse	Writing in pen or pencil	handwriting
Part of the inner ear	eardrum	Place of business that sells, among other things, medication	drugstore

Exercise 1,4 page 301

a) FRAGMENT. Lucia would love for her boyfriend of nine years to propose, maybe this weekend.
b) COMPLETE
c) FRAGMENT. Sapphire, I need your expertise to write this letter.

Exercise 1,5

Animal	Group
bear	sleuth
bat	colony
all cats	clowder
hamster	horde
ant	colony
chicken	flock
goose	gaggle
horse	herd
crow	murder
sheep	drove
cattle	herd
rat	colony
donkey	herd
beaver	family
gorilla	band
mosquito	swarm
zebra	dazzle
baboon	tribe
goat	mob

corrigé anglais ««««««««««««

Test 1,1 page 303

Certainty		Frequency		Quantity	
Sure	Unsure	Often	Not Often	A Lot	A Little
obviously	probably	all the time	sometimes	much	not much
for sure	maybe	always	never	many	not many
clearly	perhaps	most of the time	occasionally	lots of	very little
certainly	I doubt it	usually	once	several	a small amount
definitely	I don't know	daily	seldom	all	few
undoubtedly	I think so	monthly	rarely	two, three, four...	some
I am sure	it is doubtful	annually		a couple of	no
of course		regularly		most	none
I am certain		weekly		plenty of	zero
I think				a number of	one
it is confirmed					
no doubt about it					

Exercise 2,1 page 304

a) cross out
b) butter (me) up
c) stand up
d) came up with
e) be off
f) write down

Exercise 2,2

a) ticked me off
b) tried on
c) slipped up
d) lie down
e) leave (him) out g) throw out
f) fall through

Exercise 2,3 page 305

a) waiting for
b) brush up
c) put up with
d) cashed in
e) check (this) out
f) turn (this situation) around

Test 2,1 page 307

a) caught on
b) stick up for
c) worn out
d) gives up
e) marked down
f) pitching in

Exercise 3,1 page 308

a) making fun of
b) beat up
c) go through with
d) laid off
e) follow up
f) taking (it) down

Exercise 3,2

a) chicken out
b) fallen for
c) act like
d) kicked out
e) taken over
f) figure (things) out

Exercise 3,3 page 309

a) backed up
b) mark up
c) hit it off
d) stands for
e) track down
f) putting off

Test 3,1 page 310

a) butts in
b) clams up
c) blew up
d) looks like
e) Bring on
f) back off

Exercise 4,1 page 311

a) sinking in
b) wrapping up
c) dropped in
d) feel up to
e) turned into
f) come out

Exercise 4,2

a) take care of
b) bring back
c) pull off
d) get rid of
e) Get on
f) make up

Exercise 4,3 page 312

a) fill out
b) get by
c) nodded off
d) turn over
e) stands out
f) takes after

Test 4,1 page 313

Answers will vary.

Exercise 5,1 page 314

Answers will vary.

Exercise 5,2 page 315

Answers will vary.

Exercise 5,3 page 316

Answers will vary.

Test 5,1 page 317

Answers will vary.

Exercise 6,1 page 318

a) a bee in your bonnet
b) back to square one
c) time flies
d) Big Easy
e) It takes two to tango
f) deep pockets
g) having a ball

Exercise 6,2

a) hat trick
b) actions speak louder than words
c) chew the fat
d) wrap up
e) two-faced
f) jumped the gun

Exercise 6,3 page 319

a) feeding frenzy
b) to make a scene
c) gung-ho
d) drop in the bucket
e) between a rock and a hard place
f) to break a leg
g) A penny for your thoughts

Test 6,1 page 321

a) as easy as pie
b) lend me a hand
c) you are what you eat
d) wallflower
e) you can't teach an old dog new tricks
f) you can't take it with you

Exercise 7,1 page 322

a) flash in the pan
b) with bells on
c) haste makes waste
d) blue moon
e) back-seat driver
f) the early bird gets the worm
g) have other fish to fry

Exercise 7,2

a) practice makes perfect
b) How do you like them apples
c) hot potato
d) toss-up
e) ants in your pants
f) splitting hairs
g) cooking with gas

Exercise 7,3 page 323

a) a house divided against itself cannot stand
b) different strokes for different folks
c) water under the bridge
d) hocus-pocus
e) a taste of her own medicine

Test 7,1 page 324

a) tongue-in-cheek
b) a whale of a time
c) In a nutshell
d) bought a lemon
e) a rolling stone gathers no moss
f) did a bang-up job
g) cock-and-bull story

Exercise 8,1 page 325

a) wet behind the ears
b) bite her tongue
c) blood is thicker than water
d) keeping tabs
e) a dime a dozen
f) crocodile tears
g) home sweet home

Exercise 8,2

a) No dice
b) eat crow
c) early bird
d) blow off steam
e) at the end of his rope
f) armed to the teeth
g) catch some Z's

Exercise 8,3   page 326

a) grey area
b) From the get-go
c) forest for the trees
d) out of whack
e) paint yourself into a corner
f) deer in the headlights
g) off the cuff

Test 8,1   page 328

a) scratch the surface
b) to fall back on
c) to chow down
d) spare time
e) The shoe is on the other foot
f) to crack (me) up
g) bites (my) head off
h) threw a monkey wrench

Exercise 9,1   page 329

Answers will vary, refer to idiom theory notes

Exercise 9,2   page 330

Answers will vary, refer to idiom theory notes

Exercise 9,3   page 331

Answers will vary, refer to idiom theory notes

Test 9,1   page 333

Answers will vary, refer to idiom theory notes

Exercise 10,1   page 335

a) S
b) CD
c) CX
d) CC
e) CD
f) S
g) CC
h) CX
i) S
j) CD
k) CX
l) CD

Exercise 10,2

a) CC
b) S
c) CD
d) CD
e) S
f) CD
g) CD
h) S
i) CD
j) CX
k) CX
l) CD
m) CD

Exercise 10,3   page 336

a) SVC
b) SVDO
c) SVDO
d) SVDO
e) SVC
f) SVC
g) SVC
h) SVDO
i) SVDO
j) SV
k) SVDOIO
l) SVC
m) SVDOIO

Test 10,1   page 338

	Clause type	Definition	Examples
1.	Simple	Clause which contains a complete idea, a subject and a verb. It is an independent clause.	will vary
2.	Compound	A sentence which contains two simple clauses that are joined with a semicolon or a coordinating conjunction such as *and, or, so, but...*	will vary
3.	Complex	Sentence that contains an independent clause, joined to, at least, a dependent clause, using subordinating conjunctions such as *after, if, while, though...*	will vary
4.	Compound-Complex	Sentence that contains, at least, two independent clauses and one dependent clause.	will vary

Test 10,2

	Sentence Pattern	Definition	Examples
1.	SV	Subject + Verb	will vary
2.	SVDO	Subject + Verb + Direct Object	will vary
3.	SVC	Subject + Verb + Complement	will vary
4.	SVDOIO	Subject + Verb + Direct Object + Indirect Object	will vary
5.	SVDOC	Subject + Verb + Direct Object + Complement	will vary

Test 10,3   page 339

a) Phrase: A group of words that does not contain a subject or a verb.
b) Clause: A group of words that contains a subject and a verb.

Test 10,4

Answers will vary.

Exercise 11,1-11,3   pages 340-341

See answers for Test 11,1

Test 11,1   page 342

Why	When	How	Where	How much	How often	How long
because he was very hungry	when we have the chance	with the help of my trusty cookbook	behind the bush	six pounds of prosciutto	every morning	20 minutes
because they like the area	at midnight	by bus	in the oven	10 pounds	every day	for the next two hours
because I missed my bus	last night	together	to your place	many people	every Sunday	for two weeks
because I wanted to show you how much I love you	next year	with the help of my class notes	in Scotland	most people	every day	for at least four hours
	in the month of April	if we save money	on my street	three dollars each	every Thursday	for almost three weeks now
	next month	by driving my car	there	$1000	every chance she gets	
		with a little help from her friends	behind the cinema	$10 each		
		together	at my shop			
		by bus	to the dance			
			in the old barn			
			to Paris			
			to the gym			
			at Extra G			
			to Florida			
			there			
			in St. Louis			
			over there			

corrigé anglais <<<<<<<<<<<<<<<<<<

Exercise 12,1-12,3   pages 343-344

Demonstrative	those, this, this, these
Common (descriptive)	beautiful, dirty, little, best, better, happy, tantalizing, delicious, filling, desolate, better, traditional, delicious, sweet, fantastic, tasty, unripe, alleged, gifted, complex, new
Proper	Swedish, Catholic, Protestant, Greek, Canadian, Cajun, Shakespearean
Interrogative	which, which, what, which, why
Quantitative	many, three, many, many
Possessive	her, yours, mine, yours
Compound	two-storey, two-foot, grape-flavoured

Test 12,1   page 345

Type	Explanation	Example	Used in a Sentence
Demonstrative	These adjectives are used to point to objects, to designate them.	that, these, those, this	Answers will vary.
Common (descriptive)	These adjectives do not require a capital letter. Most adjectives fall in this category. The adjectives are varied.	big, funny, old, new, shallow, dark…	Answers will vary.
Proper	These adjectives are formed from a proper noun.	Italian, Shakespearean, Canadian, Peruvian, Catholic	Answers will vary.
Interrogative	These adjectives modify nouns used in questions.	which, what	Answers will vary.
Quantitative	These adjectives express the quantity of something.	many, five, little, any	Answers will vary.
Possessive	These adjectives indicate possession.	my, your, his, her	Answers will vary.
Compound	These adjectives are formed when two words are put together using a hyphen to function as adjectives	two-foot, six-page, ugly-looking…	Answers will vary.

Exercise 13,1 - Test 13,1   pages 346-349

The response process is a very personal process. However, it is very important you apply it in order to be able to reinvest your understanding of the text in comprehension exercises. As long as you answer all the questions seriously and to the best of your ability, you've applied the response process.

Exercise 14,1   pages 350-352

The response process is a very personal process. However, it is very important you apply it in order to be able to reinvest your understanding of the text in comprehension exercises. As long as you answer all the questions seriously and to the best of your ability, you've applied the response process.

Test 14,1   page 353

1. Her sister
2. On the bank
3. No pictures or conversations
4. Sleepy and stupid
5. A White Rabbit with pink eyes
6. The Rabbit spoke, wore clothes and had a watch (or knew how to tell time)
7. That he would be late
8. Into a rabbit-hole
9. Yes
10. No
11. Long time
12. Her cat, Dinah's
13. She landed
14. No
15. A golden key
16. A garden
17. Drink me
18. Cherry- tart, custard, pine-apple, roast turkey, toffee, and hot buttered toast

Exercise 15,1-15,2   pages 354-356

The response process is a very personal process. However, it is very important you apply it in order to be able to reinvest your understanding of the text in comprehension exercises. As long as you answer all the questions seriously and to the best of your ability, you've applied the response process.

Test 15,1   page 357

1. It shut up like a telescope.
2. Only ten inches high
3. Yes
4. The key
5. She was too short and kept sliding down the table leg.
6. Eat me
7. Nothing
8. Yes
9. – 14. Answers will vary.

Exercise 16,1   pages 358-359

The response process is a very personal process. However, it is very important you apply it in order to be able to reinvest your understanding of the text in comprehension exercises. As long as you answer all the questions seriously and to the best of your ability, you've applied the response process.

Test 16,1   page 360

1. It was shrinking.
2. Answers will vary.
3. The white gloves
4. Shrink
5. Salt water, her own tears
6. Yes
7. No
8. Dinah
9. Cats
10. No
11. A little bright-eyed terrier with long curly brown hair
12. To a farmer
13. She told him that the dog kills rats.
14. He left
15. Yes
16. Why he hates cats and dogs
17. A Duck and a Dodo, a Lory and an Eaglet, and several other curious creatures

Exercise 17,1   pages 361-362

The response process is a very personal process. However, it is very important you apply it in order to be able to reinvest your understanding of the text in comprehension exercises. As long as you answer all the questions seriously and to the best of your ability, you've applied the response process.

Test 17,1   page 363

1. Dripping wet, cross and uncomfortable
2. About how to get dry
3. Yes
4. The Lorry
5. The Mouse
6. To tell them the driest story they've ever heard
7. No
8. A Caucus-race
9. Everyone
10. Whatever Alice had in her pockets, candies
11. Everyone
12. Alice
13. Yes, a thimble, her own pocket
14. That it was very absurd
15. Yes

Exercise 18,1   page 364

The response process is a very personal process. However, it is very important you apply it in order to be able to reinvest your understanding of the text in comprehension exercises. As long as you answer all the questions seriously and to the best of your ability, you've applied the response process.

Test 18,1   page 367

1. Yes
2. Yes
3. The Mouse left.
4. Never lose your temper.
5. She could fetch the mouse back.
6. Everyone started looking for excuses to leave.
7. Since no one seems to like her in Wonderland
8. Yes
9. She felt lonely and low-spirited.
10. The Mouse
11. – 14. Answers will vary.

Exercise 19,1   page 368

The response process is a very personal process. However, it is very important you apply it in order to be able to reinvest your understanding of the text in comprehension exercises. As long as you answer all the questions seriously and to the best of your ability, you've applied the response process.

Test 19,1   page 370

1. To explore some known and alleged secret societies and report interesting information about what they are and what they do.
2. Yes
3. Answers will vary.
4. Everywhere
5. In the 1600s
6. Six million
7. Their rituals
8. Answers will vary.
9. They graduate to the next level.
10. The compass
11. It refers to their past as masons.
12. Their charity work
13. They build homes for the needy and elderly, they give money to schools and organizations, health research and the Shriners Hospitals.
14. – 15. Answers will vary.

Exercise 20,2   page 372

Blue Gems	Red Gems	Green Gems	Purple Gems	Yellow Gems
Most people think of sapphires. Many kinds of stunning blue gems exist. Sapphire is the classic blue gem. Sapphire is found in a nature. Sapphire comes from large crystal rocks. Sapphire is one of the hardest gems. Sapphires can contain purple and green. Kate Middleton made it popular when she wore sapphire as her engagement ring. Aquamarine comes from Latin for water of the sea. Aquamarine can be blue or turquoise. Aquamarine is very shiny.	Striking stones which include rubies, garnets, red sapphires, red beryl and tourmalines. Ruby is a classic gem. Ruby is a well-loved red stone. Rubies range from pink to red. The more vibrant a ruby is, the more valuable it is. Rubies can be found all around the world.	Emerald and jade are the most well-known green gems but many more varieties exist. The word emerald is a synonym for green in many languages. Emeralds range in green tones. Some emeralds are made in labs. Jade has been around since prehistoric times. Jade is widely used in China. Jade is part of Chinese history. Classification of Jade depends on its depth of colour.	They are well-loved for their vibrant colours. The most well-known are amethysts. Purple sapphires are stunning. Amethyst is the official stone of the month of February. Amethyst was discovered by ancient Egyptians. Some amethysts are more valuable than diamonds.	They can range from citrine to zircon to beryl. These lively gems lighten up the person who wears them. Colours are vibrant and shiny. Citrine is from the topaz family. Citrine's name relates to the yellow of the lemon. It has relaxing and calming effects.

Test 20,1   page 373

Answers will vary.

Exercise 21,1   page 374

The response process is a very personal process. However, it is very important you apply it in order to be able to reinvest your understanding of the text in comprehension exercises. As long as you answer all the questions seriously and to the best of your ability, you've applied the response process.

corrigé anglais «««««««««««««««

Test 21,1   page 376

a) 55 to 60 degrees F
b) At the age of 6
c) At the age of 12 months
d) In groves or orchards in New England, New York, Pennsylvania, Michigan, and Canada, as well as farther south
e) Answers will vary.
f) No (salt to taste)
g) Keep the cream-pot in the coldest water you can get; make the butter early in the morning, and place cold water in the churn for a while before it is used.

Exercise 22,1   page 377

The response process is a very personal process. However, it is very important you apply it in order to be able to reinvest your understanding of the text in comprehension exercises. As long as you answer all the questions seriously and to the best of your ability, you've applied the response process.

Test 22,1   page 379

a) Answers will vary
b) Answers will vary
c) Answers will vary
d) In the middle of a dry day
e) When the small end of a fruit becomes the same colour as the large one
f) Cut away any unripe or decayed berries

Exercise 23,1   page 380

The response process is a very personal process. However, it is very important you apply it in order to be able to reinvest your understanding of the text in comprehension exercises. As long as you answer all the questions seriously and to the best of your ability, you've applied the response process.

Test 23,1   page 383

a) Secondary 4
b) They will be seniors and looking forward to prom, graduation and college.
c) They'll be the biggest kids in the school. Everyone will look up to them and they will have first pick of seats on the bus and in the cafeteria.
d) She was having a hard time with a history question
e) To relax, blow off some steam
f) No, she wants to study because she is worried about being unprepared
g) Studying and reviewing ethics and biology
h) They will review drama notes and watch a movie
i) Math
j) Josh and Ryan
k) Grilled cheese

Exercise 24,2   page 385

Answers will vary.

Test 24,1   page 386

Answers will vary.

Exercise 25,1-25,2   pages 387-388

Answers will vary.

Test 25,1   page 389

Answers will vary.

Final Exam, 1   page 390

	Clause Type	Definition	Examples
1.	Simple	Clause which contains a complete idea, a subject and a verb. It is an independent clause.	will vary
2.	Compound	Sentence which contains two simple clauses and which are joined with a semicolon or a coordinating conjunction such as *and, or, so, but...*	will vary
3.	Complex	Sentence that contains a simple clause, joined to a compound clause, using subordinating conjunctions such as *after, if, while, though...*	will vary
4.	Compound-Complex	Sentence that contains two independent clauses and one dependent clause.	will vary

Final Exam, 2

	Sentence Pattern	Definition	Examples
1.	SV	Subject + Verb	will vary
2.	SVDO	Subject + Verb + Direct Object	will vary
3.	SVC	Subject + Verb + Complement	will vary
4.	SVDOIO	Subject + Verb + Direct Object + Indirect Object	will vary
5.	SVDOC	Subject + Verb + Direct Object + Complement	will vary

Final Exam, 3   page 391

Answers will vary – see prior notes and explanations

Final Exam, 4

Answers will vary – see prior notes and explanations

Final Exam, 5

Answers will vary – see prior notes and explanations

Final Exam, 6   page 392

Answers will vary – see prior notes and explanations

Final Exam, 7

The response process is a very personal process. However, it is very important you apply it in order to be able to reinvest your understanding of the text in comprehension exercises. As long as you answer all the questions seriously and to the best of your ability, you've applied the response process.

Final Exam, 8   page 393

1. He had lost something
2. The white gloves and the fan
3. Yes
4. Mary Ann
5. Yes, she was frightened
6. The Duchess
7. The Rabbit's house, no one

Final Exam, 9   page 394

Answers will vary – see prior notes and explanations.

Final Exam, 10   page 395

Answers will vary – see prior notes and explanations.

Final Exam, 11   page 396

Answers will vary – see prior notes and explanations.